QUELLEN UND DARSTELLUNGEN

Aus Deutscher Geschichte

QUELLEN UND DARSTELLUNGEN

Aus Deutscher Geschichte

EDITED BY

GEORGE SALAMON

DARTMOUTH COLLEGE

AND

JOHN P. SPIELMAN, JR.

HAVERFORD COLLEGE

NEW YORK

OXFORD UNIVERSITY PRESS

LONDON   1968   TORONTO

PREFACE

Quellen und Darstellungen arose from the classroom. In the course
of teaching in European history and in German literature, its editors each
experienced the book first as an absence: the need for a reasonably
thorough source from which students might gain an understanding of
the main currents in modern German history and society. In setting out
to meet this need and to stimulate a command of critical German, we
have gathered as wide a variety of sources as we thought manageable,
and we have tested many of them in the classroom. The scholarly
apparatus has been kept to a minimum lest the book prove cumbersome.

The purpose of this volume, in its crystallized form, is simply stated:
to acquaint the student with the course of German history through the
words and ideas of men who made it and of their contemporaries. To
these "primary" documents we have added passages from the works of
historians that will provide the perspective of subsequent interpretation.

The division by chapters represents a reasonably traditional division
into periods of German history. We believe that each chapter represents
both a manageable unit for assignment and discussion and a viable
historical entity. The variety of sources included should enable the

instructor to select those which are appropriate to the nature of his class and the language ability of his students.

Each chapter begins with an introduction in German of modest complexity, prepared by the editors, which is intended to give shape and significance to the individual selections that follow. The selections themselves are from public and private documents. The brief commentaries represent both long-held views (often of historical interest in themselves) and modern insights and evaluations. Wherever possible, representative literary works have been included to give some flavor of the period. The chapters are not intended to summarize completely the periods in question, but rather to stimulate thought and discussion. Individual selections have been silently edited to provide the essence of their statement without adding involved or irrelevant material.

We have envisioned a number of possible uses for this book. For students and teachers of German, its function is obvious: in the crowded survey of German literature, it will make available a chronological assortment of material for filling in historical background. In the growing number of courses in German culture or civilization, where a knowledge of German can be assumed, *Quellen und Darstellungen* can provide a core around which longer historical or literary works can be assigned; when such a course is taught in English the book can be a valuable reference for those to whom German is no barrier.

The student and teacher of history will also find at his disposal supplementary documentary reading, which will test not only the student's ability to use German but his facility in handling source material as well. Graduate students preparing to demonstrate competence in reading German historical writing will find in this book a compact source of terminology and material for practice.

Finally, we hope that this volume can provide a bridge from the study of German as a language to the use of German as a functioning tool of study. As such, it may find a place at the conclusion of intermediate courses or in advanced courses in German. Command of 2000 basic German words and their simple compounds is assumed. Beyond this, the vocabulary will offer substantial expansion of non-literary, narrative vocabulary, and the sources themselves will offer a variety of models— polemical, detached, vivid, and scholarly—which students can examine for their own beginning efforts in critical and argumentative writing.

Clearly, not all of the material selected here lends itself to the "oral-aural" approach to language study—but then Kant is not commonly discussed on the streets of Cologne. We have found, however, that many oral techniques—questions and answers about content in German, paraphrasing into simpler German, synonym exercises, dictation, and the like—can be applied to a large portion of the text.

In conclusion, we would like to thank here some of the many people who have generously offered their time and effort in helping to assemble this collection. The staffs of the Baker Library at Dartmouth and the Haverford College Library have been extremely helpful; special thanks are owing Mrs. Bjorg Miehle at Haverford who helped locate and make available many elusive editions of works consulted by the editors. Professor Hugo Schmidt of the University of Colorado read the entire manuscript and offered much judicious comment and criticism, regarding both the selections and the style of presentation. Miss Alison M. Bond of Oxford University Press has given the manuscript careful and exact attention. Leon Demar and Albert Brown, both students at Haverford College, and Ray Banks at Dartmouth College helped with checking transcripts of documents and other clerical work. Our wives, Lee and Danila, have given the traditional wifely "advice and encouragement." We are also grateful for the co-operation of many publishers and holders of copyrights, who have released selections for reprinting here; acknowledgment is made in the citation for each work.

Hanover, N.H.   G. S.
Haverford, Pa.   J. P. S.
November 1967

INHALT

Introduction—Germany before the Reformation   *3*

I. DIE REFORMATION   *13*

Martin Luther: An den christlichen Adel deutscher Nation   *15*

Martin Luther: Ein' feste Burg ist unser Gott   *21*

Karl Brandi: Deutsche Geschichte   *23*

Walter Goetz: Luther   *26*

Joseph Lortz: Luther   *28*

II. GLAUBENSKAMPF UND ABSOLUTISMUS   *30*

H.J.C. von Grimmelshausen: Simplicius Simplicissimus   *33*

Andreas Gryphius: Tränen des Vaterlandes, Anno 1636   *36*

Friedrich Schiller: Geschichte des Dreißigjährigen Krieges   *37*

Wilhelm Treue: Deutsche Geschichte von 1648 bis 1713 *41*

Fritz Hartung: Die Flugschriften *43*

Kuno Franke: Fürstlicher Absolutismus in Deutschland *44*

III. DIE AUFKLÄRUNG *47*

Immanuel Kant: Was Ist Aufklärung? *49*

Gotthold Lessing: Eine Parabel *52*

C.F. Gellert: Fabeln und Erzählungen *54*

G.C. Lichtenberg: Aphorismen *56*

Walter Mönch: Friedrich II. *58*

Adam Wandruszka: Diener des Staates *63*

IV. DEUTSCHLAND UND DIE FRANZÖSISCHE REVOLUTION *65*

Joseph von Eichendorff: Der Adel und die Revolution *67*

J.W. von Goethe: Campagne in Frankreich, die Schlacht von Valmy *73*

Josef Görres: Testament und Hinscheiden des heiligen römischen Reiches *74*

Johann Gleim: Auch Les états généraux, Januar 1790 *76*

Carl Misch: Deutsche Geschichte im Zeitalter der Massen *77*

Friedrich von Kircheisen: Napoleon *79*

V. BEFREIUNGSKAMPF UND NATIONALES ERWACHEN *82*

Wilhelm von Humboldt: Denkschrift über die deutsche Verfassung *84*

Ernst Moritz Arndt: Des Deutschen Vaterland *87*

F. von Gentz: Über das Wartburgfest *89*

Friedrich List: Das Nationale System der Politischen Ökonomie 92

Novalis: Die Christenheit oder Europa 94

Georg Steinhausen: Biedermeierzeit 96

F. Schnabel: Deutsche Geschichte im neunzehnten Jahrhundert 100

VI. 1848 104

Georg Büchner: Der Hessische Landbote 106

Der Entwurf zum Reichsgrundgesetz—Gutachten der 17 Vertrauensmänner der Bundesversammlung vom 26. April 1848 112

Hans Blum: Die Antwort des Königs, 3. April 1849 114

Karl Marx: Rede vor den Kölner Geschworenen 115

Heinrich Heine: Im Oktober 1849 121

Veit Valentin: Geschichte der deutschen Revolution von 1848–49 123

VII. BISMARCK UND DAS ZWEITE REICH 128

Otto von Bismarck: Gespräch mit dem französischen Journalisten Vilbort am 4. Juni 1866 in Berlin 131

Proklamation an das deutsche Volk 134

Tagebuchaufzeichnung des Kronprinzen Friedrich Wilhelm von Preußen vom 18. Januar 1871 136

Ferdinand Lassalle: Arbeiterlesebuch (Fortsetzung)—Rede, 19. Mai 1863 138

Gustav Rein: Otto von Bismarck, der Schöpferische Staatsmann 141

Friedrich Nietzsche: Unzeitgemäße Betrachtungen 144

Friedrich Naumann: Die politische Mattheit der Gebildeten 146

VIII. WILHELM II. UND DER ERSTE WELTKRIEG 148

Ansprache des Kaisers bei der Jubiläumsfeier des Deutschen Reiches am 18. Januar 1896 150

Friedrich von Bernhardi: Deutschland und der nächste Krieg 152

Gerhard Ritter: Die „Militarisierung" des deutschen Bürgertums 154

Fritz Fischer: Um die „Schuld" am Weltkrieg 159

Kriegsbriefe gefallener Studenten 162

Erich Maria Remarque: Im Westen Nichts Neues 166

Hermann Hesse: Das Reich 168

IX. DIE WEIMARER REPUBLIK 173

Friedensvertrag von Versailles 176

Weimarer Verfassung 179

Walther Rathenau: Revolution der Verantwortung 183

Gustav Stresemann: Deutschlands Eintritt in den Völkerbund 185

Wilhelm Hoegner: Die Verratene Republik 188

Kurt Sontheimer: Antidemokratisches Denken in der Weimarer Republik 191

Kurt Tucholsky: Gesicht 194

X. DAS DRITTE REICH 196

Alfred Rosenberg: Der Mythus des 20. Jahrhunderts 198

Die Nürnberger Rassen- und Reichsbürgergesetze 200

Adolf Hitler: Besprechung in der Reichskanzlei 203

Rudolf Höss: Der Kommandant von Auschwitz erzählt 206

Paul Celan: Todesfuge *209*

Dietrich Bonhoeffer: Widerstand und Ergebung *211*

Adolf Hitler: Mein politisches Testament, 29. April 1945 *213*

Michael Freund: Geschichte ohne Distanz *214*

XI. DEUTSCHLAND NACH DER KATASTROPHE *217*

Friedrich Meinecke: Hat der Hitlerismus eine Zukunft? *219*

Grundgesetz für die Bundesrepublik Deutschland vom 23. Mai 1949 *223*

Verfassung der Deutschen Demokratischen Republik vom 7. Oktober 1949 *227*

Rudolf Leonhardt: Im Jahre 16 nach Hitler *231*

Paul Noack: Deutschland von 1945 bis 1960 *241*

Georg-Heinz Gärtner: Das andere Deutschland *244*

Lehrbuch für Geschichte *247*

Golo Mann: Echte und falsche Fragen *249*

Suggestions for Further Reading *255*

Vocabulary *257*

Verzeichnis der Illustrationen und Karten

ILLUSTRATIONEN

Titelblatt zu Luthers Schrift, 1520   *16*

Martin Luther, Kupferstich   *22*

Die Erhängten, Radierung von Callot   *34*

Die Belagerung Magdeburgs, 1631, Kupferstich   *38–39*

Friedrich der Große   *60*

Napoleon vor der Schlacht bei Wagram, 1809   *79*

Der Wiener Kongreß, 1814–15   *89*

Burg Rheinstein   *98*

Karl Marx   *116*

Straßenkämpfe in Berlin, März 1848   *124*

Graf Otto von Bismarck   *132*

Die Kaiserproklamation in Versailles, Januar 1871   *135*

Der alte Bismarck und Kaiser Wilhelm II.   *157*

Deutsche Truppen an der Ostfront im Ersten Weltkrieg   *164*

Gustav Stresemann   *186*

Sozialistische Kundgebung in Berlin, 1930   *192*
Nazionalsozialistisches Wahlplakat   *204*
Warschauer Getto   *212*
Köln, 1945   *234*
Wiederaufgebaute Kirche in Würzburg, 1965   *252*

KARTEN

Das Fränkische Reich nach der Reichsteilung von Verdun, 843   *5*
Der Weg zur Reichseinheit, 1815–71   *142*
Deutschland nach dem Ersten Weltkrieg   *177*

QUELLEN UND DARSTELLUNGEN

Aus Deutscher Geschichte

Introduction

GERMANY BEFORE THE REFORMATION

The question "What is Germany?" is the central problem of German history, a question which remains unanswered in our own day. For only very brief moments has there been a single political unit called Germany, and its geographical limits have never been clearly established. Nationalistic historians of the nineteenth century maintained that Germany was not a country at all, but rather a *Volk* with a common language and cultural heritage; but even a little acquaintance with the German past shows clearly that there was never one German people, but many peoples with a great variety of traditions and dialects.

Of the prehistory of these Germanic peoples we know relatively little except that they were, like many primitive peoples, organized as tribal clans, *Stämme,* and were scattered in small groups across northern and central eastern Europe, where they lived largely from hunting and warfare. The Romans knew some of the more warlike tribes as enemies along the northern frontier of their Empire.

In the third and fourth centuries A.D. these tribes, already nomadic by nature, began long migrations east and south across the European plain. The arrival of other peoples from the east turned the Germanic tribes

3

back toward the west, where they met and clashed with the frontier guards of Rome, the great civilized power of the West. By the fifth century Roman power, weakened by civil war, could no longer withstand the pressure of these nomads, and its frontier defenses gave way. Gaul and Italy were overrun by a series of invading tribes. Some, like the Goths, were Germanic; others, like the Huns, were from Asia. The invaders who stayed in the Roman world, the Visigoths in Spain and the Ostrogoths in Italy, gradually adopted the Christian religion, the Latin dialects, and much of the culture of the people they conquered. Other tribes settling north and east of the Rhine set up small military kingdoms and retained their barbarian language and pagan religion.

For the future of Germany and of Europe, the most important of these peoples were the Franks, who settled along the lower Rhine and the Main rivers. The West Franks established a kingdom in the northern part of what is now France, and from this grew the Carolingian Empire of the eighth and ninth centuries, an empire whose main accomplishment was to transmit much of the heritage of classical and Christian civilization to the German peoples of the east and north.

This process began in the middle of the eighth century when the Frankish king Pepin the Short (741-68) encouraged and supported missionaries who undertook the conversion of the still pagan peoples east of the Rhine. St. Boniface (680?-754) began the conversion of the Germans which was completed at the end of the eighth century by Charles the Great's (771-814) subjection of the Saxons. The new faith accompanied military conquest, and along with the cultural heritage of the West transmitted by the Church came political domination by the Frankish kingdom.

By the year 800, when Charles the Great was crowned Roman Emperor, he had created an empire that reached from Moslem Spain to the Oder river. A curious mixture of barbarian chieftain, priest, and king, Charles ruled this vast empire through the bishops and counts, ecclesiastical and military officials who shared equally in the responsibility of government, one representing the Roman tradition kept alive by the Church, the other embodying the tribal heritage of the great migrations.

The main force holding these lands together was personal loyalty to the Emperor, and the empire did not long outlast its creator. Charles himself intended to divide the empire among his sons, in the Germanic

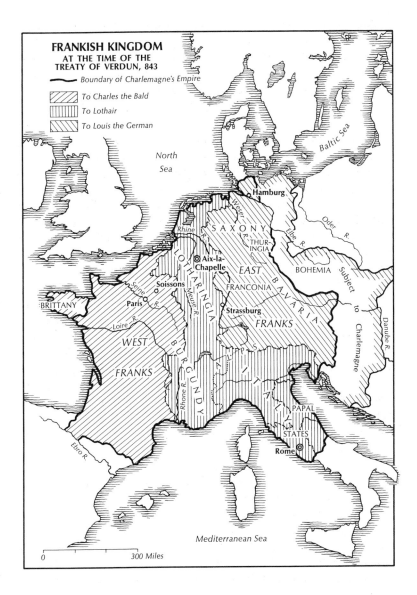

FRANKISH KINGDOM
AT THE TIME OF THE
TREATY OF VERDUN, 843

— Boundary of Charlemagne's Empire

To Charles the Bald

To Lothair

To Louis the German

North
Sea

Baltic Sea

Hamburg

Weser R.

Rhine R.

SAXONY

THUR-
INGIA

Elbe R.

Oder R.

◎ Aix-la-
Chapelle

LOTHARINGIA

EAST

BOHEMIA

Soissons

Seine R.

Meuse R.

FRANCONIA

BAVARIA

Subject

Paris

Strassburg

FRANKS

to

BRITTANY

Loire R.

WEST

BURGUNDY

A L P S

Danube R.

Charlemagne

FRANKS

Rhone R.

I T A L Y

PAPAL
STATES

Rome ◎

Ebro R.

Mediterranean Sea

0   300 Miles

tradition, but it held together for about a generation after his death. Then in 843, in the famous treaty of Verdun, the empire was divided into three parts: a Western Frankish kingdom which included most of modern France and Belgium, a central kingdom called Lotharingia after its ruler Lothair which included eastern France, the Rhineland, and Italy, and an East Frankish kingdom which included most of modern Germany.

Almost as soon as the Carolingian Empire had split apart, each of its parts was threatened by new invasions from outside Europe. Saracens from the south, Magyars from the east, and the fearsome Northmen all attacked at about the same time in the late ninth century. The brutality and unpredictability of these invasions, which were more like piratical raids than regular military campaigns, made it impossible for central authority to be maintained. Power fell once more into the hands of local military chieftains who could defend their own little regions. The counts became rulers over small states which they held theoretically as grants from the king, but which were in fact independent little kingdoms in a brutal age when the king could not offer protection or enforce his law. This was the real beginning of German particularism (*Kleinstaaterei*), a political phenomenon which has returned to plague the Germans throughout their history.

In 911 the German counts and dukes elected one of their own number, Conrad of Franconia, as king. Politically speaki g this may be taken as the beginning of a German state separa e from the Carolingian dynasty of France. Conrad died in 919, however, and the succeeding Saxon kings created the great medieval kingdom of the Germans. The second of these Saxon kings, Otto I (936-73), succeeded in getting many of the powerful local counts to ally with him against the Magyars, and after defeating a large raiding party at the battle of the Lechfeld in 955, Otto I was able to begin consolidating the power of the monarchy once again in Germany. In 962 Otto I traveled to Rome where he was crowned Holy Roman Emperor.

Although this revived empire was consciously modeled on the Carolingian Empire, the Holy Roman Empire was in fact a German Empire and the old idea of universality was gone. The kingdom of France and the principalities that grew up in Lotharingia went their separate ways. The new empire was closely tied to Italy, however, for two reasons—first, Rome was still regarded as the seat of imperial authority, and second, Italy was the administrative center of the Church, and the Church was the main support of the German monarchy. These two reasons, one ideological and the other purely practical, made it necessary from the beginning for the German Emperors to dominate both Germany and Italy, for without the support of the German war lords, Italy could not be conquered, and without control of Italy the Emperor could not rely on the Church to help him govern in Germany. For nearly three centuries the history of the German Empire is a chronicle of the Emperor's struggles to control both the rebellious nobles of Germany and the papacy in Rome.

The strong rule of the Saxon Emperors (918-1024) created a state in central Europe where none had existed before. By the beginning of the eleventh century there were already recognizable political institutions at the imperial level, and the Church provided a rudimentary administration. A secular nobility had emerged, made up of the descendants of the old warrior chieftains, a nobility whose power now came not so much from plunder, but from lands which they held in feudal tenure from their sovereign. The mass of the population lived in small peasant villages, bound to the land in one or another form of personal bondage and owing much of what they produced to their lords. There were few towns of more than a thousand people, and most of these were located around important ecclesiastical centers, the bishoprics and monasteries. Commerce was largely local, and its volume remained small, though there were significant increases in trade shortly after the end of the Magyar invasions.

German literary culture began to emerge in the Saxon period, which saw the beginning of that long process whereby the Germanic dialects developed into modern German. At first, however, this was the lesser of the two cultural traditions in Germany during the Middle Ages. Far more important was the literary tradition of the Church. Its language was Latin, the universal tongue of intellectual life in all of western Europe, and its works were largely liturgical, historical, or legalistic.

Alongside the more sophisticated Latin culture of the monasteries, there existed an oral tradition in the Germanic dialects, made up largely of accounts of the deeds of heroes, magical incantations, and popular sayings. This tradition was a survival from the pagan past, and being mostly secular it was relatively uninfluenced by the Latin culture of the

Church. The *Spielleute,* itinerant entertainers, kept this tradition alive, finding an audience for their talents at the noble courts or in villages where German alone was understood and spoken. A small part of this oral tradition has survived, preserved by the monks who began experimenting with writing German words in Latin characters. The most influential of these transcriptions was the *Waltharilied,* a heroic legend probably written down about 925 by a monk at St. Gall named Ekkehard. Many of the characters he describes appear later in the famous *Nibelungenlied.*

The Salian or Franconian Emperors succeeded the Saxon dynasty in 1024, and their rule lasted until 1125. Two main developments dominate the Salian period: the spectacular struggle with the papacy over the question of lay investiture, and the conquest of land east of the Elbe at the expense of the Slavs.

While Otto I and his successors were building a strong kingdom, using the German clergy as administrators and record keepers, a reform movement developed within the Church which sought to eliminate secular influence. The reformers, or Cluniacs as they were called after the monastery of Cluny where the movement began, sought to make the Church politically independent so that it could concentrate on its spiritual mission. Any such attempt to reform the Church was a threat to the Emperors, for they relied on their control of the clergy to assure the loyalty of the imperial bureaucracy.

For a long time the Emperors controlled the clergy by dominating the papacy, but in 1073 a member of the reform party was proclaimed Pope (Gregory VII, 1073-87) and immediately he began deposing bishops who had been appointed by the Emperor Henry IV (1056-1106). The conflict between Gregory VII and Henry IV quickly turned into open warfare. The Pope found support among the rebellious German nobles, the Emperor on the other hand was frequently supported by the Italians, who were wary of the increasing power of the papacy. A compromise of sorts was concluded in 1122 by Henry V (1106-25), but the conflict broke out again during the reign of Frederick I Hohenstaufen (Barbarossa, 1152-90). In spite of a few spectacular victories, the Emperors never managed to gain a firm hold over the Church, and they never found another ally powerful enough to fill the void. Particularism triumphed again in Germany because the Emperors could not enforce their will on the nobles without the help of the Church.

The German Empire of the Hohenstaufen period (1138-1250) gave the appearance of power and splendor, but in fact it witnessed a great rise in the power of the nobility at the expense of the crown. Frederick I Barbarossa is an important figure of German mythology, but most of the legends about him were originally told about his grandson, Frederick II (1212-50), the last of the Hohenstaufen Emperors, a man known even to his contemporaries as *stupor mundi*. The reign of Frederick II is an excellent illustration of the fate of the empire in its struggles against both the nobility and the papacy. Frederick II himself was born in Sicily and spent nearly all his life there. He visited Germany only a few times and then briefly, for his attention was almost wholly taken up by Italian politics. When he died in 1250 the empire fell apart completely, and for 23 years Germany was the scene of incessant private wars among the dukes, counts, and knights. Emperors were elected, but they were mostly foreigners like Richard of Cornwall and Alphonso of Castille, who never came to Germany to perform the duties of their office.

This period of political decline was at the same time an age of great cultural and economic advancement in Germany. It was the age of the *Minnesänger* who cultivated an extensive literature on the themes of courtly love and the code of chivalry. Walther von der Vogelweide (c. 1170-1230), the greatest of them, was a favorite of the Hohenstaufens and a political propagandist as well. Sometime around 1200 an unknown author composed the *Nibelungenlied* which incorporated many older oral legends into the social context of the twelfth century. Gottfried von Strassburg's *Tristan und Isolde,* Wolfram von Eschenbach's *Parzival,* and many other writings of the years around 1200 gave strong impetus to the development of the German language and provided some of the most familiar themes in German literature.

The slow but steady process of economic development in the eleventh and twelfth centuries had led to a great increase in the number of towns and in their size and importance as centers of trade and primitive manufacturing enterprises. The growth of town life presented several social and political problems, for the towns stood outside the feudal structure of the empire. Feudal customs had little relevance to merchants and artisans, and the wealth of the city dweller was not measured in landed estates. In order to prosper, the towns had to be free from restricting feudal customs, and many of them established their independence by purchasing charters from the Emperor or from local princes or bishops. While the cities tended to support the Emperor against the landed nobility, with the decline of imperial power in the thirteenth century the towns took their place alongside the territorial princes as independent powers in Germany. Ruled by oligarchies of rich merchants, the free cities frequently banded together in alliances to protect their rights against the interference of local nobles. The Hanseatic League was such an alliance in which many cities joined together for commercial advantage and political protection.

Men who enjoyed the privilege of free citizenship in these towns soon made up a new social class whose ambitions were later to lead to conflict with the old nobility. In the Middle Ages, however, town life was still relatively insecure and politics in the larger sense was still the domain of the nobility.

Under the Saxon, Salian, and early Hohenstaufen Emperors, Germany had been the most powerful single state in Europe. With its decline in the thirteenth century, the national monarchs of England and France became the dominant forces in international politics, a state of affairs that was to last until the nineteenth century. The interregnum in Germany ended in 1273 with the election of Rudolf of Habsburg as Emperor. There was no revival of central authority, however, for Rudolf was a typical German nobleman who saw the imperial title not as a majestic symbol of universal sovereignty, but rather as a means of enriching himself and his family. This he accomplished by establishing his family in possession of the duchy of Austria and laying claims to Bohemia as well.

When Rudolf died in 1291 chaos once again spread over Germany, and for over fifty years the political history of Germany is a weary chronicle of wars among dynastic rivals for the crown. One by-product of these wars was the independence of the Swiss cantons which, although recognizing some ties to the Holy Roman Empire, established a free confederation.

Charles IV (1347-78) of the Luxemburg dynasty, King of Bohemia, was the last of the great medieval Emperors, a shrewd political realist with strong French sympathies. Having bribed his way to power, he proceeded to use it to break with past traditions. In his own lands of Bohemia he ruled with a strong hand, but in the empire he recognized the independent power of the princes. In 1356 he issued a decree called the Golden Bull, in which he established a regular procedure for electing the Emperor and singled out a group of powerful lords, the Electors (*Kurfürsten*), to act as the highest branch of the imperial diet (*Reichstag*). Toward the end of his reign, in 1377, he confirmed the independence of the Church from the jurisdiction of secular courts and its freedom from taxation. These favors to the Church were to play a large role in the Reformation.

When Charles IV died he left behind a rich and prosperous state in Bohemia, but the rest of the empire was left totally in the hands of the princes. The fourteenth century had seen monarchy retreating all over Europe, and the emerging parliamentary institutions representing the nobility, the clergy, and the towns gradually replaced the traditional political relationship between the king and his subjects. The monarch was no longer regarded as lawmaker, but rather as the executor of laws made in consultation with the estates (*Stände*) of the realm. Just as the Emperor's power was weakened by the emergence of a powerful *Reichstag,* so at the local level the territorial princes were faced with emerging local estates (*Landtage*). The growth of *Ständestaaten* broke down the old feudal relationships in which individual contracts had defined the rights and status of men. With the *Ständestaat* came a more modern view of citizenship, and a new interest in Roman law which was now cultivated at the German universities.

The capitals of the territorial states gained in importance as the empire declined and the imperial court grew increasingly insignificant. While the ecclesiastical towns and their schools remained centers of traditional medieval scholasticism, influences of the neo-classical style of the Italian Renaissance appeared in the free cities whose bourgeois inhabitants had much in common with the merchant aristocrats of Florence, Venice, and Milan. The fifteenth century was a golden age for the German cities, especially for Augsburg and Nürnberg; here the *Meistersinger,* celebrated in Wagner's opera, flourished. The arts of painting and sculpture, which had never developed very fully in Germany, were in great favor, and Germany produced many artists of great stature. Albrecht Dürer (1471-1528) and Lucas Cranach (1472-1533) both abandoned the medieval style and worked in the new forms of the Italian Renaissance.

In literature the strict classicism and pagan skepticism of the Italian humanists found little sympathy among German writers. German humanists in general were reluctant to attack Christianity, and more often than not turned to the classical writers of the Church—to Augustine, Jerome, and above all to the Bible itself—in preference to the pagan writers of antiquity. The mystic search for intense religious experience and personal union with God was typical of many German humanists, and set the stage for an outburst of popular piety during the early years of the sixteenth century.

During most of the Middle Ages, Germany was a frontier society whose institutions and culture were derived from its more sophisticated neighbors, and of course from the Latin Church. Yet in spite of all the political violence and chaos of the period, these once nomadic peoples became part of the European culture, and in the late Middle Ages they made substantial original contributions to that civilization. In the Protestant Reformation of the sixteenth century the Germans rebelled against the Roman Church and the Latin culture it represented. Germany had found a self-confidence, and in the majestic prose of Martin Luther, it asserted its own identity.

I

DIE REFORMATION

Martin Luther (1483-1546) war nicht der erste, der die Autorität des Papsttums über die gesamte Christenheit angriff. In der Geschichte des Christentums im Westen gab es immer wieder Aufstände innerhalb der Kirche, Ansprüche auf Reformen, Auflehnungen gegen die Weltlichkeit und Heuchelei der kirchlichen Verwalter. An diese frühen Kämpfe erinnern uns die wichtigsten Vorläufer der Reformation: Wyclif in England, Hus in Böhmen. Aber Luthers Angriff auf Rom übertraf alle vorhergehenden Ketzereien und Auflehnungen, und um seine revolutionäre Wesensart zu verstehen, muß er im Zusammenhang mit den breiteren Strömen des europäischen Geistes- und Gesellschaftsleben des sechzehnten Jahrhunderts betrachtet werden.

Ein Aufschwung von Frömmigkeit und Gottesfurcht unter dem Volke im ersten Jahrzehnt des sechzehnten Jahrhunderts führte zu einer tiefgehenden Besorgnis in jedem Christen um das Erringen seines Seelenheils. Diese Sorge konnte kaum mehr von dem traditionellen kirchlichen Brauch befriedigt werden. Es war ein Zeitalter der großen Mystiker, und Luther gehört ihnen an. Es war aber auch ein Zeitalter gesellschaftlichen Aufruhrs, und überall in Europa entglitt die politische und wirtschaftliche

13

Macht den Händen der Lehensherren, um von den werdenden Monarchien übernommen zu werden. Die Verbreitung von Handel und Handwerk, die rasche Entstehung und Entwicklung von Städten und Dörfern rief eine Bürgerklasse ins Leben, deren Mitglieder schon ihrer Berufe wegen gezwungen waren, lesen und schreiben zu können. Eine anhaltende wirtschaftliche Krise, deren Ausbruch schon in die Mitte des vierzehnten Jahrhunderts fällt, führte zu weitverbreiteter Unzufriedenheit unter den Bauern und Handwerkern. Durch die Erfindung der Buchdruckerkunst wurde diese zur Revolution reife Lage noch explosiver.

Als sich Luther im Jahre 1517 gegen den Verkauf von sogenannten Ablaßbriefen auflehnte, durch die man für seine vergangenen und zukünftigen Sünden kirchliche Vergebung erlangen konnte, wollte er wohl kaum mehr erzielen, als einem Mißbrauch kirchlicher Macht ein Ende zu bereiten. Während der nächsten zwei Jahre führte Luther verschiedene Disputationen mit den Päpstlichen, und wegen der Gewandtheit seiner Opponenten in diesen Auseinandersetzungen blieb ihm keine andere Wahl übrig als zu gestehen, daß er an einige Lehren glaubte, die von der Kirche als ketzerisch verdammt worden waren. Um diese Zeit wandte sich Luther auch an die weltlichen Machthaber einzelner Staaten und sogar an den Kaiser, um jene Reformen, welche die Kirche entweder nicht durchführen konnte oder wollte, zustandezubringen. Im Jahre 1520 erschienen die drei Manifeste, in denen Luthers Kerngedanken über die Reformation enthalten sind: *Von der Freiheit eines Christenmenschen, Von der babylonischen Gefangenschaft der Kirche,* und *An den christlichen Adel deutscher Nation von des christlichen Standes Besserung.* Durch die Verbreitung dieser Schriften wurde Luther zum Führer des deutschen Aufstandes gegen Rom.

Überall erstanden dem Luthertum begeisterte Anhänger, und in den Jahren 1520 bis 1525 verbreiteten sich Luthers revolutionäre Lehren über ganz Deutschland. So war der Boden bereitet, auf dem der sogenannte Bauernkrieg von 1525 bis 1526 in Deutschland wütete. In diesem Aufruhr, in dem sich das städtische Proletariat bald mit den Bauern verband, wurden viele der adligen Schlösser und Höfe zerstört. Luther nahm jedoch Stellung gegen die Bauern, und mahnte die Fürsten, wieder Ordnung herzustellen. Das Landesfürstentum ging als eigentlicher Sieger aus dem Bauernkrieg hervor. Damit wurde das Bauerntum als ein politischer Faktor aus dem aktiven Geschehen der Nation ausgeschaltet.

Die Reformation als Volksbewegung von unten her hatte versagt. Es war diese Entscheidung Luthers, die schließlich der neuen Hierarchie des Reiches mit der Vorherrschaft der Fürsten den Weg ebnete. Im Augsburger Religionsfrieden von 1555 mußte der Kaiser Karl V. den reformierten Glauben endlich anerkennen, und nach dem Prinzip *cuius regio eius religio* den Fürsten das Recht überlassen, den Glauben ihrer Untertanen zu bestimmen. Religiös war jetzt das Reich gespalten.

Für Deutschland war die Reformation jedoch nicht nur ein Aufstand gegen den politischen und geistlichen Einfluß des Papsttums. Luthers Bibelübersetzung machte die deutsche Sprache zum Gemeingut des ganzen Volkes, und bahnte den Weg für die neuere deutsche Literatur. Nie hat ein Mann mit seinen Schriften eine so grosse und unmittelbare Wirkung auf eine Sprache erzielt, wie Luther. Bis zu Luthers Zeit gab es keine allgemeine, offizielle deutsche Sprache. Mit seiner Übersetzung war der Grundstein einer allen Ständen gemeinsamen Bildung gelegt. Luthers Bibelübersetzung stützte sich auf die gesprochene Sprache in Mitteldeutschland „wie sie die Mutter im Haus, die Kinder auf der Gasse, der gemeine Mann auf dem Markt hören lassen." Ohne ein „literarisches" Deutsch zu schaffen, legte Luther den Grund zu einem Prosastil, dessen Rhythmus und Wucht den deutschen Schriftstellern jahrhundertelang vorbildlich erschienen.

Martin Luther: *An den christlichen Adel deutscher Nation*[1]

Die Romanisten haben drei Mauern mit großer Behendigkeit um sich gezogen, damit[2] sie sich bisher beschützt, daß sie niemand hat mögen[3] reformieren, dadurch die ganze Christenheit greulich gefallen ist.

From *An den christlichen Adel deutscher Nation von des christlichen Standes Besserung* (1520), in *Neudrucke deutscher Literaturwerke des XVI. und XVII. Jahrhunderts,* edited by Wilhelm Braune, Nr. 4, 6-17. Halle a/S., Max Niemeyer, 1877.

[1] The orthography of Luther's address, and occasionally the punctuation, have been modernized to make it accessible to the student of German. The vocabulary and word order have been retained with very few exceptions.
[2] **damit** = **womit** with which (and similarly throughout passage)
[3] **mögen** here: could

Verkleinerte Wiedergabe des Titelblattes zu Luthers Schrift: „An den christlichen Adel deutscher Nation von des christlichen Standes Besserung".

Das Titelblatt zu Luthers Schrift, die 1520 herausgegeben wurde

Zum ersten, wenn man hat auf sie gedrungen mit weltlicher Gewalt, haben sie gesetzt und gesagt:[4] weltliche Gewalt habe nicht Recht über sie, sondern wiederum, geistliche sei über die weltliche. Zum andern, hat man sie mit der heiligen Schrift wollen strafen,[5] setzen sie dagegen:[6] es gebühre die Schrift niemand auszulegen denn dem Papst. Zum dritten, droht man ihnen mit einem Concil, so erdichten sie, es möge niemand ein Concil berufen denn der Papst.

Nun helf uns Gott, geb uns der Posaunen eine, damit die Mauern Jerichos wurden umgeworfen, daß wir diese strohernen und papiernen Mauern auch umblasen und die christlichen Ruten,[7] Sünde zu strafen, los machen,[8] des Teufels List und Trug an Tag zu bringen, auf daß[9] wir durch Strafe uns bessern und seine Huld wieder erlangen.

Wollen wir die erste Mauer am ersten angreifen.

Man hats erfunden, daß Papst, Bischöfe, Priester, Klostervolk wird der geistliche Stand genannt, Fürsten, Herrn, Handwerks- und Ackerleute der weltliche Stand. Welches gar ein fein Comment[10] und Gleiß[11] ist, doch soll niemand darüber schüchtern werden, und das aus dem Grund: denn alle Christen sind wahrhaftig geistlichen Standes, und ist unter ihnen kein Unterschied denn des Amts halben allein,[12] wie Paulus (1. Corinth. 12) sagt, daß wir allesamt ein Körper sind, doch ein jeglich Glied sein eigen Werk hat, damit es dem andern dienet. Das macht alles, daß[13] wir eine Taufe, ein Evangelium, einen Glauben haben und sind gleiche Christen, denn die Taufe, Evangelium und Glauben, die machen allein geistlich und Christenvolk. Daß aber der Papst oder Bischof salbet, Blatten[14] macht, ordiniert, weihet, anders denn Laien

---

[4] **gesetzt und gesagt** (they) persisted in saying
[5] **strafen** here: to refute
[6] **dagegen setzen** to respond
[7] **Ruten** rods (old Biblical expression for punishment. The punishments Luther suggested for use against the papists were the Scripture, temporal power, and the Councils.)
[8] **los machen** here: to set free
[9] **auf daß** so that
[10] **Comment** (from Lat. *commentum*) invention
[11] **Gleißen** a specious interpretation and deception
[12] **denn . . . allein** except insofar as they do different work
[13] **Das macht alles, daß** . . . this results from the fact that . . .
[14] **Blatten** tonsures (fig. for priests and monks)

kleidet, mag einen Gleisner und Ölgötzen machen,[15] macht aber
nimmermehr einen Christen oder geistlichen Menschen. Demnach,[16]
so werden wir allesamt durch die Taufe zu Priestern geweihet, wie
Sankt Peter sagt. Dieweil denn nun die weltliche Gewalt ist gleich mit uns getauft,
hat denselben Glauben und Evangelium, müssen wir sie lassen
Priester und Bischof sein, und ihr Amt zählen als ein Amt, das da
gehöre und nützlich sei der christlichen Gemeinde. . . . Denn weil
wir alle gleich Priester sind, muß sich niemand selbst hervortun
und sich unterwinden, ohne unser Bewilligen und Erwählen das
zu tun, dessen wir alle gleiche Gewalt haben. Denn was gemein
ist, mag niemand ohne der Gemeinde Willen und Befehl an sich
nehmen. Und wo es geschähe, daß jemand erwählet zu solchem
Amt, und durch seinen Mißbrauch würde abgesetzt, so wäre er
gleich wie vorhin. Darum sollte ein Priesterstand nichts anders sein
in der Christenheit als ein Amtmann: solange er im Amt ist, geht
er vor;[17] wo er aber abgesetzt, ist er ein Bauer oder Bürger wie die
andern.

Darum soll weltliche, christliche Gewalt ihr Amt üben frei
unverhindert, unangesehen ob's Papst, Bischof, Priester sei, den sie
trifft: wer schuldig ist, der leide; was geistlich Recht[18] dawider
gesagt hat, ist lauter erdichtete römische Vermessenheit. . . . Also
meine ich, diese erste Papiermauer liegt darnieder, da weltliche
Herrschaft ist ein Mitglied worden des christlichen Körpers. Und
wiewohl sie ein leiblich Werk hat, doch geistlichen Standes ist,
darum ihr Werk soll frei unverhindert gehen in alle Gliedmaßen
des ganzen Körpers, strafen und treiben, wo es die Schuld verdient
oder Not fordert, unangesehen Papst, Bischof, Priester, sie drohen
oder bannen,[19] wie sie wollen.

Die andere Mauer ist noch loser und untüchtiger:[20] daß sie
allein wollen Meister der Schriften sein, ob sie schon ihr Lebenlang
nichts darin lernen, vermessen sich allein der Obrigkeit, gaukeln

---

[15] mag . . . machen may make a hypocrite (of a man) or an anointed image (fig.
a practicing but not a believing Christian)
[16] Demnach here: the fact is . . .
[17] geht er vor here: he exercises it (the office)
[18] geistlich Recht canon law
[19] sie drohen oder bannen may they denounce or excommunicate
[20] untüchtiger here: less defensible

uns vor mit unverschämten Worten: der Papst möge nicht[21] irren im Glauben, er sei bös oder fromm; mögen desselben nicht einen Buchstaben anzeigen.[22] . . . Und wo das[23] wäre, wozu wäre, die heilige Schrift not[24] oder nütze? Lasst sie uns verbrennen und uns begnügen an den ungelehrten Herren zu Rom, die der heilige Geist inne hat,[25] der doch nichts denn[26] fromme Herzen mag inne haben. Wenn ichs nicht gelesen hätte, wäre mirs unglaublich gewesen, daß der Teufel sollte zu Rom solch ungeschickt Ding verwenden und Anhang gewinnen.

Denk doch bei dir selbst: Sie müssen bekennen, daß fromme Christen unter uns sind, die den rechten Glauben, Geist, Verstand, Wort und Meinung Christi haben; ja warum sollte man denn derselben Wort und Verstand verwerfen und dem Papst folgen, der nicht Glauben noch Geist hat? Das wäre doch den ganzen Glauben und die christliche Kirche verleugnen. Es muß ja nicht der Papst allein recht haben, wenn der Artikel recht ist: „Ich glaube an eine heilige christliche Kirche," oder Sie müssen so beten: „Ich glaube an den Papst zu Rom," und also die christliche Kirche ganz in einen Menschen ziehen, welches nichts anders denn teuflischer und höllischer Irrtum wäre.

Über das,[27] so sind wir ja alle Priester, wie droben gesagt ist, alle einen Glauben, ein Evangelium, einerlei Sacrament haben; wie sollten wir denn nicht auch haben Macht zu schmecken und urteilen, was da recht oder unrecht im Glauben wäre? . . . Wie, sollten wir denn nicht fühlen so wohl als ein ungläubiger Papst, was dem Glauben eben oder uneben[28] ist?

Die dritte Mauer fällt von ihr selbst, wo diese ersten zwei fallen. Denn wo der Papst wider die Schrift handelt, sind wir schuldig, der Schrift beizustehen, ihn zu strafen und zu zwingen nach dem Wort Christi (Matt. 18, 15): „Sündigt dein Bruder wider dich, so geh hin und sags ihm zwischen dir und ihm allein; hört er dich

---

[21] **möge nicht** here: cannot
[22] **mögen . . . anzeigen** they cannot prove this pretension by a single letter of Scripture
[23] **das** i.e. the Romanists' claim that the Holy Spirit never leaves them
[24] **not = notwendig**
[25] **die der . . . hat** (ironic) who possess the Holy Spirit within themselves
[26] **nichts denn** nothing but; only
[27] **Über das** in addition
[28] **eben oder uneben** here: right or wrong

nicht, so nimm noch einen oder zwei zu dir; hört er dich nicht, so sag es der Gemeinde. Hört er die Gemeinde nicht, so halt ihn als einen Heiden." Hier wird befohlen einem jeglichen Glied, für das andere zu sorgen; wieviel mehr sollen wir dazu tun, wo ein gemein regierend Glied übel handelt, welches durch seinen Handel viel Schaden und Ärgernis gibt den andern. Soll ich ihn verklagen vor der Gemeinde, so muß ich sie ja zusammenbringen.

Sie[29] haben auch keinen Grund der Schrift, daß es allein dem Papst gebühre ein Concilium zu berufen oder zu bestätigen, denn allein ihre eigenen Gesetze, die nicht weiter gelten, denn so fern sie nicht schädlich sind der Christenheit und Gottes Gesetzen. Wo nun der Papst sträflich ist, hören solche Gesetze schon auf, dieweil es schädlich ist der Christenheit, ihn nicht zu strafen durch ein Concilium.

Darum laß uns aufwachen, liebe Deutschen, und Gott mehr denn die Menschen fürchten, daß wir nicht teilhaftig werden[30] aller armen Seelen, die so kläglich durch das schändliche, teuflische Regiment der Römer verloren werden, und daß täglich mehr und mehr der Teufel zunimmt, so daß es anders nicht möglich wäre, daß solch höllisch Regiment möchte ärger werden; das ich doch nicht begreifen noch glauben kann.

[29] **Sie** i.e. the Romanists
[30] **teilhaftig werden** here: sharing in the fate

Martin Luther: *Ein' feste Burg ist unser Gott*[1]

Ein' feste Burg ist unser Gott,
Ein gute Wehr und Waffen;
Er hilft uns frei aus aller Not,
Die uns jetzt hat betroffen.
Der alt' böse Feind
Mit Ernst er's jetzt meint;
Groß' Macht und viel List
Sein' grausam' Rüstung ist,
Auf Erd' ist nicht sein's gleichen.

Mit unser Macht ist nichts getan,
Wir sind gar bald verloren;
Es streit' für uns der rechte Mann,
Den Gott hat selbst erkoren.
Fragst du, wer das ist?
Er heißt Jesus Christ,
Der Herr Zebaoth,[2]
Und ist kein andrer Gott,
Das Feld muß er behalten.[3]

Und wenn die Welt voll Teufel wär'
Und wollt' uns gar verschlingen,
So fürchten wir uns nicht so sehr,
Es soll uns doch gelingen.
Der Fürst dieser Welt,
Wie sauer[4] er sich stellt,

From *Dichtungen von D. Martin Luther,* in *Deutsche Dichter des sechzehnten Jahrhunderts,* edited by Karl Goedeke and Julius Tittmann, XVIII, 69-70. Leipzig, F. A. Brockhaus, 1883.

[1] This is a slightly modernized version of Luther's famous hymn, first printed in 1529, in which he presents the principles of the Reformation in a form the common man will understand, feel, and enjoy.
[2] **Zebaoth** Sabaoth, Lord of Hosts
[3] **Das Feld . . . behalten** to win the battle
[4] **sauer** here: fierce, menacing

Doktor Martin Luther nach einem Kupferstich von Daniel Hopfer (1523)

> Tut er uns doch nicht;[5]
> Das macht, er ist gericht,[6]
> Ein Wörtlein kann ihn fällen.
>
> Das Wort sie sollen lassen stahn[7]
> Und kein' Dank dazu haben;[8]
> Er ist bei uns wohl auf dem Plan[9]
> Mit seinem Geist und Gaben.
> Nehmen sie den Leib,
> Gut, Ehr', Kind und Weib,
> Laß fahren dahin!
> Sie haben's[10] kein Gewinn;
> Das Reich[11] muß uns doch bleiben.

[5] **nicht = nichts**
[6] **Das . . . gericht** that's because he is already done for
[7] **stahn = stehn**
[8] **Und kein' . . . haben** whether they want to or not
[9] **Plan** here: "field" of battle
[10] **Sie haben's = sie haben davon**
[11] **das Reich = das Himmelreich** the kingdom of Heaven

Karl Brandi: *Deutsche Geschichte*[1]

Im 13. Jahrhundert konnten die großen Führer der Scholastik, Thomas von Aquino[2] und Bonaventura,[3] die Lehre vom Primat des Papstes so formulieren: „Der Papst als Stellvertreter Christi ist Quelle und Ursprung aller geistlichen Würden; von ihm strömt alle Amtsgewalt aus und reicht bis zu den äußersten Gliedern des kirchlichen Körpers." Damit war das alte Eigenrecht, das unmittelbar göttliche Recht der Bischöfe, beseitigt—ein geistliches Gegenstück zur inneren Abhängigkeit der Lehnsmannen. Diese Herrschaft aber wurde aufs tiefste verknüpft mit dem Seelenheil des einzelnen Christen. Denn Innozenz III.[4] verkündete auf dem 4. Late ankonzil vom Jahre 1215 die alte Kirchenlehre in diesen Sätzen: „Es gibt nur *eine* allgemeine Kirche der Christgläubigen, außer der niemand zur ewigen Seligkeit gelangt, und in der Jesus Christus, zugleich Priester und Opfer, unter den Gestalten des Brotes und Weines wahrhaftig im Sakrament des Altars gegenwärtig ist. Dies Sakrament kann niemand vollziehen als der kirchlich geweihte Priester. Aus seinen Händen soll es jeder Laie wenigstens einmal im Jahre empfangen nach Beichte und Lossprechung von den Sünden." Diese Heilslehre ist die innere Kraft des Papalsystems, da ja auf den Papst alle Gewalt und Weihe zurückgeht. So konnten Thomas von Aquino und nach ihm Bonifaz VIII.[5] in der Bulle „Unam sanctam" folgerichtig lehren: „Dem römischen Papst zu gehorchen, ist eine Bedingung des Seelenheils."

From *Deutsche Geschichte*, 3. Auflage, 115-117. Berlin, E. S. Mittler & Sohn, 1923. Reprinted with permission of Verlag E. S. Mittler & Sohn GmbH, Frankfurt a/M.

[1] Brandi (1868-1946) was professor of history at the University of Göttingen, and author of numerous articles and books on the intellectual history of the Renaissance and the Reformation.
[2] St. Thomas Aquinas (1225 or 1226-74) was the Italian Scholastic philosopher who systematized Catholic theology and created a philosophical system known as Thomism. Thomism applies the philosophy of Aristotle to the doctrines of religion. Aquinas, the author of *Summa Theologica*, was canonized in 1323.
[3] St. Bonaventura, born John of Fidanza (1221-74), was appointed professor of theology at the Sorbonne in 1253, General of the Order of Franciscans in 1257, and made Bishop of Albano by Pope Gregory X in 1273. St. Bonaventura, who attempted to unite Scholasticism and Mysticism, was canonized in 1482.
[4] Innocent III (1161-1216, Pope 1198-1216) tried to make the papacy supreme over the individual state. Under his rule the papacy achieved very great power.
[5] Boniface VIII (1235?-1303, Pope 1294-1303) attempted to establish the power of the papacy over European affairs as Innocent III had done a century before him.

Die Christenheit also hat sich vollkommen gespalten in einen spendenden und einen empfangenden Teil. Von der Wiege bis zum Grabe begleitete die Geistlichkeit den Menschen mit einer immer reicher und bunter ausgestatteten Folge von Sakramenten und Sakramentalien. Die reichste Symbolik, an deren sinnvoller Verknüpfung die unerschöpfliche Phantasie dieser Jahrhunderte gewoben hat, stellt die Menschen fort und fort in die sinnfälligste Berührung mit der überirdischen Welt; der holdselige Chor der lieben Engel umschwebt sein Dasein, ehrwürdige Väter und heroische Dulder stehen ihm als Patrone zur Seite, und in antiker Tradition ergibt der Mensch sich nur zu gern mit aller Habe und Betätigung diesem persönlichen Schutz, naturhaft wie das Leben der Ermiten.

Man darf nach alledem die Vermutung wagen, daß dieses ganze kirchliche Wesen mit seiner großartigen Geschlossenheit, seiner absoluten Macht über die sündigen Seelen, seiner weitherzigen Duldung unendlicher Neubildungen der Volksphantasie—trotz dogmatischer Starrheit im einzelnen, trotz der Abgeschlossenheit des rein klerikal gewordenen Kultus, trotz der unablässigen kirchenpolitischen Auseinandersetzungen mit den Staaten, noch viel länger unerschüttert geblieben wäre, wenn es nicht mit der Zeit ganz heillos angefressen worden wäre von den Folgen der kirchlichen Finanzwirtschaft.

Aber eben diese folgte aus dem gleichen System, da das Papsttum über die kirchliche Herrschaft hinaus politisch erstarkt war und wie jede andere Herrschaft unterhalten werden mußte. Die spätantike und frühmittelalterliche Form des Unterhalts für den römischen Bischofhof war die Verpflegung aus geschenkten Landgütern. In dem heraufziehenden Zeitalter der Geldwirtschaft bedurfte auch das Papsttum neuer Einnahmequellen. So bildete sich die kirchliche Finanzwirtschaft, an der natürlich zuerst die davon Belasteten Kritik übten. Es handelte sich um zwei große Gebiete, um die Zentralisation der gesamten Kirchenverwaltung in Rom mit den für alle Verleihungen und Dispense zu zahlenden Gebühren, und um die großen Finanzoperationen der allgemeinen Ablässe. Von jenen

Gebühren wurden insbesonders die Kassen der Prälaten und etwa noch der Neid der Fürsten getroffen; beide klagten und beide ließen sich abfinden. Die Ablaßunternehmungen dagegen gingen geradenwegs auf die weiten Kreise der Laienschaft und berührten nicht nur materielle, sondern auch Gewissensfragen.

Im 13. Jahrhundert, da die alte Kreuzzugsstimmung langsam verging, verkündigten die Päpste gleich ihren Vorgängern den Pilgern in das Heilige Land und vor allen den Kreuzrittern Nachlaß ihrer zeitigen Sündenstrafen, sowohl der kirchlichen wie der jenseitigen im Fegefeuer. Das war die alte *Indulgentia a poena,* der Nachlaß von Sündenstrafen. Es wurde angewandt auch auf Ersatzwerke für die Fahrt ins Heilige Land, auf den Besuch der Gnadenkirchen von Rom, auf Besuch anderer Kirchen, auf Leistung bestimmter Gebete und Almosen.

Beizeiten vermengte sich damit etwas ganz anderes. Der Papst, als Quelle alles Rechts, hatte sich zunächst in zunehmenden Maße die Absolution in bestimmten schweren Fällen vorbehalten. Seit dem 15. Jahrhundert aber verlieh er als besondere Gnade das Recht, sich einen beliebigen Beichtvater zu wählen, der auch in päpstlichen Reservatfällen absolvieren durfte. Das nannte man ein Konfessionale, einen Beichtbrief. Nun wurden der Nachlaß der Sündenstrafen und das Recht zur Lösung von Sündenschuld in päpstlichen Reservatfällen miteinander verbunden; man sprach von der Lösung *a poena et a culpa;* beides wurde im päpstlichen Ablaß verheißen. Die Zuwendung an die armen Seelen im Fegefeuer bedeutete vollends Rechtfertigung ohne jeden Anteil des Sünders.

Da die Geldbedürfnisse der Kurie im Zeitalter der Renaissance ins Ungemessene stiegen, erwies sich kein Mittel als so ergiebig, wie die Verkündigung von Ablässen, und wie bei den Zahlungen für Gebühren und Dispense längst große Bankhäuser vermittelt hatten —eine wichtige Förderung des internationalen Geldgeschäftes—, so erschien zu Beginn des 16. Jahrhunderts auch die Verkündigung allgemeiner Ablässe erst recht wie heute als eine große Emission von Wertpapieren. Die Kurialen verhandelten jeweils mit geeigneten Finanzgrößen über die Bedingungen.

Aber sollte wirklich die Lösung von Schuld, wie es doch schien, durch einfache Zahlung erkauft werden? Die Verkündigung erregte beizeiten Anstoß. Die Fürsten ärgerten sich über die Besteuerung ihrer Landeskinder. Einsichtige Geistliche warnten und hielten zurück.

Da nun alle Mahnung und Predigt der Einsichtigen nichts fruchtete, stand einer unter ihnen auf, um in den Formen der Zeit vor aller Welt den unerträglichen Handel anzugreifen. Am 31. Oktober 1517 schlug Martin Luther, Augustinerordens, Professor und Seelsorger zu Wittenberg an der Elbe, 95 Thesen an die Türe der Schloßkirche zur Disputation über Wesen und Kraft des Ablaßes. In kurzen Sätzen werden da meist rein theologische Fragen oder Behauptungen aufgestellt, nur stellenweise klingt eine untheologische, ganz volkstümliche Entrüstung durch, wie in den Fragen: „Warum baut denn der reiche Papst seinen Dom nicht aus eigenen Mitteln, statt von den Groschen der Armen," oder „warum entleert denn der Papst, wenn er es schon kann, das Fegefeuer nicht auf einmal um der Liebe und Seligkeit willen, statt stoßweise und aus so nichtigem Anlaß?" Luther ahnte nicht einmal den noch weniger rühmlichen Anlaß.

Luthers Thesen wurden im Sturm verbreitet. Binnen kurzem sah er sich selbst fortgetrieben zu der unheimlichen Frage nach dem inneren Recht dieses ganzen kirchlichen Wesens.

Walter Goetz: *Luther*[1]

In Luthers Blickweite lag nur ein gereinigtes Christentum, eine Wiederaufrichtung des Evangeliums—er ahnte noch nicht, in was für Weiten diese Entwicklung führen sollte. Er verwarf die religiöse Freiheit, er verdammte die Sekten, die neben ihm ent-

From *Propyläen Weltgeschichte,* edited by Walter Goetz, V, xxiii. Berlin, Propyläen Verlag, 1930. Reprinted with permission of Propyläen Verlag, Berlin.

[1] Goetz (1867-1958) was professor of history at the universities of Leipzig and München, and wrote books on German history and culture as well as on the Italian Renaissance. As head of several important German historical societies, he was an advocate of the science of history.

standen—aber unaufhaltsam ging von ihm der Weg zur vollen
Freiheit des Christenmenschen, zur persönlichen, kirchlich nicht
mehr gebundenen Religiosität des Einzelnen. Er sah die neue Form
religiösen Lebens noch nicht, zu der er doch führen sollte: neben
die Religion der Autorität stellte sich die individualistische Religiosität des einzelnen Gewissens, das sich den Weg zum Göttlichen
aus eigener Kraft zu suchen vornahm. Langsam nur näherte sich
das abendländische Geistesleben dieser neuen Möglichkeit, aber als
die Zeit dafür reif war, schuf es die neue Form als eine Bereicherung
menschlichen Innenlebens, als eine weitere Vertiefung im Ringen um
Erkenntnis über Welt und Menschenleben.

So steht Luther doch als Bahnbrecher am Rande einer neuen Zeit.
Und wenn der Protestantismus auch längst nicht alles Neue schuf—
weil es überall schon im Werden war und er selber nur ein Teil
dieser Entwicklung—, so bleibt doch gewiß, daß sich im Bereich
des Protestantismus neue Kräfte leichter entfalten konnten als in
der alten Welt, in der die Rechtgläubigkeit das oberste Gesetz war.
Verlangte der Protestantismus selber noch eine Weile Rechtgläubigkeit und kirchlichen Gehorsam, so zerbrach doch diese Forderung
sehr rasch an der Vielgestaltigkeit seines eigenen Daseins; neben
das Luthertum stellte sich die Lehre Zwinglis[2] und dann Calvins,[3] im
Luthertum selber bildeten sich strengere und gemäßigtere Richtungen aus—über der nahen Landesgrenze war die Freiheit, die das
Kirchenregiment des Landes Andersdenkenden nicht gewähren
wollte! Auf solchem Boden reiften ganz von selber die Ideen der
Toleranz und der Gewissensfreiheit, und hier entstanden die
Möglichkeiten, ungehindert alles auszusprechen, was der menschliche Geist erforschte—erst in diesem Reich der Freiheit konnte
sich die Wissenschaft nach ihren eigenen Gesetzen entfalten.

[2] Huldrich Zwingli (1484-1531) was a Swiss religious reformer, whose sermons
at the cathedral of Zürich helped to establish the Reformation there. He was
killed in a religious battle. His contribution to the Reformation, distinct from
Luther's, was the basis for Calvin's doctrine.
[3] John Calvin (1509-64) was the French reformer who instituted a theocracy in
Geneva. He systematized Protestant doctrine and organized its ecclesiastical
discipline.

Joseph Lortz: *Luther*[1]

Alles, was wir von Luther wissen, auch seine ersten Klosterjahre, zeigen mit Deutlichkeit, daß er nicht primär vom Verstand her, auch nicht mit einer gewissen ruhigen Sicherheit, sondern, daß er gefühlsmäßig und erregt wächst. Seine Entwicklung beginnt nicht mit Erkenntnissen, sie beginnt mit religiösen Gefühlen und entsprechenden inneren Erlebnissen. Luthers eigene Erfahrung ist bei seinem Wachstum das Primäre; das äußere Leben, Lehrer und Lehren, selbst die Bibel, sind das, was zu jenem Ersten erst hinzukommt, (dann freilich als das Entscheidende). Luther sucht, wie schon gesagt, mit ganzer Kraft nur Einen, Gott, und ihm wird er ganz untertan sein; nachdem ihm Gott im Wort der Bibel offenbar geworden sein wird, wird er dem Wort untertan sein. Es ist seine Grundhaltung. Sein Werk selbst bezeugt es. Und trotzdem ist von Anfang an dieses Untertansein etwas vollkommen anderes als das einfache Hinnehmen des schlichten Christen. Es ist von Anfang an Aneignung durch den Sucher, Ringer, Kämpfer, durch den Giganten Luther. Das ist entscheidend: der sich so restlos gefangen geben wollte an Gottes Wort, ist doch nie im Vollsinn Hörer gewesen. Luther ist von der Wurzel her subjektivistisch angelegt.

Aus allem, was wir von Luther wissen, bezeugt sich jene Geisteshaltung, die nicht weniger als das Schicksal der modernen Welt wurde, und dies weithin durch Luther: der Subjektivismus. Nicht Luther hat den Subjektivismus als allgemein wirkende Potenz in das Abendland eingeführt. Aber er tat—trotz seinen dogmatischen Bedingungen—für seinen Triumph mehr als irgendein anderer. Denn er führte ihn zum Sieg im Bereich des Unantastbarsten, das es gab. Wenn auch gegen seinen Willen.

Der Subjektivismus ist die Spaltung der Einheit. Der Einheit der Kirche, des Christentums, der Welt, mit dem Chaos des modernen, bindungslosen Daseins. Die Spaltung Deutschlands.

From *Die Reformation in Deutschland,* I, 162, 408, 434. Freiburg i. Br., Herder Verlag, 1939. Reprinted with permission of Herder Verlag, Freiburg i. Br.

[1] Lortz (b. 1887), one of the leading Catholic historians of the present, has been professor of the history of Western religions at the University of Mainz since 1947.

Kein Zweifel, daß das Christentum des Spätmittelalters sehr alt geworden ist. Die Formeln waren in unerhörtem Maße gebraucht und also verbraucht worden, oder aber es waren neue, nicht aus dem Worte Gottes selbst, sondern aus schon abgeleiteten Formeln hinausdestilliert worden, seltsam fern dem Kern des Bibelwortes und dem der Liturgie, seltsam kompliziert, notwendig unfruchtbar.

Luther spürte das in einem Maße, wie um ihn niemand. Er fühlte mit wachsendem Grimm, um so mehr, daß diese Formeln zum guten Teil es waren, die ihn in jenen schmerzlichen inneren Zermürbungsprozeß hineinführten, der ihm eine Lösung immer wieder versagte. Daß er diese unfruchtbare, altgewordene, zerspaltene Begriffssprache durchstieß und neu zu Wurzeln der Verkündigung drang, macht das Geheimnis seines Erfolgs. Er macht neu. Er spricht neu.

II

GLAUBENSKAMPF UND ABSOLUTISMUS

Der Augsburger Friede hat wohl ein Sicherheitssystem gegen eine Wiederholung eines offenen Religionskrieges errichtet, aber die durch die Reformation bewirkten politischen und sozialen Spannungen blieben ungelöst. Die geographische Abkapselung gab jedem Territorium, solang der Friede hielt, Gelegenheit, sein religiöses und kirchliches Leben ungestört zu entfalten. Weil dieses Zeitalter seine religiösen Probleme zugleich als Angelegenheiten von politischem Charakter verstehen konnte, war es nicht verwunderlich, daß sich der Protestantismus seit Mitte des sechzehnten Jahrhunderts in mehrere, nach Kult und Lehre getrennte Konfessionen, aufspaltete. Schon um 1555 übernahm eine neue protestantische Sekte, der Calvinismus, die Initiative im Fortgang der Reformation. In manchen Punkten schritt Calvin über Luthers Lehre hinaus. Ein Beispiel war das revolutionäre Dogma, nach dem Gehorsam nur dann dem Herrscher gebühre, wenn sich seine Anordnungen nicht gegen das Wort Gottes richteten. Diese Lehre Calvins fand besonderen Anklang beim Adel, der eine Aufhebung seiner feudal-priviligierten Stellung durch eine starke Monarchie befürchtete. In Calvins Dogma fanden die Adligen Rechtfertigung für ihre Opposition zum Kaiser.

Die Religionskriege in der ersten Hälfte des sechzehnten Jahrhunderts waren Auseinandersetzungen zwischen Bauern und Landesherren, Rittern und Fürsten, dem protestantischen Fürstentum und dem katholischen Kaiser. Während der nächsten hundert Jahre verwandelte sich dieser Komplex von Bauernkrieg und Fürstenkrieg in ein Machtringen zwischen der alten Adelsherrschaft und den Herrscherhäusern in fast allen europäischen Staaten. Gegen Ende des sechzehnten Jahrhunderts hatte die Mehrheit der Aristokraten, sogar derjenigen in den katholischen Ländern Deutschlands, den protestantischen Glauben angenommen. Auf diese Weise wuchs sich die Auseinandersetzung zwischen Fürst und Adel zu einem neuen Religionskrieg aus.

1618 brach in Böhmen ein Aufstand aus, dessen Folgen den Dreißigjährigen Krieg herbeiführten. Der zumeist protestantische Adel Böhmens verweigerte dem Haus Habsburg den Gehorsam, sprach die Absetzung des österreichischen Kaisers Ferdinand II. aus, und wählte an seiner Stelle den Calvinisten Friedrich V. von der Pfalz zum König. In der daraus folgenden Auseinandersetzung wurde Friedrich vom protestantischen Adel unterstützt, während die katholischen Länder, besonders Bayern, dem Habsburger Kaiser zu Hilfe eilten. Innerhalb eines Jahres brach der böhmische Aufstand zusammen. Wenn der Krieg eine rein deutsche Sache gewesen wäre, wäre er nun wohl beendet gewesen. Die enge Bindung zwischen den Höfen in Wien und Madrid führte jedoch zum Eingreifen der Spanier.

1621 versuchte Spanien die holländischen Gebiete, die früher ihre Unabhängigkeit erklärt hatten, zurückzuerobern. Beide Gegner ersuchten Unterstützung von deutschen Fürsten, und auf diese Weise entwickelte sich der ursprüngliche lokale Zwist in einen allgemeinen europäischen Krieg, an dem zuletzt außer England und der Türkei keine von den europäischen Mächten unbeteiligt war. 1648 brachte der Westfälische Frieden das entsetzliche Morden zu Ende.

Die Auswirkungen des großen Krieges auf die europäische Machtordnung waren gewaltig. Der Vorherrschaft Spaniens über Europa wurde ein Ende gesetzt. In der Politik und Kultur war Frankreich von nun an tonangebend. Das Heilige Römische Reich Deutscher Nation mußte die Souveränität der Fürsten anerkennen, und diese Demütigung bedeutete den Niedergang einer ohnehin schon geschwächten Ordnung. Die absolutistischen Fürsten waren jetzt so mächtig wie noch nie zuvor.

Am bedeutendsten für Deutschland aber waren die kriegerischen Vorgänge selbst, deren Greuel das Land verblutete und verwüstete. Hungersnot und Pest trugen dazu bei, daß die Einwohnerzahl Deutschlands um ein Drittel sank. Die grausigen Ereignisse des Krieges verwandelten das Welt- und Menschenbild in Kunst und Literatur. Der von der Renaissance und Reformation hervorgerufenen Optimismus und Individualismus konnte der furchtbaren Wirklichkeit gegenüber nicht standhalten. Verzweiflung und Furcht kennzeichneten den düsteren Pessimismus dieser Zeit. Ein Zeitalter, das hauptsächlich von Religionsfragen beherrscht war, kam zu Ende. Der Krieg hinterließ ein politisch schwaches Deutschland in den Händen der Fürsten, denen der Glanz und die Pracht der französischen Kultur zum Vorbild dienten.

Frankreichs Vorherrschaft beschränkte sich aber nicht nur auf die Kultur Deutschlands. König Ludwig XIV. (1643-1715) trug viel dazu bei, den fürstlichen Absolutismus als eine Epoche in der deutschen Geschichte möglich zu machen. Denn der Dreißigjährige Krieg hatte Deutschland als eine lebensfähige staatliche Einheit vernichtet: der deutsche Markt wurde von ausländischen Produkten beherrscht, die Wirtschaft lag darnieder und hatte keinen Anteil mehr am Welthandel, der städtische Wohlstand war zerstört, die Bauernhöfe standen leer. Obwohl das Kaisertum den Krieg wenigstens als eine Einrichtung überlebt hatte, waren die Territorialfürsten in ihren Gebieten souverän. Nach dem Vorbild des monarchischen Absolutismus Ludwigs XIV. versuchten nun diese Fürsten ihr eigenes Staatsgebiet zu stärken. Dazu rissen sie die politische Macht ganz an sich, setzten der Unabhängigkeit des niedrigen Adels ein Ende und unterdrückten die Bestrebungen der Landesstände und Ritter. So konnte das 17. Jahrhundert unter der Führung Frankreichs das Zeitalter des Absolutismus werden.

H. J. C. von Grimmelshausen: *Simplicius Simplicissimus*[1]

(Durch seine Naivität und Unwissenheit läßt sich Simplicius, der Held dieses Romans, in die wilde Welt des Krieges reißen. Nachdem er an einigen Feldzügen teilgenommen hat, wird er selbst Führer einer Räuberbande und als Jäger von Soest tritt er in den zügellosen Kampf um Gewinn und Genuß ein. Sein Abenteuer mit dem Jupiter-Narr verspottet das utopische Luftschloß des deutschen Retters, und ist mit vielen politischen Schriften der Zeit vergleichbar.)

Meiner Gewohnheit nach hielt ich selbst Schildwacht, weil wir dem Feind nahe waren; da kam ein einziger Mann daher, fein ehrbar gekleidet, der redte mit sich selbst und hatte mit seinem Meerrohr,[2] das er in Händen trug, ein seltsam Gefechte. Ich konnte nichts anders verstehn, als daß er sagte: ,,Ich will einmal die Welt strafen, es wolle mir's denn das große Numen nicht zugeben!''[3]

Daraus mutmaßete ich, er möchte etwa ein mächtiger Fürst sein, der so verkleiderterweise herumginge, seiner Untertanen Leben und Sitten zu erkunden, und sich nun vorgenommen hätte, solche (weil er sie vielleicht nicht nach seinem Willen gefunden) gebührend zu strafen. Ich gedachte: Ist dieser Mann vom Feind, so setzt es ein gutes Lösegeld, wo nicht, so willst du ihn so höflich traktieren und ihm dadurch das Herz dermaßen abstehlen, daß es dir künftig dein Lebtag wohl bekommen soll!

Ich sprang deshalb hervor, präsentierte mein Gewehr mit aufgezogenem Hahn und sagte: ,,Der Herr wird sich belieben lassen, vor mir hin in den Busch zu gehen, wofern er nicht als Feind will traktiert sein!'' Er antwortete sehr ernsthaftig: ,,Solcher Traktation ist meinesgleichen nicht gewohnt.'' Und als ich ihn in den Busch zu

From *Der abenteurliche Simplicius Simplicissimus,* 246-256. Stuttgart, Dr. Riederer-Verlag, 1950. Reprinted with permission of Dr. Riederer-Verlag GmbH., Stuttgart.

[1] Hans Jacob Christoffel von Grimmelshausen (1621 or 1622-76) fought on both sides of the war before going over to the Catholic Church. Many adventures of Simplicius are doubtless autobiographical, but the book represents a break with the traditional tale of chivalric romance of the time as well as a vivid picture of life in all its complexities and contradictions on a universal scale. It was first published in 1669.
[2] **Meerrohr** walking stick
[3] **es wolle . . . zugeben** unless the great Divinity forbids me to

Die Erhängten; Radierung von Jacques Callot

meinen Leuten gebracht und die Schildwachen wieder besetzt hatte, fragte ich ihn, wer er sei. Er antwortete gar großmütig, es würde mir wenig daran gelegen sein, wenn ich's schon wüßte. Er sei ein großer Gott! Ich wurde aber bald inne, daß ich anstatt eines Fürsten einen Narren gefangen hatte, der sich überstudiert und in der Poeterei gewaltig verstiegen; denn als er bei mir ein wenig erwarmte, gab er sich für den Gott Jupiter aus.

Ich wünschte zwar, daß ich diesen Fang nicht getan; weil ich den Narren aber hatte, mußt ich ihn wohl behalten, bis wir von dannen ruckten; und da mir nun die Zeit ohnedies ziemlich lang wurde, gedachte ich, diesen Kerl zu schrauben und mir seine Gaben zunutz zu machen. Ich sagte deswegen zu ihm: „Nun denn, mein lieber Jove, wie kommt's doch, daß deine himmlische Gottheit ihren hohen Thron verläß und zu uns auf Erden steigt?" „Weil ich dem menschlichen Geschlecht mit sonderbarer Gunst gewogen bin und ohnedies allzeit lieber die Güte als die strenge Verfahrung brauche, vagiere ich jetzt herum, der Menschen Tun und Lassen selbst zu erkunden; und obwohl ich alles ärger finde, als mir's vorkommen,[4] so bin ich jedoch nicht gesinnt, alle Menschen zugleich und ohne Unterschied auszurotten, sondern nur diejenigen zu strafen, die zu strafen sind, und hernach die übrigen nach meinem Willen zu ziehen. Ich will

---

[4] vorkommen = vorgekommen

einen teutschen Helden erwecken, der soll alles mit der Schärfe des
Schwerts vollenden. Er wird alle verruchten Menschen umbringen
und die frommen erhalten und erhöhen."

Ich sagte: „So muß ja ein solcher Held auch Soldaten haben, und
wo man Soldaten braucht, da ist auch Krieg, und wo Krieg ist, da
muß der Unschuldige sowohl als der Schuldige herhalten!"

„Ich will einen solchen Helden schicken, der keiner Soldaten
bedarf und doch die ganze Welt reformieren soll."

Ich fragte: „Wie wird aber Teutschland bei so unterschiedlichen
Religionen einen Frieden haben können?"

„Mein Held wird vor allen Dingen alle christliche Religionen in
der ganzen Welt miteinander vereinigen."

Ich sagte: „O Wunder, das wär ein groß Werk! Wie müßte
das zugehen?"

Jupiter antwortete: „Das will ich dir herzlich gern offenbaren:
Nachdem mein Held den Universalfrieden der ganzen Welt verschafft, wird er die geistlichen und weltlichen Vorsteher und
Häupter der christlichen Völker und unterschiedlichen Kirchen mit
einem sehr beweglichen Sermon anreden und ihnen die bisherigen
hochschädlichen Spaltungen in den Glaubenssachen trefflich zu
Gemüt führen; auch wird er sie durch hochvernünftige Gründe
und unwidertreibliche Argumente dahin bringen, daß sie von sich
selbst eine allgemeine Vereinigung wünschen und ihm das ganze
Werk seiner hohen Vernunft nach zu dirigieren übergeben werden.
Alsdann wird er die allergeistreichsten, gelehrtesten und frömmsten
Theologen von allen Orten und Enden her aus allen Religionen
zusammenbringen, und ihnen einen Ort in einer lustigen, doch stillen
Gegend, da man wichtigen Sachen ungehindert nachsinnen kann,
zurichten lassen; sie daselbst mit Speis und Trank, auch aller anderer
Notwendigkeit versehen und ihnen auferlegen, daß sie, sobald wie
immer möglich und doch mit der allerreifsten und fleißigsten
Wohlerwägung, die Strittigkeiten, so zwischen ihren Religionen
enthalten, erstlich beilegen und nachgehends mit rechter Einhelligkeit die rechte, wahre, heilige und christliche Religion, der Heiligen
Schrift, der uralten Tradition und der anerkannten Heiligen Väter
Meinung gemäß, schriftlich verfassen sollen. Um dieselbige Zeit
wird sich Pluto gewaltig hintern Ohren kratzen, weil er alsdann die

Schmälerung seines Reichs besorgen wird; ja, er wird allerlei Kniffe und Listen erdenken, um einen Zusatz darein zu machen, und sich gewaltig bemühen, die Sach, wo nicht gar zu hintertreiben, jedoch solche *ad infinitum* oder *indefinitum* zu bringen. Er wird sich unterstehen, einem jeden Theologen sein Interesse, seinen Stand, sein geruhig Leben, sein Weib und Kinder, sein Ansehen und je so etwas vorzumalen, das ihm anraten möchte, seine Meinung zu behaupten. Aber mein tapferer Held wird auch nicht feiern; er wird, solang dieses Konzilium währet, in der ganzen Christenheit alle Glocken läuten und damit das christliche Volk zum Gebet an das höchste Numen unablässig anmahnen und um Sendung des Geistes der Wahrheit bitten lassen. Wenn er aber merken würde, daß sich einer oder der andere von Pluto einnehmen läßt, so wird er die ganze Kongregation, wie in einem Konklave, mit Hunger quälen, und wenn sie noch nicht dranwollen, ein so hohes Werk zu befördern, so wird er ihnen allen vom Hängen predigen oder ihnen sein wunderlich Schwert weisen und sie alle erstlich mit Güte, endlich mit Ernst und Bedrohungen dahin bringen, daß sie zur Sache schreiten und mit ihren halsstarrigen Meinungen die Welt nicht mehr wie vor alters foppen. Nach erlangter Einigkeit wird er ein groß Jubelfest anstellen und der ganzen Welt diese geläuterte Religion publizieren; und welcher alsdann dawider glaubt, den wird er mit Schwefel und Pech martyrisieren oder einen solchen Ketzer mit Buchsbaum bestecken und dem Pluto zum neuen Jahr schenken.''

Andreas Gryphius: *Tränen des Vaterlandes, Anno 1636*[1]

Wir sind doch nunmehr ganz, ja mehr denn ganz verheeret!
Der frechen Völker Schar, die rasende Posaun,
Das vom Blut fette Schwert, die donnernde Kartaun
Hat aller Schweiß und Fleiß und Vorrat aufgezehret.

From *Lyrische Gedichte*, in *Deutsche Dichter des siebzehnten Jahrhunderts,* edited by Karl Goedeke and Julius Tittmann, XIV, 13. Leipzig, F. A. Brockhaus, 1880.

[1] Gryphius (1616-64) was perhaps the only man of the century in Germany who succeeded brilliantly in two genres: he was a fine lyric poet and skilled dramatist. The apocalyptic note in this poem is central to all his works, and shows some of the dynamic tension of the age.

Die Türme stehn in Glut, die Kirch' ist umgekehret,
Das Rathaus liegt im Graus, die Starken sind zerhaun,
Die Jungfern sind geschänd't, und wo wir hin nur schaun,
Ist Feuer, Pest und Tod, der Herz und Geist durchfähret.
Hier durch die Schanz und Stadt rinnt allzeit frisches Blut.
Dreimal sind schon sechs Jahr, als unser Ströme Flut
Von Leichen fast verstopft, sich langsam fortgedrungen;[2]
Doch schweig ich noch von dem, was ärger als der Tod,
Was grimmer denn die Pest und Glut und Hungersnot:
Daß auch der Seelenschatz so vielen abgezwungen.

Friedrich Schiller: *Geschichte des Dreißigjährigen Krieges*[1]

Seit dem Anfang des Religionskriegs in Deutschland bis zum Mün-
sterischen Frieden[2] ist in der politischen Welt Europens kaum etwas
Großes und Merkwürdiges geschehen, woran die Reformation nicht
den vornehmsten Anteil gehabt hätte. Alle Weltbegebenheiten,
welche sich in diesem Zeitraum ereignen, schließen sich an die
Glaubensverbesserung an, wo sie nicht ursprünglich daraus her-
flossen, und jeder noch so große und noch so kleine Staat hat mehr
oder weniger, mittelbarer oder unmittelbarer, den Einfluß derselben
empfunden.

Beinahe der ganze Gebrauch, den das spanische Haus von seinen
ungeheuren politischen Kräften machte, war gegen die neuen Meinungen oder ihre Bekenner gerichtet. Durch die Reformation wurde
der Bürgerkrieg entzündet, welcher Frankreich unter vier stürmi-

---

[2] **sich . . . fortgedrungen** slowly pressed ahead

From *Geschichte des Dreißigjährigen Krieges,* in *Schillers Sämtliche Werke,*
edited by Karl Goedeke, XI, 3-5. Stuttgart, Verlag der J. G. Cotta'schen
Buchhandlung, 1893.

[1] Schiller (1759-1805), a great dramatic poet and contemporary of Goethe, was
appointed to a professorship of history at the University of Jena in 1789. His
Geschichte des Dreißigjährigen Krieges, from which this selection is taken, was
written between 1790 and 1792, and reveals the aim of German classicism to trace
in history the development of an underlying "idea."

[2] **Münsterische Frieden** Peace of Westphalia; Münster was then the capital of
Westphalia.

Graf Tilly mit seinen katholischen Truppen belagern die Stadt Magdeburg, 1631
(nach einem Kupferstich von Merian) (The Bettmann Archive)

39

ungolff. 4 S. Sebaſtia. 5 S. Nicola. 6 Vnſ liebe Frawen.
nnes. 11 das Rathaus. 12 Barfußer. 13 S. Cathazina.
Peter. 17 S. Iacob. 18 S. Auguſtin. 19 Hohepfort.
Paul. 23 Sudenburg. 24 Newſtat. 25 Zollſchantz.

BURG.

Die Elbe Fluſ:

schen Regierungen in seinen Grundfesten erschütterte, ausländische Waffen in das Herz dieses Königreichs zog und es ein halbes Jahrhundert lang zu einem Schauplatz der traurigsten Zerrüttung machte. Die Reformation machte den Niederländen das spanische Joch unerträglich und weckte bei diesem Volke das Verlangen an den Mut, dieses Joch zu zerbrechen, so wie sie ihm großenteils auch die Kräfte dazu gab.

Die Reformation war es großenteils, was die nordischen Mächte, Dänemark und Schweden, zuerst in das Staatssytem von Europa zog, weil sich der protestantische Staatenbund durch ihren Beitritt verstärkte, und weil dieser Bund ihnen selbst unentbehrlich ward. Staaten, die vorher kaum für einander vorhanden gewesen, fingen an, durch die Reformation einen wichtigen Berührungspunkt zu erhalten und sich in einer neuen politischen Sympathie an einander zu schließen. So wie Bürger gegen Bürger, Herrscher gegen ihre Untertanen durch die Reformation in andre Verhältnisse kamen, rückten durch sie auch ganze Staaten in neue Stellungen gegen einander. Und so mußte es durch einen seltsamen Gang der Dinge die Kirchentrennung sein, was die Staaten unter sich zu einer engern Vereinigung führte. Schrecklich zwar und verderblich war die erste Wirkung, durch welche diese allgemeine politische Sympathie sich verkündigte—ein dreißigjähriger verheerender Krieg, der von dem Innern des Böhmerlandes bis an die Mündung der Schelde, von den Ufern des Po[3] bis an die Küsten der Ostsee Länder entvölkerte, Ernten zertrat, Städte und Dörfer in die Asche legte; ein Krieg in welchem viele tausend Streiter ihren Untergang fanden, der den aufglimmenden Funken der Kultur in Deutschland auf ein halbes Jahrhundert verlöschte, und die kaum auflebenden bessern Sitten der alten barbarischen Wildheit zurückgab. Aber Europa ging ununterdrückt und frei aus diesem fürchterlichen Krieg, in welchem es sich zum erstenmal als eine zusammenhängende Staatengesellschaft erkannt hatte; und diese Teilnehmung der Staaten an einander, welche sich in diesem Krieg eigentlich erst bildete, wäre allein schon Gewinn genug, den Weltbürger mit seinen Schrecken zu versöhnen.

---

[3] **Schelde . . . Po** The Schelde is a river that flows into the North Sea, the Po into the Adriatic Sea.

Die Religion wirkte dieses alles. Durch sie allein wurde möglich, was geschah, aber es fehlte viel, daß es für sie und ihrentwegen unternommen worden wäre. Hätte nicht der Privatvorteil, nicht das Staatsinteresse sich schnell damit vereinigt, nie würde die Stimme der Theologen und des Volks so bereitwillige Fürsten, nie die neue Lehre so zahlreiche, so tapfre, so beharrliche Verfechter gefunden haben. Ein großer Anteil an der Kirchenrevolution gebührt unstreitig der siegenden Gewalt der Wahrheit, oder dessen, was mit Wahrheit verwechselt wurde.

Wilhelm Treue: *Deutsche Geschichte von 1648 bis 1713*[1]

Ein Menschenalter hindurch hatte der Dreißigjährige Krieg Deutschland nicht allein an der Fortentwicklung gehindert, welche die westeuropäischen Staaten tief in den Absolutismus und Merkantilismus, in zentralistische Ordnung im Mutterland und expansive Handels- und Kolonialpolitik in Übersee geführt hatte, sondern Deutschland war vielfach geradezu in altvergangene Zustände zurückgeworfen worden. Was übrig blieb, war in der Mitte des 17. Jahrhunderts eine Nation, die weithin aus zerstörten Städten und Dörfern auf verwüstetem und vernachläßigtem Boden, bedrückt von einer schweren Last direkter Schulden und verwilderter Währungsverhältnisse bei einer um rund $\frac{1}{3}$ verringerten Bevölkerung, behindert von Arbeitsscheuen und ins Vagantentum abgeglittenen Massen entlassener und entlaufener Söldner an den Wiederaufbau gehen mußte.

Vergessen waren die großen Zeiten deutschen Bürgertums im 16. Jahrhundert mit den kulturellen und wirtschaftlichen Errungenschaften, verloren die Leistungen der oberdeutschen Städte und der Hanse, der Vorrang in Bergbau, Handwerk und Handel. Niemals

From *Deutsche Geschichte von 1648 bis 1713; politischer und geistiger Wiederaufbau*, 5, 11-12, 16. Berlin, W. de Gruyter, 1956. Reprinted with permission of Walter de Gruyter & Co., Berlin.

[1] Treue (b. 1909) is professor of history at the Hannover Institute of Technology, and he has taught at Oxford University. His particular interests are economic and cultural history, the latter producing the well-known *Kulturgeschichte des Alltags*.

zuvor hatte Deutschland materiell so schwer gelitten, war es so tief gesunken, wie in diesen Jahrzehnten.

Aber der Krieg war für das staatliche, religiöse und damit selbst für das persönliche Leben des Einzelnen auch noch in anderer Hinsicht überaus bedeutungsvoll gewesen. Er hatte die seit Jahrhunderten sich entwickelnde Selbständigkeit der deutschen Einzelstaaten staatsrechtlich bestätigt. Er hat damit neben unsäglichem politischen Leid, Zwist und Unglück neben einer politischen Verwirrung und Schwächung, die bis in die Gegenwart hinein nachgewirkt hat, auch gerade für die Kultur große und fördernde Wirkungen ausgeübt.

Das Ende der Religionskriege war erreicht—was nicht bedeutete, daß die Zukunft ärmer wurde an kriegerische Auseinandersetzungen. Die neue Friedensordnung gab aber auch die Kräfte des Einzelstaates frei: neben dem konfessionellen dankte auch der politische Universalismus ab—nicht zuletzt infolge der Selbstbefreiung von Mächten wie England und Holland, die aus den traditionellen Formen ausbrachen, nach Übersee griffen und einen immer stärkeren Teil ihres wirtschaftlichen, und das hieß im Zeitalter von Absolutismus und Merkantilismus ihres machtpolitischen Schwergewichts außerhalb Europas besaßen.

Aus dieser Sprengung und Auflösung religiöser und politischer, auch kultureller Einheiten ergab sich als Gegenstück zur Auffassung von Gleichberechtigung und Gleichgewicht im Interesse des modernen Staates die Idee und Praxis der Toleranz, der religiösen Duldung, die im Extrem bis zur Gleichgültigkeit reichte und nicht allein Deutschland, sondern den europäischen Raum überhaupt ergriff. Zweifellos war sie stärker in den protestantischen als in den katholischen Staaten ausgeprägt, während der katholische Staat grundsätzlich an der Forderung der katholischen Glaubenseinheit festhielt, darin zugleich aber auch die Stärkung des absolutistischen Staats verfolgte. Andererseits ist nicht zu übersehen, daß die religiöse Duldung vielfach mehr auf einer tiefen Ermüdung im konfessionellen Streit als auf echter ethischer Haltung beruhte. Niemals wieder ist das konfessionelle Element ganz aus den innerdeutschen Auseinandersetzungen und aus denen mit seinen Nachbarn verschwunden.

Tiefe und meist nachhaltige Spuren hinterließ der Krieg—

besonders längs der Durchgangsstraßen—auf dem Lande, wo der Schutz von Mauern und Miliz fehlte und die Bevölkerung sich Übergriffen der Truppen und der Banden höchstens durch Flucht mit wenig Hab und Gut entziehen konnte. Viele fruchtbare Landstriche glichen Einöden. Ihre wirtschaftliche Wiedereinbeziehung wurde durch Mangel an Pflügen, Zugtieren, selbst an Menschen erschwert und lange verzögert.

Fritz Hartung: *Die Flugschriften*[1]

Es ist eine eigentümliche Tatsache, daß in diesem absolutistischen Zeitalter, dessen Politik wir nur allzu leicht allein auf den Willen, ja auf Willkür und Laune der Fürsten zurückzuführen geneigt sind, die öffentliche Meinung als Faktor auftritt. Wie sie in Holland den Umschwung der Politik erzwungen hat, so verschafft sie sich auch in Deutschland Geltung. Sie fand ihren Ausdruck in einer Masse von Flugschriften. Deren wissenschaftliche Ausbeutung ist freilich nicht ganz leicht, nicht nur deshalb, weil es mühselig ist, sich durch den Wust von langatmigen, schwülstigen, im Stil der Zeit mit Gelehrsamkeit und lateinischen Zitaten überladenen Abhandlungen durchzuarbeiten, sondern vor allem, weil sehr viele Schriften, deren Verfasser unter der Maske eines harmlosen treudeutschen Biedermannes auftreten, amtlichen Ursprunges sind, Ansichten und Absichten der Regierungen wiedergeben und die Stimmung der Bevölkerung nicht aussprechen, sondern erst schaffen wollen. Trotz-

---

From *Neuzeit, von der Mitte des 17. Jahrhunderts bis zur Französischen Revolution 1789*, 62-63. Vienna and Leipzig, Franz Deuticke Verlag, 1932; reprint of original edition, Darmstadt, Wissenschaftliche Buchgesellschaft, 1965. Reprinted with permission of Franz Deuticke Verlag, Vienna, and Wissenschaftliche Buchgesellschaft, Darmstadt.

[1] Hartung (b. 1883) has been professor of history at Halle, Kiel, and Berlin. He is the author of various books on political and constitutional history.

Flugschriften, or pamphlets, originated soon after the invention of the printing press. Usually anonymous booklets of a polemical nature they became widespread in the sixteenth and seventeenth centuries, and were used by both Protestants and Catholics to comment on matters of religion, politics, culture, and society. Intended to influence their readers' opinions, they were often written in literary forms (fable, dialogue, letter, satire), but have little intrinsic literary value. They became less important in the eighteenth century with the rise of newspapers and periodicals.

dem wäre es verfehlt, diese ganze Literatur beiseite zu schieben und sich lediglich mit der Darstellung der diplomatischen Verhandlungen und der militärischen Vorgänge zu begnügen. Denn mag man die Selbständigkeit der meisten Schriften noch so gering einschätzen, sie zeigen zum mindesten, daß die öffentliche Meinung eine Macht war, mit der die Regierungen rechneten. Und bei aller kritischen Vorsicht wird aus ihnen deutlich, daß Deutschland sich der von Frankreich drohenden Gefahr einer nicht nur politischen, sondern auch kulturellen und wirtschaftlichen Vorherrschaft bewußt geworden war und den geistigen Kampf gegen die französischen Einflüsse aufnahm. Der Erfolg war freilich gering. Gerade auf geistigem und wirtschaftlichem Gebiet ist Deutschland im folgenden Menschenalter in immer stärkere Abhängigkeit von Frankreich geraten, und auch in politischer Hinsicht entspricht die Kraft des Willens durchaus nicht der Klarheit der Erkenntnis. Aber mit all ihren Schwächen ist diese Literatur ein Anzeichen des erwachenden deutschen Nationalbewußtseins. Wie im damaligen brandenburgisch-preußischen Staat die Keime der zukünftigen deutschen Staatsbildung zu erkennen sind, so sehen wir hier die ersten Spuren der deutschen Nation.

Kuno Franke: *Fürstlicher Absolutismus in Deutschland*[1]

Unheilvolle und segenbringende Kräfte sind in diesem fürstlichen Absolutismus des 17. und 18. Jahrhunderts miteinander verbunden. Selbst die besten Träger fürstlicher Gewalt in diesem Zeitraum—wie Maximilian von Bayern, Karl Ludwig von der Pfalz, der Große Kurfürst von Brandenburg, der fromme Herzog Ernst von Gotha— haben etwas unschön Starrsinniges an sich; sie besitzen wenig von jenem Mitgefühl mit allem Menschlichen, ohne welches wahre

From *Die Kulturwerte der deutschen Literatur von der Reformation bis zur Aufklärung,* II, 217-219. Berlin, Weidmannsche Buchhandlung, 1923. Reprinted with permission of Weidmannsche Verlagsbuchhandlung, Zürich.

[1] Francke (1855-1930) was born in Germany and came to Harvard University as an instructor in 1884. From 1896 until his retirement he served there as professor for German history and culture, and wrote many articles and books on German literary and social history.

Größe nicht gedeihen kann. Wir mögen anerkennen, was sie für ihre Territorien geleistet haben: Sanierung der Staatsfinanzen, Beseitigung drückender Adelsprivilegien, gleichmäßigere Besteuerung, Schaffung einer tüchtigen Beamtenschaft, Hebung von Gewerbe und Industrie, Förderung des Schulwesens,—über den Begriff der Staatsräson, des für ihre unmittelbaren Interessen Nützlichen sind sie doch nicht hinausgekommen. Und wenn wir an solche Lüstlinge auf dem Throne wie August den Starken oder an solche barbarische Verächter aller höheren Kultur wie Friedrich Wilhelm I. denken, so wird es schwer, in dem System, welches derartigen Männern die unumschränkte Herrschaft über Millionen von Untertanen anvertraute, eine positive Kraft in dem Wiederaufbau des deutschen Lebens zu erkennen.

Und doch hat der Absolutismus nicht nur dem materiellen Aufschwung der einzelnen deutschen Landesteile den größten Vorschub geleistet; er hat auch, obschon ohne es zu wollen, geistiger Freiheit die Wege geebnet. Der Absolutismus hat den großen Nivellierungsprozeß begonnen, der endlich zur Demokratie geführt hat. Vor dem einen Willen des Landesherrn, der das Ganze des Staates zu vertreten wenigstens beanspruchte, mußten die mannigfaltigen überlieferten Unterschiede von Stand und Klasse mehr und mehr zurücktreten, obgleich gerade an den Fürstenhöfen des 17. und 18. Jahrhunderts Kastengeist, Geburtsprivileg und Titelstolz ihre leersten und würdelosesten Triumphe gefeiert haben. Denn so sehr auch das Bürger- und Bauerntum noch unter den höfischen Vorrechten und der gesellschaftlichen und militärischen Anmaßung des Geburtsadels zu leiden hatten, die Tatsache ließ sich doch nicht wegleugnen, daß in der Theorie wenigstens, und vielfach auch in der Praxis, die Wohlfahrt aller Klassen die oberste Richtschnur der absolutistischen Verwaltung war; daß das von dem absolutistischen Staat ausgeübte Beaufsichtigungsrecht über die Kirche neben vielfacher Bedrückung doch auch die Möglichkeit des Schutzes persönlicher Überzeugung gegenüber konfessionellem Fanatismus in sich trug; und daß auf den durch landesherrliche Verfügung gegründeten oder begünstigten Universitäten vorurteilslose Wissenschaft zum ersten Mal eine feste Stütze fand. Es ist kein Zufall, daß der bedeutendste Staatsrechtslehrer des deutschen Absolutismus, Samuel

Pufendorf[2] (1632-1694), im Anschluß an Hugo Grotius[3] das Naturrecht, d.h. das aus der Natur des einzelnen Menschen stammende Recht, als Grundlage des Gesellschaftslebens dargestellt, daß er die Unabhängigkeit der persönlichen Überzeugung von der Staatsgewalt gefordert und in der Sache der Humanität dienendes Völkerrecht zu begründen versucht hat; und daß von dem hervorragendsten Herrscher der absolutistischen Epoche, dem Großen Kurfürsten, die Wahrung der Parität der religiösen Bekenntnisse von Seiten des Staates zum erstenmal energisch durchgeführt worden ist.

So waren denn gerade in dem politischen Absolutismus die Bedingungen enthalten, unter denen sich eine geistige Wiederanknüpfung an die individualistischen Ideale des Humanismus und der Reformation vollziehen konnte. Alles, was in den hundert Jahren nach dem großen Kriege an positiven Gedanken und fortschrittlichen Bestrebungen sich in Deutschland geltend macht, steht unter diesem Zeichen.

---

[2] Pufendorf was the creator of a system of "natural law," based on the philosophies of Hobbes and Grotius.
[3] Hugo Grotius (1583-1645) was a Dutch jurist and statesman, important for his contribution to the development of international law.

III

DIE AUFKLÄRUNG

Im Jahre 1740 starben Kaiser Karl VI. und der preußische König
Friedrich Wilhelm I. In den zwei mächtigsten deutschen Staaten bestiegen
nun Herrscher den Thron, die den philosophischen Tendenzen der
französischen Aufklärung und dem Rationalismus des Zeitalters zuneig-
ten: Friedrich II. in Preußen und Maria Theresia in Österreich. Gleich
am vierten Tage seiner Regierung schaffte der neue König von Preußen
die Folter ab und führte eine scharfe Trennung zwischen Justiz- und
Gnadensachen ein: er behielt sich nur das Begnadigungsrecht vor, während
er die richterliche Entscheidung ganz den Justizebehörden überließ.
Zugleich gewährte er den Zeitungen völlige Freiheit und ordnete an, daß
jede Religion sowohl gegen staatlichen Zwang wie gegen den Eifer der
Andersgläubigen geschützt werden solle, daß jeder in seinem Staate „nach
seiner Fasson selig werden" dürfe.

Unter seinen Zeitgenossen galt Friedrich der Große als der hervorra-
gendste Vertreter des aufgeklärten Absolutismus. Sein berühmter Ausspruch, daß er der „erste Diener seines Staates" sei, erklärt uns seine
Ansicht über den Staat und den Herrscher. Vom Denken der französischen Philosophen beeinflußt, verbesserte Friedrich Preußens Rechts-

wesen. Er bemühte sich, durch Aufbesserung der Gehälter für die Richter und durch Vorschriften für die Anwälte, die ihre Bezahlung erst am Ende eines Prozesses erhalten sollten, die Mißstände zu beseitigen. Besonders bemühte sich der König um die Förderung des Gewerbes durch Erhebung von Schutzzöllen, Erschließung neuer Absatzgebiete, Erleichterungen im Reiseverkehr, Heranziehung fremder Arbeiter und Einrichtung neuer Betriebe. Auf diese Weise erholten sich Preußens erschöpfte Staatsfinanzen, und zugleich wurden die ersten Ansätze der industriellen Revolution geschaffen.

Bei allen den erwähnten Reformen ging es Friedrich nicht nur um Menschenrecht und Menschlichkeit, sondern um die Stärkung und dauernde Sicherheit des preußischen Staates. Der Dichter Novalis beschrieb Friedrich als einen „Unternehmer einer großen Staatsmanufaktur," den „ersten und größten Staatsmechaniker, den die Welt gesehen." Dieser straff zentralisierte und tadellos funktionierende Obrigkeitsstaat schuf ein zum strikten Gehorsam gegen den Staat erzogenes Bürgertum.

In der Außenpolitik war es Friedrichs Ehrgeiz, einen starken Staat im Norden zu schaffen. Durch den Anschluß Schlesiens (1740) und die Teilung Polens (1772) erhielt Friedrich die Möglichkeit, Preußen zu einer europäischen Großmacht auszubauen, und zugleich eine breite Front gegen Rußland zu stellen. Maria Theresia sah sich gezwungen, Österreichs vor 1756 begonnene Ostkolonisation fortzusetzen. Durch Ausdehnung in diese Richtung schwang sich Österreich nach Rußland zur zweitgrößten Macht Europas auf. Aber Österreich, mit seinen großen slawischen Gebieten, war kaum mehr ein deutsches Reich.

Die deutsche Literatur in der ersten Hälfte des 18. Jahrhunderts vereinigt in sich alle wesentlichen Züge der frühen Auflärung: eine Gewißheit des Nutzens und der Zweckmäßigkeit aller Dinge und alles Geschehens, ein froher Optimismus, die Verehrung der Tugend, der Glaube an Forstschritt durch Erziehung und Vernunft, aber auch ein pietistisch getönter christlicher Glaube mit seinem empfindsamen Belauschen des Inneren. Der schriftstellerische Stil der Frühaufklärung verbindet eine früher nur im Französischen gefundene Klarheit und Logik mit volkstümlicher Schlichtheit und Grazie. Zugleich leitet die Hervorhebung des Gefühls schon die nächste große literarische Epoche ein. Diese Erhebung von Gefühl über die Abstraktion des Verstandes kündigt den gewaltigen Einfluß Rousseaus auf die deutsche Geistesbewegung in der

zweiten Hälfte des 18. Jahrhunderts an. Der Zeit der selbstverständlichen
Überlegenheit der Vernunft und des Geistes über das Seelisch-Emotionale
war eine Grenze gesetzt.

Immanuel Kant: *Was Ist Aufklärung?*[1]

Aufklärung ist der Ausgang des Menschen aus seiner selbst verschuldeten Unmündigkeit. Unmündigkeit ist das Unvermögen, sich seines Verstandes ohne Leitung eines andern zu bedienen. Selbstverschuldet ist diese Unmündigkeit, wenn die Ursache derselben nicht am Mangel des Verstandes, sondern der Entschließung und des Mutes liegt, sich seiner ohne Leitung eines andern zu bedienen. Sapere aude! Habe Mut dich deines eigenen Verstandes zu bedienen! ist also der Wahlspruch der Aufklärung.

Faulheit und Feigheit sind die Ursachen, warum ein so großer Teil der Menschen, nachdem sie die Natur längst von fremder Leitung frei gesprochen,[2] dennoch gerne zeitlebens unmündig bleiben; und warum es Andern so leicht wird, sich zu deren Vormündern aufzuwerfen.[3] Es ist so bequem, unmündig zu sein. Habe ich ein Buch, das für mich Verstand hat, einen Seelsorger, der für mich Gewissen hat, einen Arzt, der für mich Diät beurteilt, u.s.w., so brauche ich mich ja nicht selbst zu bemühen. Ich habe nicht nötig zu denken, wenn ich nur bezahlen kann; andere werden das verdrießliche Geschäft schon für mich übernehmen. Daß der bei weitem größte Teil der Menschen (darunter das ganze schöne Geschlecht) den Schritt zur Mündigkeit, außer dem daß er beschwerlich ist, auch für sehr gefährlich halte: dafür sorgen schon jene Vormünder, die die Oberaufsicht über sie gütigst auf sich genommen haben. Nachdem sie ihr Hausvieh zuerst dumm gemacht

---

From „Was Ist Aufklärung?" in *Kants Gesammelte Schriften,* edited by Königlich Preußischen Akademie der Wissenschaften, VIII, 33-42. Berlin, G. Reimer, 1912.

[1] Kant (1724-1804) revolutionized modern thought in his famous *Critiques* by defining and enlarging the role of metaphysical and practical reason in relation to perceived reality. The essay, from which this selection is taken, was written for a Berlin periodical in 1784.

[2] **frei gesprochen** freed

[3] **sich . . . aufzuwerfen** to set themselves up as their guardians

haben und sorgfältig verhüteten, daß diese ruhigen Geschöpfe ja
keinen Schritt außer dem Gängelwagen, darin sie sie einsperrten,
wagen durften, so zeigen sie ihnen nachher die Gefahr, die ihnen
droht, wenn sie es versuchen, allein zu gehen. Nun ist diese Gefahr
zwar eben so groß nicht, den sie würden durch einigemal Fallen
wohl endlich gehen lernen; allein ein Beispiel von der Art macht
doch schüchtern und schreckt gemeiniglich von allen ferneren
Versuchen ab.

Es ist also für jeden einzelnen Menschen schwer, sich aus der ihm
beinahe zur Natur gewordenen Unmündigkeit herauszuarbeiten. Er
hat sie sogar lieb gewonnen und ist vor der Hand wirklich unfähig,
sich seines eigenen Verstandes zu bedienen, weil man ihn niemals
den Versuch davon machen ließ. Satzungen und Formeln, diese
mechanischen Werkzeuge eines vernünftigen Gebrauchs oder vielmehr Mißbrauchs seiner Naturgaben, sind die Fußschellen einer
immerwährenden Unmündigkeit. Wer sie auch abwürfe, würde
dennoch auch über den schmalsten Graben einen nur unsicheren
Sprung tun, weil er zu dergleichen freier Bewegung nicht gewöhnt
ist. Daher gibt es nur Wenige, denen es gelungen ist, durch eigene
Bearbeitung ihres Geists sich aus der Unmündigkeit heraus zu
wickeln und dennoch einen sicheren Gang zu tun.

Daß aber ein Publikum sich selbst aufkläre, ist eher möglich; ja
es ist, wenn man ihm nur Freiheit läßt, beinahe unausbleiblich.
Denn da werden sich immer einige Selbstdenkende sogar unter den
eingesetzten Vormündern des großen Haufens finden, welche,
nachdem sie das Joch der Unmündigkeit selbst abgeworfen haben,
den Geist einer vernünftigen Schätzung des eigenen Werts und des
Berufs jedes Menschen selbst zu denken um sich verbreiten werden.
Besonders ist hierbei: daß das Publikum, welches zuvor von ihnen
unter dieses Joch gebracht worden, sie hernach selbst zwingt,
darunter zu bleiben, wenn es von einigen seiner Vormünder, die
selbst aller Aufklärung unfähig sind, dazu aufgewiegelt worden;
so schädlich ist es Vorurteile zu pflanzen, weil sie sich zuletzt an
denen selbst rächen, die ihre Urheber gewesen sind. Daher kann
ein Publikum nur langsam zur Aufklärung gelangen. Durch eine
Revolution wird vielleicht wohl ein Abfall von persönlichem
Despotism und gewinnsüchtiger oder herrschsüchtiger Bedrückung,

aber niemals wahre Reform der Denkungsart zu Stande kommen.

Wenn denn nun gefragt wird: Leben wir jetzt in einem aufgeklärten Zeitalter? so ist die Antwort: Nein, aber wohl in einem
Zeitalter der Aufklärung. Daß die Menschen, wie die Sachen jetzt
stehen, im Ganzen genommen, schon im Stande wären, oder darin
auch nur gesetzt werden könnten, in Religionsdingen sich ihres
eigenen Verstandes ohne Leitung eines Andern sicher und gut zu
bedienen, daran fehlt noch sehr viel. Allein daß jetzt ihnen doch das
Feld geöffnet wird, sich dahin frei zu bearbeiten,[4] und die Hindernisse der allgemeinen Aufklärung, oder des Ausganges aus ihrer
selbst verschuldeten Unmündigkeit allmählich weniger werden,
davon haben wir doch deutliche Anzeigen. In diesem Betracht ist
dieses Zeitalter das Zeitalter der Aufklärung, oder das Jahrhundert
Friedrichs.

Ein Fürst, der es seiner nicht unwürdig findet, zu sagen: daß er
es für Pflicht halte, in Religionsdingen den Menschen nichts vor-
zuschreiben, sondern ihnen darin volle Freiheit zu lassen, der also
selbst den hochmütigen Namen der Toleranz von sich ablehnt,[5] ist
selbst aufgeklärt und verdient von der dankbaren Welt und
Nachwelt als derjenige gepriesen zu werden, der zuerst das menschliche Geschlecht der Unmündigkeit wenigstens von Seiten der
Regierung entschlug, jedem frei ließ, sich in allem, was Gewissens-
angelegenheit ist, seiner eigenen Vernunft zu bedienen.

[4] **sich . . . bearbeiten** to work freely in that direction
[5] **der also . . . ablehnt** who even declines being associated with the conceited
term "tolerance"

Gotthold Lessing: *Eine Parabel*[1]

DIE PARABEL

Ein weiser, tätiger König eines großen, großen Reiches hatte in seiner Hauptstadt einen Palast von ganz unermeßlichem Umfange, von ganz besonderer Architektur.

Unermeßlich war der Umfang, weil er in selbem alle um sich versammelt hatte, die er als Gehilfen oder Werkzeuge seiner Regierung brauchte.

Sonderbar war die Architektur: denn sie stritt so ziemlich mit allen angenommenen Regeln; aber sie gefiel doch, und entsprach doch.[2]

Sie gefiel: vornehmlich durch die Bewunderung, welche Einfalt und Größe erregen, wenn sie Reichtum und Schmuck mehr zu verachten, als zu entbehren scheinen.

Sie entsprach: durch Dauer und Bequemlichkeit. Der ganze Palast stand nach vielen, vielen Jahren noch in eben der Reinlichkeit und Vollständigkeit da, mit welcher die Baumeister die letzte Hand angelegt hatten; von außen ein wenig unverständlich; von innen überall Licht und Zusammenhang.

Was Kenner von Architektur sein wollte, ward besonders durch die Außenseiten beleidigt, welche mit wenig hin und her zerstreuten, großen und kleinen, runden und viereckten Fenstern unterbrochen waren; dafür aber desto mehr Türen und Tore von mancherlei Form und Größe hatten.

Man begriff nicht, wie durch so wenige Fenster in so viele Gemächer genugsames Licht kommen könne. Denn daß die vornehmsten derselben ihr Licht von oben empfingen, wollte den Wenigsten zu Sinne.

From *Eine Parabel,* in *Lessings Werke,* edited by Georg Witkowski, VII, 180-182. Leipzig and Vienna, Bibliographisches Institut, 1911.

[1] Gotthold Ephraim Lessing (1729-81) has justifiably been called the founder of modern German literature. His independence of mind and freedom from prejudice in matters of ethics, religion, and literature paved the way for the age of German classicism. As a dramatist, critic, and philosopher, Lessing preached tolerance and respect for all forms of religion. The parable reprinted here was written in 1777; it shows Lessing's conflict with the orthodox faith of the eighteenth-century theologians.

[2] **entsprach doch (dem Bedürfnis)** met the need

Und so entstand unter den vermeinten Kennern mancherlei Streit, den gemeiniglich diejenigen am hitzigsten führten, die von dem Innern des Palastes viel zu sehen, die wenigste Gelegenheit gehabt hatten.

Auch war da Etwas, wovon man bei dem ersten Anblicke geglaubt hätte, daß es den Streit notwendig sehr leicht und kurz machen müsse; was ihn aber gerade am meisten verwickelte, was ihm gerade zur hartnäckigsten Fortsetzung die reichste Nahrung verschaffte. Man glaubte nämlich verschiedne alte Grundrisse zu haben, die sich von den ersten Baumeistern des Palastes herschreiben sollten: und diese Grundrisse fanden sich mit Worten und Zeichen bemerkt, deren Sprache und Charakteristik so gut als verloren war.

Ein jeder erklärte sich daher diese Worte und Zeichen nach eignem Gefallen. Ein jeder setzte sich daher aus diesen alten Grundrissen einen beliebigen *neuen* zusammen; für welchen neuen nicht selten dieser und jener sich so hinreißen ließ, daß er nicht allein selbst darauf schwor, sondern auch andere darauf zu schwören, bald beredte, bald zwang.

Nur wenige sagten: ,,Was gehen uns eure Grundrisse an? Dieser oder ein andrer: sie sind uns alle gleich. Genug, daß wir jeden Augenblick erfahren, daß die gütigste Weisheit den ganzen Palast erfüllet, und daß sich aus ihm nichts als Schönheit und Ordnung und Wohlstand auf das ganze Land verbreitet."

Sie kamen oft schlecht an, diese Wenigen! Denn wenn sie lachenden Muts manchmal einen von den besondern Grundrissen ein wenig näher beleuchteten, so wurden sie von denen, welche auf diesen Grundriß geschworen hatten, für Mordbrenner des Palastes selbst ausgeschrien.

Aber sie kehrten sich daran nicht, und wurden gerade dadurch am geschicktesten, denjenigen zugesellt zu werden, die innerhalb des Palastes arbeiteten, und weder Zeit noch Lust hatten, sich in Streitigkeiten zu mengen, die für sie keine waren.

Einsmals, als der Streit über die Grundrisse nicht sowohl beigelegt, als eingeschlummert war, —einsmal um Mitternacht erscholl plötzlich die Stimme der Wächter: ,,Feuer! Feuer in dem Palaste!"

Und was geschah? Da fuhr jeder von seinem Lager auf; und jeder, als wäre das Feuer nicht in dem Palaste, sondern in seinem

eignen Hause, lief nach dem Kostbarsten, was er zu haben glaubte,
—nach seinem Grundrisse. „Laßt uns den nur retten! dachte jeder.
Der Palast kann dort nicht eigentlicher verbrennen, als er hier
stehet!"

Und so lief ein jeder mit seinem Grundrisse auf die Straße, wo,
anstatt dem Palaste zu Hilfe zu eilen, einer dem andern es vorher
in seinem Grundrisse zeigen wollte, wo der Palast vermutlich
brenne. „Sieh, Nachbar! hier brennt er! Hier ist dem Feuer am
besten beizukommen."—„Oder hier vielmehr, Nachbar; hier!"—
„Wo denkt ihr beide hin? Er brennt hier!"—„Was hätte es für Not,
wenn er da brennte? Aber er brennt gewiß hier!"—„Lösch ihn hier,
wer da will. Ich lösche ihn hier nicht."—„Und ich hier nicht!"—
„Und ich hier nicht!"—

Über diese geschäftigen Zänker hätte er dann auch wirklich
abbrennen können, der Palast; wenn er gebrannt hätte.—Aber die
erschrocknen Wächter hatten ein Nordlicht für eine Feuersbrunst
gehalten.[3]

C. F. Gellert: *Fabeln und Erzählungen*[1]

DAS LAND DER HINKENDEN

Vor Zeiten gab's ein kleines Land,
Worin man keinen Menschen fand,
Der nicht gestottert, wenn er red'te,

---

[3] Lessing's notes contained the following remarks about this parable: „Diese
Parabel ist nicht das Schlechteste, was ich geschrieben. . . Und ich habe sie
bestimmt, die ganze Geschichte der christlichen Religion darunter vorzustellen."

From *Sämmtliche Fabeln und Erzählungen*, Volksausgabe, 13. Leipzig, Hahn'sche
Verlagsbuchhandlung, 1880.

[1] Christian Fürchtegott Gellert (1715-69), whose literary talents ranged from
poetry to novels, was one of the most popular and respected writers of his time;
Frederick the Great called him "the most sensible of all German men of letters"
for his moral teachings done with great simplicity. The appeal of his fables and
tales was best summarized by Gellert himself: „Mein größter Ehrgeiz besteht darin,
daß ich den Vernünftigen dienen und gefallen will, und nicht den Gelehrten im
engen Verstande. Ein kluges Frauenzimmer gilt mir mehr als eine gelehrte
Zeitung, und der niedrigste Mann von gesundem Verstande ist mir würdig genug,
seine Aufmerksamkeit zu suchen, sein Vergnügen zu befördern, und ihm in einem
leicht zu behaltenden Ausdrucke gute Wahrheiten zu sagen und edle Empfindungen
in seiner Seele rege zu machen."

Nicht, wenn er ging, gehinkt hätte;
Denn beides hielt man für galant.
Ein Fremder sah den Übelstand;
Hier, dacht' er, wird man dich
   im Gehn bewundern müssen,
Und ging einher mit steifen Füßen.[2]
Er ging, ein jeder sah ihn an,
Und alle lachten, die ihn sahn,
Und jeder blieb vor Lachen stehen
Und schrie: „Lehrt doch den Fremden gehen!"
Der Fremde hielt's für seine Pflicht,
Den Vorwurf von sich abzulehnen.
„Ihr," rief er, „hinkt; ich aber nicht:
Den Gang müßt ihr euch abgewöhnen!"
Der Lärmen wird noch mehr vermehrt,
Da man den Fremden sprechen hört.
Er stammelt nicht; genug zur Schande!
Man spottet sein im ganzen Lande.

Gewohnheit macht den Fehler schön,
Den wir von Jugend auf gesehn.
Vergebens wird's ein Kluger wagen
Und, daß wir töricht sind, uns sagen.
Wir selber halten ihn dafür,
Bloß, weil er klüger ist als wir.

[2] **mit steifen Füßen** here: with straight legs

G. C. Lichtenberg: *Aphorismen*[1]

Wenn uns ein Engel einmal aus seiner Philosophie erzählte, ich glaube, es müßten wohl manche Sätze so klingen als wie: 2 mal 2 ist 13.

Wenn ein Buch und ein Kopf zusammenstoßen und es klingt hohl, ist das allemal im Buch?

Ich bin überzeugt, daß, wenn Gott einmal einen solchen Menschen schaffen (würde), wie ihn sich die Magistri und Professoren der Philosophie vorstellen, er müßte den ersten Tag ins Tollhaus gebracht werden.

Unsere Theologen wollen mit Gewalt aus der Bibel ein Buch machen, worin kein Menschen-Verstand ist.

Die Welt ist nicht da, um von uns erkannt zu werden, sondern uns in ihr zu bilden. Das ist eine Kantische Idee.

Was heißt: mit Kantischem Geist denken? Ich glaube, es heißt: die Verhältnisse unsers Wesens, es sei nun, was es wolle, gegen die Dinge, die wir außer uns nennen, ausfinding machen; das heißt: die Verhältnisse des Subjektiven gegen das Objektive bestimmen. Dieses ist freilich immer der Zweck aller gründlichen Naturforscher gewesen; allein die Frage ist, ob sie es je so wahrhaft philosophisch angefangen haben als Herr Kant. Man hat das, was doch schon subjektiv ist und sein muß, für objektiv gehalten.

From *Aphorismen. Nach den Handschriften herausgegeben von Albert Leitzmann,* Heft 1-5. Berlin, 1902-08. (Deutsche Literaturdenkmale des 18. und 19. Jahrhunderts. Nr. 123, 131, 136, 140, 141.) and *Vermischte Schriften nach dessen Tode aus den hinterlassenen Papieren gesammelt und herausgegeben von L. Chr. Lichtenberg und F. C. Kries,* Bd. I und II. Göttingen, 1844.

[1] Georg Christoph Lichtenberg (1742-99) gained fame as a physicist and satirist during his lifetime. The aphorisms he wrote were only discovered after his death. In this genre, which Lichtenberg introduced to Germany, he reveals both his devotion to the ideas of the Enlightenment, as well as his doubts about all Enlightenment philosophy. Many of these aphorisms begin as a lightning-like idea, then give way to a sort of formula, and are therefore particularly well suited to a mind like Lichtenberg's—torn between rationality and emotion.

Den Menschen so zu machen, wie ihn die Religion haben will, gleicht dem Unternehmen der Stoiker: es ist nur eine andere Stufe des Unmöglichen.

Die Religion ist eine Sonntags-Affäre.

Ist es nicht sonderbar, daß die Menschen so gerne für die Religion fechten und so ungerne nach ihren Vorschriften leben?

Der Mensch ist vielleicht halb Geist und halb Materie, so wie der Polype halb Pflanze und halb Tier. Auf der Grenze liegen immer die seltsamsten Geschöpfe.

Wie perfektibel der Mensch ist und wie nötig der Unterricht, sieht man schon daraus, daß er jetzt in 60 Jahren eine Kultur annimmt, worüber das ganze Geschlecht 5000 Jahre zugebracht hat. Ein Jüngling von 18 Jahren kann die Weisheit ganzer Zeitalter in sich fassen. Wenn ich den Satz lerne: ,,Die Kraft, die im geriebenen Bernstein zieht,[2] ist dieselbe, die in den Wolken donnert,'' welches sehr bald geschehen kann, so habe ich etwas gelernt, dessen Erfindung den Menschen einige tausend Jahre gekostet hat.

Sind wir nicht auch ein Weltgebäude so gut als der Sternhimmel, und eines, das wir besser kennen sollten und besser kennen könnten, sollte man denken, als das dort oben?

Aus dem, was der Mensch jetzt in Europa ist, müssen wir nicht schließen, was er sein könnte.

Der deutsche Gelehrte hält die Bücher zu lange offen, und der Engländer macht sie zu früh zu. Beides hat indeßen in der Welt seinen Nutzen.

[2] **Die Kraft . . . zieht** that force which is inherent in amber by friction (i.e. electricity)

Walter Mönch: *Friedrich II.*[1]

Er war mit allen Fasern seines Denkens an die Aufklärungsphiloso-
phie seiner englischen, französischen, deutschen Zeitgenossen gebunden. Er stand dem englischen Deismus nahe, zog Voltaire[2] an
seinen Hof, und Bayle[3] war sein Prophet, an dessen Worte er
glaubte. Alle wesentlichen Argumente in seinem Kampf gegen die
„Infâme," d.h. gegen Aberglauben und Fanatismus, schöpfte der
unermüdliche, streitbare, vielbelesene König aus dem Arsenal des
über Europa verbreiteten religiösen Skeptizismus. Während alle
Philosophen von amtlicher Bestallung, aus Vorsicht oder Überzeugung, ihren Pakt mit Gott und dem Himmel geschlossen hatten,
blieb er, der Philosoph vom königlichen Amt, in der denkbar
weitesten Gottesferne stehen. Sein Leben und Handeln glich einer
Wette, Geschichte ohne Gott, Christus und die Kirche zu machen;
—und das Paradox seines Ruhmes bestand darin, daß die Welt,
die er verachtete und mit der er nach eigenen Worten „in Ehescheidung lebte," und die so unaufgeklärt blieb wie sie es eh und je war,
gerade *ihn* den „Großen" nannte: Sie alle, Zeitgenossen und
Spätere, Voltaire und Goethe, Carlyle[4] und Joseph II, Fürsten,
Philosophen, das Volk und die Soldaten, die Welt, die ihn verehrte
oder haßte in Freundes- oder Feindesland—sie alle erfuhren das
Faszinosum seiner Persönlichkeit, die Goethe als „genial" und
„dämonisch" bezeichnete.

From *Deutsche Kultur von der Aufklärung bis zur Gegenwart*, 61-66. München,
Max Hueber Verlag, 1962. Reprinted with permission of Max Hueber Verlag,
München.

[1] Mönch (b. 1905) has been professor of romance studies and cultural history at the
School of Economics in Mannheim since 1956. He is the author of books on
Voltaire and Frederick the Great.
[2] Voltaire was the pen name of François-Marie Arouet (1694-1778), a prolific
writer, and probably the most famous exponent of the philosophy of the French
Enlightenment.
[3] Pierre Bayle (1647-1706) turned from Protestantism to Catholicism, and finally
opposed all forms of religious dogmatism. His most famous work, *Historical
and Critical Dictionary* (1697), was used frequently by eighteenth-century
rationalists in their attacks against organized religion.
[4] Thomas Carlyle (1795-1881), an English social philosopher, criticized the
materialism and irreligion of the nineteenth century and advanced the "gospel of
work" as a solution to social ills. He distrusted democracy, and believed that
Providence would send naturally superior men to rule when they were needed.

In drei Perioden vollzog sich der Ablauf dieses Lebens. Von drei Krisen wurde es erschüttert. Aus jedem der Zeitabschnitte ging Friedrich unnachgiebiger dem Schicksal gegenüber und einsamer in seinem Zerwürfnis mit der Welt hervor. In der ersten Periode, wo er als Kronprinz, vor dem Vater verborgen, seinen musischen und philosophischen Neigungen leben konnte, brachte ihn die Hinrichtung seines Freundes Katte—ein Befehl des Vaters—an den Rand des Wahnsinns. Er mußte der Exekution beiwohnen. Ein unversöhnlicher Haß, Verachtung, mochte da in seiner Seele aufgestiegen sein. Aus dieser Krise ging er gebrochen hervor. Wollte er leben, sich selbst und seinem späteren königlichen Amt, so standen ihm zwei Wege offen: Den einen beschritt er mit einer Maske vor dem Gesicht, früh sich in der Kunst der Verstellung übend, worin er auch, nach langen Jahren der Erfahrung mit Menschen, unübertroffener Meister wurde. Das war der Weg, auf den ihn die Staatsraison als stärkste Notwendigkeit seines Handelns drängte. Den andern ging er als Privatmann, als Philosoph, mit einer bewundernswerten Ehrlichkeit vor sich selbst, vor den Dingen und vor dem Unbegreiflichen, das er als Schicksal über sich fühlte. Früh hat der König die feine Grenze zwischen dem Wirkungskreis des Staatsmanns und dem des Privatmanns, zwischen der politischen und der privaten Moral gezogen. Hätte er seinen Neigungen leben dürfen, wäre er nach eigenem Geständnis glücklich gewesen, dieses Leben den Musen und der Philosophie zu widmen, weil er die Werke der Kunst, Literatur und Philosophie über alle Taten praktischer Ordnung stellte. Aber als König gehörte sein Wirken der andern Welt.

Da tauchte er abermals, in der zweiten Periode seines Lebens, welche die drei Kriege umspannt, in ein unheimliches Schweigen, als er die Schlacht bei Kolin zu Beginn des Siebenjährigen Krieges[5]

---

[5] The Seven Years' War, 1756-63, is known in the United States as the French and Indian War. This worldwide struggle was to decide whether France or England was to dominate North America and rule India, whether Germany was to exist as a nation, and which nation was to dominate the seas. In the European theater of war Austria combined with France against Prussia. They were soon joined by Russia, Poland, Saxony, and Sweden, and Spain in 1761. England was Prussia's chief ally. In the end the cause of England and Prussia triumphed: English arms achieved victory in the colonies, France withdrew its troops from Germany, and Prussia retained Silesia.

Friedrich der Große, König von Preußen; Gemälde von Anton Graff

verlor. Friedrich erkannte die Notwendigkeit, seine hochfahrenden Pläne zu begrenzen und das Gesetz des Möglichen rigoroser und realistischer zu beachten. In den ihm nunmehr gesetzten Grenzen wollte er standhaft und beharrlich seinem staatlichen Werke dienen, und koste es das Leben, das ihm als Rebell des Reichs auf dem Spiele stand. An seinem stoischen Gleichmut, an den Wunden, die ihm noch in allen folgenden Jahren geschlagen wurden, schien das Schicksal selbst müde zu werden. Er überstand wie durch ein Wunder, durch Zufall oder Fügung— man nenne es, wie man wolle—die tödlichen Gefahren dieses Krieges.

Und noch einmal, in der dritten Periode, die von der Beendigung des Krieges bis zu seinem Tode, 1786, verlief, brach das Verhängnis über ihn und sein Werk herein. Er wollte das Schicksal seines Staates in die Hände des begabten Prinzen August-Wilhelm, des zweiten Sohnes seines ältesten Bruders, legen; den aber raffte der Tod hinweg. Als der König die Nachricht erfuhr, verstummte er— mochte vielleicht ahnen, was in der Zukunft aus seinem Werk in den Händen unzulänglicher Nachfolger werden sollte. Nun war er ganz vereinsamt. Mehr als zuvor erfüllte er unter. Aufbietung seiner physischen, geistigen, moralischen Kräfte die Rolle des ersten Dieners seines Staates. Er tat es in dem Bewußtsein, daß sein Werk, d. h. sein Staat, einzig und allein an seine Person gebunden war, und Geist und Seele nur von ihm empfing. Von Gicht und Schmerzen gebeugt, vergilbt, zerknittert, undurchdringlich und rätselhaft mit all seinen Widersprüchen, besessen von dem Verantwortungsgefühl gegenüber dem eigenen „magischen Schicksal," genial und dämonisch in der Kraft seiner geistigen Fähigkeiten, steht er da, umwittert von einer unheimlichen Abendstimmung, kalt, freudlos, fast ohne Schlaf, versunken in ferne Nachdenklichkeit.

Einen ähnlichen Wandel vollzog Friedrich auch auf der Ebene des politischen Denkens, aber im umgekehrten Sinne. Als Kronprinz, der den „Antimachiavell"[6] verfaßte, glaubte er an die Ideale des

[6] Niccolò Machiavelli (1469-1527) was a civil servant and diplomat in Florence whose fame rests largely on his book *The Prince* (1513) in which he described the methods a strong ruler must use to remain in power. Machiavelli's name became associated with his description of the amoral politics of Renaissance Italy.

Guten, der Liebe, des Wahren, und war der Überzeugung, daß diese Werte sich durch Tugend und Vernunft (die er in eins zusammenschloß) müßten verwirklichen lassen. Als aber der König nach wenigen Jahren des Regierens die politische Wirklichkeit als einzigen Lehrmeister anzuerkennen genötigt war, wandelte sich seine Meinung. Er sah jetzt, daß Machiavellis Erkenntnisse von der Technik politischen Handelns und daß seine Ratschläge zur Befolgung der allgemein gültigen Spielregeln politischen Verhaltens nicht von der Hand zu weisen wären, wenn sich ein Fürst behaupten wolle. Er erkannte, daß die Realität der Dinge sich weder von der humanitären Moral eines Individuums noch von der politischen Ethik einer Rechtsgemeinschaft erweichen lasse. Als er dann nach zwölfjähriger Regierungszeit sein „Politisches Testament" von 1752 schrieb, tauchte auch die Gestalt Machiavellis wieder auf—wie ein Schatten, den er nicht liebte, und der ihn dennoch nie verließ: „Ich muß leider zugeben, daß Machiavelli recht hat," schrieb er nieder. Er ist immer ein Gegner des Florentiner Denkers geblieben. Weder als Kronprinz noch als König kann man Friedrich als dessen Jünger bezeichnen. Auch konnte er von seiner Zeit und seiner preußischen Souveränitätsidee her und unter den Voraussetzungen seines aufgeklärten Welt- und Menschenbildes die tieferen Schichten des machiavellischen Denkens nicht erkennen, sondern er sah in dem „Principe" nur die vordergründigen Spielregeln, die sich für ein politisches Verhalten aus der Natur des Menschen ergeben. Wenn er sich später Machiavelli näherte, dann nicht aus philosophischer Einsicht in die Tiefenschichten des Renaissancedenkers, der ihm fern blieb, sondern einzig, weil seine Erfahrungen die Richtigkeit und das gute Funktionieren politischer Gesetze, wie sie bei dem Florentiner erlernbar waren, bestätigt hatten.

Adam Wandruszka: *Diener des Staates*[1]

Die Söhne der großen Kaiserin, Joseph und Leopold,[2] waren bereits erfüllt von dem Gedanken des Staatsdienertums, wie ihn der große Preußenkönig formuliert hatte, sie waren als Schüler der Aufklärung und des Rationalismus nicht mehr wie ihre Mutter vom göttlichen Recht des Herrschers und seines Hauses und deren Ausnahmsstellung hoch über allen anderen Sterblichen durchdrungen, sie sahen, durchaus im Sinne der herrschenden Theorie des Gesellschaftsvertrags, die Sonderstellung der Herrscher—an der sie gewiß auch festhielten—nur durch den Gedanken des Dienstes am Staat und für das Wohl der Untertanen gerechtfertigt. Die metaphysische Begründung des Herrschertums wurde von einer rationalistischen und utilitaristischen abgelöst. In den unzähligen Richtlinien und Programmen für die Prinzenerziehung, die Joseph und Leopold als echte Söhne ihres so erziehungsfreudigen Jahrhunderts verfaßten, haben sie immer wieder die Notwendigkeit betont, die Prinzen davon zu überzeugen, daß sie gewöhnliche Sterbliche und um nichts besser seien als ihre Untertanen und daß ihre Ausnahmsstellung ihre Rechtfertigung nur in der rastlosen Tätigkeit für das Wohl der Untertanen finde. Der große Gedanke jener Zeit von der angeborenen Gleichwertigkeit und Gleichheit aller Menschen ist von den Theoretikern und Programmatikern der amerikanischen und der französischen Revolution nicht radikaler formuliert worden als in den Anweisungen für die Erziehung der habsburgischen Prinzen.

So schrieb etwa Leopold II. in den Anweisungen für die Erziehung seiner Kinder: „Keine Mühen dürfen gespart werden, den Prinzen Gefühl für ihr Land und Achtung vor dessen Eigenart einzuflößen. Man begründe in ihnen eine Abneigung dagegen, der Bevölkerung Steuern aufzuerlegen, und entzünde in ihnen als einzig erlaubte

From *Das Haus Habsburg, die Geschichte einer europäischen Dynastie*, 172-175. Vienna, Verlag für Geschichte und Politik, 1956. Reprinted with permission of Friedrich Vorwerk Verlags-K.G., Stuttgart.

[1] Wandruszka (b. 1914) was for many years associate professor of modern history at the University of Vienna and foreign news editor of *Die Presse,* Vienna's leading daily paper. At present he is professor of history at the University of Cologne.
[2] Joseph II and Leopold II were sons of the Empress Maria Theresa (1717-80); of her sixteen children they both became emperors of Austria.

Leidenschaft Menschenliebe, Mitgefühl und das Verlangen, ihre
Völker glücklich zu machen. Man entwickle in ihnen das Gefühl
für die Armen und lasse sie nie die Reichen den Armen vorziehen.
Das größte Unglück für einen Fürsten ist es, die Dinge nicht mit
eigenen Augen zu sehen und über den wahren Zustand seines
Landes nicht im Bilde zu sein." In der gleichen Schrift heißt es
dann an anderer Stelle: „Fürsten müssen vor allem anderen von der
Gleichheit der Menschen überzeugt sein"; und schließlich: „Die
Fürsten müssen sich immer bewußt sein, daß sie Menschen sind;
daß sie ihre Stellung nur einer Übereinkunft zwischen anderen
Menschen verdanken, daß sie ihrerseits alle ihre Pflichten und
Aufgaben erfüllen müssen, was die anderen Menschen mit Recht
von ihnen erwarten auf Grund der Vorteile, die sie ihnen eingeräumt
haben. Fürsten müssen bedenken, daß sie andere Menschen nicht
erniedrigen können, ohne sich selbst zu erniedrigen." Bekannt ist
auch die Antwort Josephs II., als der Adel die von ihm angeordnete
Öffnung von Prater und Augarten[3] für das Volk von Wien kriti-
sierte: wenn er nur unter seinesgleichen bleiben wolle, müsse er sich
in die Kapuzinergruft[4] einsperren.

Die großen geistigen Strömungen seiner Zeit, Aufklärung und
Rationalismus, haben das Denken dieses bedeutenden Herrschers
geprägt. Eine hohe sittliche Auffassung von seinen Herrscher-
pflichten verband sich mit einer rastlosen Energie und einem
kühnen, das Beharrungsvermögen der Gegenkräfte unterschätzen-
den, Planungs- und Gestaltungswillen. Mit der tiefen Einsicht in
die Erfordernisse der Zeit und in die Gefahren der Zukunft verband
sich ein nur geringes Einfühlungsvermögen in die fremde Mentalität,
die Mißachtung der traditionsbedingten Faktoren, der seelischen
Unwägbarkeiten.

---

[3] The **Prater** and the **Augarten** are parks in Vienna. Both were formerly private
gardens for the royal family.
[4] The **Kapuzinergruft** is a church crypt in Vienna where the Habsburg emperors
are buried.

IV

DEUTSCHLAND UND DIE FRANZÖSISCHE REVOLUTION

Die Revolution, die 1789 in Frankreich ausbrach, war eine europäische Revolution. Sie rief anfangs in Deutschland aus verschiedenen Gründen große Begeisterung hervor. Da die Ereignisse in Frankreich die Regierungen Europas in Atem hielten, erlaubte die Revolution den Herrschern Preußens und Österreichs ihre aggressive Politik gegen Polen fortzusetzen, ohne die Aufmerksamkeit der Weltöffentlichkeit auf sich zu lenken. Zwei Tage nach der Guillotierung Ludwig XVI. unterzeichneten Preußen und Rußland einen Vertrag, durch den die zwei Großmächte die Hälfte Polens untereinander aufteilten. Den Gebildeten bedeutete die Revolution eine politische Verwirklichung der Ideen der Aufklärung, für die schon seit langem in Frankreich gekämpft wurde. Im Mittelstand erweckte die Revolution die Hoffnung auf gesellschaftliche Gleichheit mit der Aristokratie.

Als die Revolution aber ins Rollen gekommen war, konnten die von ihr entfesselten Kräfte nicht mehr aufgehalten werden. Die Säkularisation der Kirche im Jahre 1790 in Frankreich ließ deutsche Beobachter an den Zielen und den Mitteln der Revolution zweifeln. Die Berichte der französischen Emigranten, unter denen sich viele Geistliche befanden, trugen dazu bei, die Begeisterung abzukühlen. Mit der französischen Kriegserklärung an Österreich am 20. April 1792 wurde es aber klar, daß der Ehrgeiz der Revolutionäre weit über nur innenpolitische Umgestaltungen hinauszielte. Die Abschaffung des Königtums und die Verkündigung der Republik im September 1792, sowie die Hinrichtung des Königs im Januar 1793 vereinigten die europäischen Gegner der Revolution.

Obwohl vereinzelte Gruppen in manchen deutschen Städten 1790 den ersten Jahrestag der Bastille-Erstürmung feierten, betrachteten die meisten Deutschen die blutigen Grausamkeiten in Paris als eine Gefahr, die jede gesellschaftliche Ordnung zu zerstören drohte, und Frankreichs Absichten, den Rhein als „natürliche" Grenze zu gewinnen, als verwegene Eroberungssucht. Je größer die Erfolge der Franzosen im Kriege, desto klarer wurde es, daß die Rheingrenze das Hauptziel der Franzosen geworden war. Am 5. August 1796 mußte Preußen das linke Rheinufer den Franzosen überlassen. Im Jahre 1797 drangen Frankreichs Armeen unter der Führung des Generals Bonaparte bis nach Österreich vor, worauf Österreich mit den Franzosen Frieden schloß. Die Revolution hatte ein Zeitalter in Frankreich beendet, und Frankreichs Armeen hatten die Revolution nach Deutschland gebracht.

Das napoleonische Zeitalter war angebrochen. Von 1800 bis 1815 lebte Deutschland und das übrige Europa unter dem napoleonischen Imperialismus. Die deutschen Staaten konnten sich zu keiner gemeinsamen Front vereinigen. Ihr Widerstand brach gegenüber den starken französischen Armeen bald zusammen. Im Jahre 1803 führte Napoleon eine territoriale Neuordnung großen Ausmaßes in Deutschland durch. Fast alle geistlichen Länder und freien Reichsstädte wurden beseitigt und den Landesfürsten gegeben. Die innenpolitische Struktur Deutschlands wurde vollkommen verändert, und ein durchaus neues Staatsgebilde wurde geschaffen. Drei Millionen Menschen wechselten ihre Staatsangehörigkeit. Im Jahre 1805 entschloß sich Napoleon, das deutsche Kaiserreich aufzulösen. Alle Staaten des ehemaligen Reiches, außer Preußen und Österreich, wurden in ein System französischer Schutzstaaten zusammengefügt. In der Schlacht bei Austerlitz (2. Dezember 1805) wurden Österreichs Armeen von Napoleon geschlagen. Nun hatte Preußen alleine den Kampf zu bestehen, aber schon im Oktober 1806 führte die Niederlage in der

Schlacht bei Jena zu Preußens militärischem Zusammenbruch. Noch im gleichen Monat zogen Napoleons Truppen in Berlin ein.

Aber gerade in dieser Zeit, als Deutschland hilflos am Boden lag, wurde die Grundlage für ein neues deutsches Selbstbewußtsein geschaffen. Der politische Zusammenbruch Deutschlands erklärt den Weg des deutschen Geistes vom weltbürgerlichen zum nationalstaatlichen Denken. Im Haß gegen die französische Vorherrschaft erwachte der deutsche Patriotismus.

Joseph von Eichendorff: *Der Adel und die Revolution*[1]

Sehr alte Leute wissen sich wohl noch einigermaßen der sogenannten guten alten Zeit zu erinnern. Sie war aber eigentlich weder gut noch alt, sondern nur noch eine Karikatur des alten Guten. Das Schwert war zum Galanteriedegen, der Helm zur Zipfelperücke, aus dem Burgherrn ein pensionierter Husarenoberst geworden, der auf seinem öden Landsitz, von welchem seine Vorfahren einst die vorüberziehenden Kaufleute gebrandschatzt hatten, nun seinerseits von den Industriellen belagert und immer enger eingeschlossen wurde. Es war mit einem Wort die mürb und müde gewordene Ritterzeit, die sich puderte, um den bedeutenden Schimmel der Haare zu verkleiden; einem alten Gecken vergleichbar, der noch immer selbstzufrieden die Schönen umtänzelt, und nicht begreifen kann und höchst empfindlich darüber ist, daß ihn die Welt nicht mehr für jung halten will.

Der Adel in seiner bisherigen Gestalt war ganz und gar ein mittelalterliches Institut. Er stand durchaus auf der Lehenseinrichtung, wo, wie ein Planetensystem, die Zentralsonne des Kaisertums von den Fürsten und Grafen und diese wiederum von ihren Monden und Trabanten umkreist wurden. Die wechselseitige

From *Sämtliche Werke,* edited by Wilhelm Kosch and August Sauer, X, 383-406 passim. Regensburg, Verlag von J. Habbel, 1911.

[1] Joseph Freiherr von Eichendorff (1788-1857) was once described as „der letzte Ritter der Romantik." Born of an old Catholic family, Eichendorff became a great lyric poet of nature and *Heimat,* a novelist, and critic, who could view the demise of the old aristocracy—and the follies of the new—with sympathy and candor. The description of the nobility at the turn of the century printed here is part of Eichendorff's autobiographical writings, and was published in 1866.

religiöse Treue zwischen Vasall und Lehnsherrn war die bewegende
Seele aller damaligen Weltbegebenheiten und folglich die welthistorische Macht und Bedeutung des Adels. Aber der Dreißigjährige
Krieg, diese große Tragödie des Mittelalters, hatte den letzteren,
der ohnedem schon längst an menschlicher Altersschwäche litt,
völlig gebrochen und beschlossen. Indem er die Idee des Kaisers,
wenigstens faktisch, aus der Mitte nahm oder doch wesentlich
verschob, mußte notwendig der ganze strenggegliederte Bau aus
seinen Fugen geraten. Die Stelle der idealen Treue wurde sofort
von der materiellen Geldkraft eingenommen; die mächtigeren
Vasallen kauften Landsknechte und wurden Raubritter im Großen,
die kleinern, die in der allgemeinen Verwirrung oft selbst nicht
mehr wußten, wem sie verpflichtet, folgten dem größeren Glücke
oder besserem Solde. Und als endlich die Wogen sich wieder verlaufen, bemerkte der erstaunte Adel zu spät, daß er sich selbst aus
dem großen Staatsverbande heraus, auf den ewig beweglichen
Triebsand gesetzt hatte: aus dem freien Lehensadel war unversehens
ein Dienstadel geworden, der zu Hofe ging oder bei den stehenden
Heeren sich einschreiben ließ.

Der Adel überhaupt aber zerfiel damals in drei sehr verschiedene
Hauptrichtungen. Die zahlreichste, gesündeste und beiweitem er-
götzlichste Gruppe bildeten die, von den großen Städten abgelegenen
kleineren Gutsbesitzer in ihrer fast insularischen Abgeschiedenheit,
von der man sich heutzutage, wo Chausseen und Eisenbahnen Menschen und Länder zusammengerückt haben und zahllose Journale wie
Schmetterlinge, den Blütenstaub der Zivilisation in alle Welt vertragen, kaum mehr eine deutliche Vorstellung machen kann. Die
fernen blauen Berge über den Waldesgipfeln waren damals wirklich
noch ein unerreichbarer Gegenstand der Sehnsucht und Neugier,
das Leben der großen Welt, von der wohl zuweilen die Zeitungen
Nachricht brachten, erschien wie ein wunderbares Märchen. Die
große Einförmigkeit wurde nur durch häufige Jagden, die gewöhnlich mit ungeheurem Lärm, Freudenschüssen und abenteuerlichen
Jägerlügen endigten, sowie durch die unvermeidlichen Fahrten zum
Jahrmarkt der nächsten Landstadt unterbrochen.

In der zweiten Reihe des Adels dagegen standen die Exklusiven,
Prätentiösen, die sich und andere mit übermäßigem Anstande lang-

weilten. Sie verachteten die erstere Gruppe und wurden von dieser ebenso gründlich verachtet; beides sehr natürlich, denn diese hatten die frischere Lebenskraft, die jene als plebejisches Krautjunkertum[2] bemitleideten, die Exklusiven aber eine zeitgemäßere Bildung voraus, welche von ersteren nicht verstanden oder als affektierte Vornehmtuerei zurückgewiesen wurde. Bei diesen Vornehmen war nun die ganze Szenerie eine andere. Sie bewohnten wirkliche Schlösser, der Wirtschaftshof, dessen gemeine Atmosphäre besonders den Damen ganz unerträglich schien, war in möglichste Ferne zurückgeschoben, der Garten trat unmittelbar in den Vordergrund. Und diese Gärten müssen wir uns hier notwendig etwas genauer ansehen. Sie sollten eben nur eine Fortsetzung des Konversationssalons vorstellen. Daher mußte die zudringlich störende Natur durch hohe Laubwände und Bogengänge in einer gewissen ehrerbietigen Form gehalten werden, daher mußten Götterbilder in Allongeperücken überall an den Salon und die französierte Antike erinnern; und es ist nicht zu leugnen, daß in dieser exklusiven Einsamkeit, wo anstatt der gemeinen Waldvögel nur der Pfau courfähig war, die einzigen Naturlaute: die Tag und Nacht einförmig fortrauschenden Wasserkünste, einen um so gewaltigeren, fast tragischen Eindruck machten. Allein solche wesentlich architektonische Effekte sind immer nur durch große würdige Dimensionen erreichbar, wozu es bei den deutschen Landschlössern gewöhnlich an Raum und Mitteln fehlte. Überdies war das Ganze im Grunde nichts weniger als national, sondern nur eine Nachahmung der Versailler Gartenpracht; jede Nachahmung aber, weil sie denn noch immer etwas Neues und Appartes aufweisen will, gerät unfehlbar in das Übertreiben und Überbieten des Vorbildes. Und so erblicken wir denn auch hier, besonders von Holland her, sehr bald und nicht ohne Entsetzen die Mosaikbeete von bunten Scherben, die Pyramiden und abgeschmackte Tiergestalten von Buxbaum, die vielen schlechten, zum Teil hölzernen Götterbilder, mit einem Wort: die Karikatur.

Die Bewohner jener Schlösser waren, wie ihre Gärten, nicht eigentümlich ausgeprägte Individuen, hatten auch keine National-

---

[2] **Krautjunkertum** The nickname for those nobles and gentry who lived out in the "cabbage (**Kraut**) patches," that is, whose life style or origin the "exclusive" squires looked down on.

gesichter, sondern nur eine ganz allgemeine Standesphysiognomie; überall bis zur tödlichsten Langweiligkeit, dieselbe Courtoisie, dieselben banalen Redensarten, Liebhabereien und Abneigungen. Sie waren die Akteurs der großen Weltbühne, die nicht den Zeitgeist machten, sondern den Zeitgeist spielten; das Dekorationswesen der Repräsentation war daher ihr eigentliches Fach und Studium, und bühnengerecht zu sein ihr Stolz. Die alten Kavaliere nebst Haarbeutel und Stahldegen waren nun freilich von der Bühne verschwunden, die neuen hatten aber von ihnen die pedantische Kultur des Anstandes als heiligstes Familienerbstück übernommen. Allein der an sich löbliche Anstand ist doch nur der Schein dessen, was er eigentlich bedeuten soll, und so ging ihnen denn auch ihr Dasein lediglich in einer traditionellen Ästhetik des Lebens auf. Ihre Ställe verwandelten sich in Prachttempel, wo mit schönen Pferden und glänzenden Schweizerkühen ein fast abgöttischer Kultus getrieben wurde, im Innern des Schlosses schillerte ein blendender Dilettantismus in allen Künsten und Farben, die Fräuleins musizierten, malten oder spielten mit theatralischer Grazie Federball, die Hausfrau fütterte seltene Hühner und Tauben oder zupfte Goldborten, und alle taten eigentlich gar nichts. Sie hatten sich gleichsam die Prosa des Lebensdramas in ein prächtiges Metrum transferiert, und das ist ihre große negative Bedeutsamkeit, daß sie dadurch allerdings langehin das absolut Gemeine und Rohe unterdrückten und abwehrten. Aber Metrik ist noch keine Poesie, und den Gehalt des Lebens konnten sie dadurch nicht veredeln.

Die dritte und beiweitem brillianteste Gruppe endlich war die extreme. Hier figurierten die ganz gedankenlosen Verschwender, jene „im Irrgarten der Liebe herumtaumelnden Kavaliere,"[3] welche ziemlich den Zug frivoler Libertinage repräsentierten, der sich wie eine narkotische Liane durch die damalige Literatur schlang. Zu diesem Berufe wurden die jungen Herren schon frühzeitig mit der sogenannten „guten Konduite" ausgerüstet, d.h. sie mußten bei meist sehr zweideutigen und abenteuernden Strolchen tanzen, fechten, reiten und französisch sprechen lernen. Die Eltern hatten vor

---

[3] **im Irrgarten . . . Kavaliere** Eichendorff here refers to a novel by Johann Gottfried Schnabel (1692-c.1750) which describes the amorous adventures of one such courtier. The citation is the title of the novel.

lauter feiner Lebensart und gesellschaftlichen Pflichten weder Zeit
noch Lust, sich um die langweilige Pädagogik zu kümmern, die
eigentliche Erziehung war vielmehr gewöhnlich gewissenlosen oder
unwissenden Ausländern von armer und geringer „Extraktion"
überlassen; die natürlich von ihren vornehmen Zöglingen in aller
Weise dupiert wurde. Nach dergleichen Studien wurden dann die
„jungen Herrschaften" mit ihrem autonomen Hofmeister auf Reisen
geschickt, um insbesonders auf der hohen Schule zu Paris sich in
der Praxis der Galanterie zu vervollkommen. Da sie jedoch, bei
Strafe der sozialen Exkommunikation, nirgends mit dem Volke,
sondern wieder nur in den Kreisen von Ihresgleichen verkehren
durften, die sich damals überall zum Erschrecken ähnlich sahen, so
ist es leicht begreiflich, daß sie auf allen ihren Fahrten nichts
erfuhren und lernten, und regelmäßig ziemlich blasiert zurückkehr-
ten. Und ebenso natürlich machten sie nun zu Hause, um nur die
unerträgliche Langeweile los zu werden, die verzweifeltsten Anstrengungen, fuhren mit Heiducken, Laufern und Kammerhusaren zum
Besuch, rissen ihre alten Schlösser ein und bauten sich lustig moderne
Trianons.[4] Allein das forzierte Lustspiel nahm gewöhnlich ein
tragisches Ende, dem kurzen Rausche folgte der moralische und
finanzielle Katzenjammer. So ein Lebenslauf verpuffte rasch wie
ein prächtiges Feuerwerk mit Geprassel, leuchtenden Raketen und
sprühenden Feuerrädern, bis zuletzt plötzlich nur noch die halbver-
brannten dunklen Gerüste dastanden; und das verblüffte Volk rieb
sich die Blendung aus den Augen und lachte auseinanderlaufend
über den närrischen Spaß.

So ungefähr standen die Sachen in den letzten Dezennien des
vorigen Jahrhunderts. Es brütete eine unheimliche Gewitterluft
über dem ganzen Lande, jeder fühlte, daß irgend etwas Großes im
Anzuge sei, ein unausgesprochenes, banges Erwarten, man wußte
nicht von was, hatte mehr oder minder alle Gemüter beschlichen. In
dieser Schwüle erschienen, wie immer vor nahenden Katastrophen,
seltsame Gestalten und unerhörte Abenteurer, wie der Graf St.
Germain, Cagliostro u.a.,[5] gleichsam als Emissäre der Zukunft. Die

---

[4] **Trianon** A small house in the gardens of Versailles.
[5] **St. Germain, Cagliostro** These men, as well as many others like them, were
adventurers, imposters, and swindlers in the last decades of the eighteenth century.
Quite a few of them were of noble birth.

ungewisse Unruhe, da sie nach außen nichts zu tun und zu bilden
fand, fraß immer weiter und tiefer nach innen; man improvisierte
allerlei private Geheimbünde für Beglückung und Erziehung der
Menschheit, albern und kindisch, aber als Symptome der Zeit von
prophetischer Vorbedeutung. Denn der Boden war längst von
heimlichen Minen, welche die Vergangenheit und Gegenwart in die
Luft sprengen sollten, gründlich unterwühlt, man hörte überall ein
spukhaftes unterirdisches Hämmern und Klopfen, darüber aber
wuchs noch lustig der Rasen, auf dem die fetten Herden ruhig
weideten. Vorsichtige Grübler wollten zwar schon manchmal
gelinde Erdstöße verspürt haben, ja die Kirchen bekamen hin und
wieder bedenkliche Risse, allein die Nachbarn, da ihre Häuser und
Krämerbuden noch ganz unversehrt standen, lachten darüber, den
guten Leuten im „Faust" vergleichbar,[6] die beim Glase Bier vom
fernen Kriege, weit draußen in der Türkei behaglich diskurieren.

Man kann sich daher heutzutage schwer noch einen Begriff
machen von dem Schreck und der ungeheueren Verwirrung, die der
plötzliche Knalleffekt durch das ganze Philisterium verbreitete, als
nun die Mine in Frankreich wirklich explodierte. Die Landjunker
wollten gleich aus der Haut fahren und den Pariser Drachen ohne
Barmherzigkeit spießen und hängen. Die Prätentiösen lächelten
vornehm und ungläubig und ignorierten den impertinenten Pöbelversuch, Weltgeschichte machen zu wollen; ja es galt eine geraume
Zeit unter ihnen für plebejisch, nur davon zu sprechen. Die Extremen dagegen, die ohnedem zu Hause damals nicht viel mehr zu
verlieren hatten, erfaßten die Revolution als ein ganz neues und
höchst pikantes Amusement und stürzten sich häufig kopfüber in
den flammenden Krater.

---

[6] den . . . vergleichbar Eichendorff is here referring to Goethe's *Faust,* Part I,
ll. 860ff.: „Nichts Bessers weiß ich mir an Sonn- und Feiertagen, Als ein Gespräch
von Krieg und Kriegsgeschrei, Wenn hinten weit, in der Türkei, „Die Völker
aufeinanderschlagen."

J. W. von Goethe: *Campagne in Frankreich, die Schlacht von Valmy*[1]

19.-20. SEPTEMBER 1792[2]

So war der Tag hingegangen; unbeweglich standen die Franzosen, unsere Leute zog man aus dem Feuer zurück, und es war eben, als wenn nichts gewesen wäre. Die größte Bestürzung verbreitete sich über die Armee. Noch am Morgen hatte man nicht anders gedacht, als die sämtlichen Franzosen anzuspießen und aufzuspeisen, ja mich selbst hatte das unbedingte Vertrauen auf ein solches Heer, auf den Herzog von Braunschweig zur Teilnahme an dieser gefährlichen Expedition gelockt; nun aber ging jeder vor sich hin, man sah sich nicht an, oder wenn es geschah, so war es um zu fluchen, oder zu verwünschen. Wir hatten, eben als es Nacht werden wollte, zufällig einen Kreis geschlossen, in dessen Mitte nicht einmal wie gewöhnlich ein Feuer konnte angezündet werden, die meisten schwiegen, einige sprachen, und es fehlte doch eigentlich einem jeden Besinnung und Urteil. Endlich rief man mich auf, was ich dazu denke, denn ich hatte die Schar gewöhnlich mit kurzen Sprüchen erheitert und erquickt; diesmal sagte ich: „Von hier und heute geht eine neue Epoche der Weltgeschichte aus, und ihr könnt sagen, ihr seid dabei gewesen.''[3]

From *Werke,* Sophienausgabe (1. Abt.), Band XXXIII, 74-75. Weimar, Hermann Wöhlau, 1898.

[1] Johann Wolfgang von Goethe (1749-1832) was not only a poet, novelist, and dramatist, but also a statesman and a scientist. His lifetime saw changes in almost every aspect of human endeavor, in government, the arts, the sciences, and religion. Goethe participated in all these changes in his way, or at least reacted to them all through the manifold aspects of his talents. He accompanied the Duke of Weimar as a civilian observer to the war where the Prussian and Austrian forces were fighting the armies of France. Goethe's account of this campaign differs somewhat from the actual events, since he did not write the *Campagne* until 1820-22. His depiction, based on recollections of a diary destroyed after the war and on the writings of contemporaries, clearly shows Goethe's reaction to the political events of the post-Napoleonic era and the effects of the French Revolution.

[2] The German armies, led by the Duke of Brunswick, crossed the French frontier quickly after France had declared war on Austria in April 1792. The march of the German and Austrian troops on Paris was halted, as described here, at Valmy on September 20, 1792.

[3] The confrontation at Valmy was the first clash between the revolutionary French forces and the forces of the old monarchical powers. The French stood their ground, and so did the ideas of their Revolution.

Josef Görres: *Testament und Hinscheiden des heiligen römischen Reiches*[1]

Am 30. Dezember 1797, dem Tage des Übergangs von Mainz[2] um 3 Uhr Nachmittags starb zu Regensberg in dem blühenden Alter von 955 Jahren, 5 Monaten, 28 Tagen sanft und selig nach gänzlicher Entkräftung und hinzugekommenem Schlagflusse bei völligem Bewußtsein und mit allen heiligen Sakramenten versehen das heilige römische Reich schwerfälligen Andenkens. Ach Gott, warum mußtest du zuerst deinen Zorn über dieses gutmütige Geschöpf ausgießen, es graste ja so harmlos und genügsam auf den Weideplätzen seiner Väter, ließ sich zehnmal die Wolle abscheeren, war immer so sanft, so geduldig, wie jenes verachtete langöhrige Lasttier des Menschen, das nur dann sich bäumet und ausschlägt, wenn mutwillige Buben ihm mit glühendem Zünder die Ohren versengen. Der Verblichene ward geboren zu Verdun im Juni des Jahres 842;[3] als er das Licht der Welt erblickte, flammte im Zenit ein unglücksschwangerer Perrückencomet.[4] Der Junge wurde am

From „Testament und Hinscheiden des heiligen Römischen Reiches," in Johann Nepomuk Sepp, *Görres und seine Zeitgenossen 1776-1848,* 47-48. Nördlingen, Druck und Verlag der C. H. Beck'schen Buchhandlung, 1877.

[1] Görres (1776-1848) was at first a fierce partisan of the French Revolution, but later its bitter enemy. The triumph of the Jacobins and the ensuing reign of terror turned Görres, as well as many other German sympathizers, against the new regime. He then became a leading figure in the nationalist reaction against France, especially since he was editor of Germany's most powerful political journal, *Der Rheinische Merkur,* from 1814-16. The selection here is from a speech Görres gave to a patriotic society on January 7, 1798, and it was reprinted in the periodical *Das rote Blatt,* of which he was the editor.

[2] The Holy Roman Empire was, as the joke has it, neither holy, nor Roman, nor an Empire. In theory its emperor was to be the supreme temporal ruler of Christendom. However, his imperial power never reached such completeness, and there were constant struggles. In 1797 the city of Mainz was ceded to France by the Treaty of Campo Formio, and Görres, quite rightly interprets this disintegration of territorial integrity as a harbinger of the dissolution of the empire. Nine years later Napoleon forced Francis II to give up his title as emperor and become Francis I of Austria. The Holy Roman Empire had come to an end.

[3] Görres fixes the origin of the German *Reich* at the Treaty of Verdun in 842, although this agreement was in fact made in 843. Charlemagne had been unable to unite western Europe into one state, and therefore the three sons of Louis the Pious received three parts of the Holy Roman Empire: Louis II was given the territory east of the Rhine, or what roughly is Germany today.

[4] A comet at birth is here symbolic as a herald of ill fortune.

Hofe Karls des Einfältigen,[5] Ludwigs des Kindes[6] und ihrer Nachfolger erzogen. Sobald der junge Prinz die Kinderschuhe abgelegt, wurden ihm die Päpste zu Hofmeistern gesetzt, und diese bemühten sich, ihn in gehöriger Gottesfurcht und allen seinem hohen Stande erlaubten Kenntnissen zu üben. Stolz sahen die Pädagogen zu Rom auf ihren hoffnungsvollen Zögling, stolz sprachen sie: das ist unser Werk, laßt uns dasselbe vollenden und unsern Geist ihm einhauchen. Sie kanonisierten ihn lebendigen Leibes und er hieß nun das heilige römische Reich. Aber sein Hang zum sitzenden Leben, verbunden mit leidenschaftlichem Eifer für Religion schwächte immer mehr seine ohnehin wankende Gesundheit, sein Kopf ward zusehends schwächer, seine Geisteskräfte nahmen von Tag zu Tag ab, bis er endlich im Alter von etwa dritthalbhundert Jahren zur Zeit der Kreuzzüge wahnsinnig wurde. Starke Aderlässe und strenge Diät bewirkten seine Herstellung, aber Hektik trat an die Stelle des Wahnsinns; abgezehrt zum Schatten schlich der Kranke Jahrhunderte hindurch umher, bis er zur Zeit des 30jährigen Krieges heftige Blutstürze bekam. Als er sich kaum von denselben erholt, kamen die Franzosen, und ein Schlagfluß machte seinem Leiden ein schnelles Ende.

Gewiß, Bürger, teilt ihr mit allen Angehörigen des Verstorbenen den gerechten Schmerz, der uns zu Boden drückt. Auch er vergab denen, die seinen Tod wollten, um sich in seine Erbschaft zu teilen, seinen Feinden, so gerne und willig, und bewahrte seine Tugend rein von dem Flecken der Aufklärung.

Mit Hohn eröffnet er das Testament, worin die fränkische Republik zur rechtmäßigen Erbin des ganzen linken Rheinufers eingesetzt wird.[7] Die Reichsoperationskasse und die goldene Bulle[8] soll seiner päpstlichen Heiligkeit, die jährlichen Einkünfte des Kaisers, circa 13,000 Florin dem Armenhaus in Regensburg zufallen. Die Reichsarmee wird dem Landgrafen von Hessen-Cassel vermacht, um dieselbe nach England, Nordamerika oder Ostindien zu ver-

---

[5] Charles the Simple, French king (893-923), son of Louis II.
[6] Louis the Young (c. 1120-80), king of France.
[7] The chief provision of the Treaty of Campo Formio.
[8] So called because of the golden capsule which contained the Imperial seal (*bulla*) attached to important documents.

handeln.[9] Zum Testamentsvollstrecker wird Seine Exellenz General
Buonoparte ernannt.

Nun folgen, so viel ich weiß die einzigen Verse, die er in seinem
Leben verfaßte, in der Grabschrift:

Von der Sense des Todes gemäht, atemlos und bleich
Liegt hier das heilige römische Reich.
Wandrer, schleich dich leise vorbei, du möchtest es wecken,
Und der Erstandne uns dann von Neuem mit Conclusen bedecken.
Ach wären die Franzosen nicht gewesen,
Es wäre nicht unter diesem Stein zu lesen:
Requiescat in pace!

Johann Gleim: *Auch Les états généraux*[1]
Januar 1790

AN FRANKREICHS DEMOKRATEN

Nicht mehr als etwa nur zwölfhundert
Despoten wollt ihr? Ha! Mich wundert
Daß ihr, der Despotie so hold,
Nicht mehr noch ihrer haben wollt?

Zwölfhundert woll'n anstatt des Einen,
Das ist, ihr Herrn, ich sollt' es meinen,
Gar viel nicht schlimmer als das Woll'n
(Nehmt mir's nicht übel) eines Toll'n.

Den Einen, macht er's euch zu toll,
Den, dächt ich, zwänge man noch wohl;

---

[9] Görres is here satirizing the "trade in troops" in which the landgraves of Hesse
played a prominent role during the American War of Independence.

From „Auch Les états généraux," in *Deutsche Literatur in Entwicklungsreihen,
Reihe Politische Dichtung,* edited by Emil Horner, I, 119-120. Leipzig, Reclam,
1930. Reprinted with permission of Verlag Philipp Reclam Jr., Stuttgart.

[1] Johann Wilhelm Ludwig Gleim (1719-1803) was canon of the cathedral at
Halberstadt, and a poet of Anacreontic verses and patriotic songs. This poem,
mocking the meeting of the twelve hundred delegates in the Estates General was
published in 1790 in a Berlin periodical.

Auch ist des Einen Wut nicht erblich:
Zwölfhundert aber sind nicht sterblich!

Der Weise, dächt' ich, sollt' ich meinen,
Der hielt es immer mit dem Einen!

Carl Misch: *Deutsche Geschichte im Zeitalter der Massen*[1]

Mit dem Einmarsch deutscher Truppen in Frankreich im Sommer 1792 begann ein Weltkrieg, der letzte Weltkrieg alten Stils, zugleich der erste neuen Stils.

Von „Weltkriegen" sprach man damals noch nicht. Statt dessen gebrauchte man den Ausdruck „Universalkriege." Es gab Einzelkriege, und es gab Gesamtkriege, in die das gesamte europäische Staatensystem verwickelt war. Den letzten Universalkrieg dieser Art hatte Europa erlebt, als fast hundert Jahre zuvor um die spanische Herrschaft gerungen wurde. Seitdem hatte Europa sich eines allerdings ziemlich labilen Gleichgewichts erfreut, und nach der „Hegemonie" des Erdteils, seiner Führung und Herrschaft, hatte niemand gegriffen.

Der neue Universalkrieg, den der Feldzug von 1792 eröffnete, schien zunächst nichts weniger als ein Krieg nach Ludwig XIV. Muster. Niemand war zu sehen, der ehrgeizig und machtlüstern nach dem Kranze griff. Und doch war es wieder ein französischer Weltkrieg, allerdings zum letztenmal, und die Stelle, die einst der Bourbonenkönig eingenommen hatte und die nun leer war, wurde bald von einem durch den Krieg selbst hinaufgetragenen Offizier ausgefüllt. Wer konnte ahnen, daß der Krieg mehr als zwanzig Jahre dauern werde, wer voraussehen, daß das kommende Frankreich des 19. Jahrhunderts seinen Anspruch auf Hegemonie aufgeben werde? Kaum spürte man dunkel, daß neue Kräfte im Aufstieg

From *Deutsche Geschichte im Zeitalter der Massen von der französischen Revolution bis zur Gegenwart*, 22-23. Stuttgart, W. Kohlhammer, 1952. Reprinted with permission of W. Kohlhammer Verlag, Stuttgart.

[1] Carl Misch (1896-   ) is professor of European and modern history at Centre College in Danville, Kentucky.

waren. Es sollte sich erweisen, daß dieser Universalkrieg den Übergang bildete vom Kabinettskrieg begrenzter Art zum der Idee nach bereits totalen Volkskrieg, in dem die Völker erwachten und die Nationen sich frei rangen.

Wer war der Angreifer? Frankreich, die revolutionäre Nation, forderte die alten Mächte in die Schranken. Die beiden deutschen Großmächte, Österreich und Preußen, im Bewußtsein ihrer Stärke und im Gefühl, zum ersten Male ein einiges Deutschland zu führen, nahmen die Herausforderung an. Seit den Tagen Karls V. hatte Deutschland solch Vorgehen nicht mehr gewagt. Als Richelieu[2] und Ludwig XIV. ihre Armeen gegen Deutschland warfen, hatte es sich mit ihrer Abwehr begnügen müssen, ja seine vornehmsten und mächtigsten Landesherren hatten sich mit Frankreich verbündet. Zum erstenmal seit Jahrhunderten schien Deutschland einig und Frankreich schwach.

Deutschland war in Wahrheit nicht einig, und Frankreich nicht schwach. Frankreich war noch immer Europas reichstes Land und volksreicher als Deutschland. Frankreich fand in seiner Großen Revolution, von 1789 an, den Durchbruch zu einer gründlichen Erneuerung seines Staates und seiner Gesellschaft. Wiederum trat es an die Spitze Europas, und wiederum bedrohte es dessen Freiheit.

Die Kriegsfurie überzog den Erdteil in seiner Gesamtheit. Frankreich gab sich als Schutzherr und wirkte als Zwingherr. Was es aussäte, überdauerte den Tag. Die Kriege der Französischen Revolution trugen den Gedanken der Bürgerfreiheit und der nationalen Unabhängigkeit überall hin. Die Vollendung oder Überwindung der Großen Französischen Revolution ist seitdem zum Zentralproblem des geschichtlichen Ablaufs geworden.

---

[2] Armand-Jean du Plessis, Cardinal Richelieu (1585-1642), was chief minister to Louis XIII from 1624 until his death, and used his influence to develop national unity, strengthen the position of the monarchy within France, and to extend the boundaries and the international prestige of France.

Napoleon schlafend vor der Schlacht gegen die Österreicher bei Wagram im Juli 1809

Friedrich von Kircheisen: *Napoleon*[1]

Es gibt keine Persönlichkeit der Weltgeschichte, über die soviel veröffentlicht worden ist wie über Napoleon. Freund und Feind haben über ihn geschrieben, und wenn man die Stimmen für und wider gegenüberstellt, so kommt man zu dem überraschenden Ergebnis, daß die Stimmen für ihn weitaus überwiegen.

Es gibt auch keinen Mann der neueren Zeit, der Napoleon an Originalität und Kühnheit der Ideen und Tatkraft in der Ausfüh-

From *Napoleon I. Sein Leben und seine Zeit,* IX, v-vii. München, Albert Langen/ Georg Müller, 1911-1934. Reprinted with permission of Albert Langen-Georg Müller Verlag GmbH., München.

[1] Friedrich Max von Kircheisen (1877-1933) served his country for many years as an official in the German War Ministry. His most important work, the nine-volume *Napoleon I. Sein Leben und seine Zeit,* took him twenty-two years to complete.

rung übertroffen hätte; kein Mensch hat ein so vielseitiges Wissen
und eine so große Vielfältigkeit der Charakterveranlagung besessen
wie er. Es gibt endlich keinen Mann der neueren Geschichte, der
von verhältnismäßig einfacher Herkunft, eine Machtstellung wie er
erwarb, um dann, seiner ganzen Macht beraubt, sein Leben in der
Verbannung zu beschließen.

Wann stand Napoleon auf der Höhe seines Ruhmes? Scheinbar
erreichte er den Höhepunkt seiner Größe nach der Heirat mit der
Tochter des Kaisers von Österreich. In Wirklichkeit aber befand
er sich damals schon auf der absteigenden Linie. Zweifellos stand
er nach dem Frieden von Tilsit (1807) im Zenit seines Ruhms. In
mehreren Feldzügen hatte er den österreichischen Kaiserstaat besiegt,
das stolze preußische Herr vernichtet und den russischen Kaiser
zweimal geschlagen. Wien und Berlin hatten ihn als Sieger einziehen
sehen. Italien gehörte ihm bis auf den machtlosen Kirchenstaat.
Belgien war Frankreich einverleibt, die Schweiz und Holland waren
französische Vasallenstaaten. Die deutschen Kleinstaaten folgten
seinem Wink, und auch Spanien wagte nichts zu unternehmen, was
Napoleon nicht gefiel. Und, was die Hauptsache war, der russische
Zar war Frankreichs Verbündeter geworden! So schien es wenigstens.

Es kamen noch ein paar Jahre der Erfolge und des Ruhms, doch
schon 1810 begann das Wühlen seiner Gegner, die sich äußerlich
freilich immer noch als Freunde zeigten. Je größer Frankreichs
Ruhm, je reicher es wurde, um so mehr verarmten die anderen
Völker und Staaten. Und es entstand daraus eine Gegnerschaft, die
zur drohenden Lawine anwuchs. Zwar hörten eine Zeitlang die
Kriege auf, Napoleon lebte ganz der Organisation seines Staates
und seinem neuen jungen Familienglück. Sein Ehrgeiz hatte alles
erreicht, was nach menschlichem Ermessen zu erreichen war. Aber
er war und blieb ein ausgesprochener Feldherr, ein Eroberer. Wenn
er auch—besonders unter dem Konsulat[2]—sich als Gesetzgeber und
Staatsmann hervorragend betätigt hatte, so war doch seine ganze
Entwicklung als militärisches Genie so weit vorgeschritten, daß es

---

[2] The period of the Consulate was from 1799 to 1804, when Napoleon ruled
France as First Consul under a constitutional regime. The Consulate was swept
aside in 1804 when Napoleon was crowned Emperor.

kein Zurück mehr gab. Eine friedliche Beschäftigung wäre ihm auf die Dauer unmöglich gewesen.

Wie ein Meteor erschien Napoleon am Firmament der Weltgeschichte, wie ein Meteor verschwand er. Vielleicht hat er mehr zerstört als neugeschaffen. Aber als Mann und erster Nachfolger der französischen Revolution hat er das alte Europa aufgerüttelt und ihm ein neues Gesicht gegeben.

V

BEFREIUNGSKAMPF UND NATIONALES ERWACHEN

Der Pflug der Revolution hatte den Boden tief aufgewühlt; das alte Europa war nicht mehr. Die Jahre der Fremdherrschaft und des Befreiungskrieges hatten freiheitliche und nationale Bestrebungen im Volke wachgerufen, unter deren Druck sich die alten Stände gezwungen sahen, Versprechungen auf bürgerliche Reformen zu machen, die sich gegen die feudalen Vorrechte des Adels richteten. Es war der in vielen Gedichten und Reden ausgedrückte patriotische Idealismus, der die vereinigten Armeen Preußens, Österreichs, und Rußlands zum Sieg über Napoleons angeblich unüberwindliche Heere in der Schlacht von Leipzig im Oktober 1813 anfeuerte. Die Fürsten mußten sich mit diesem Idealismus der jungen Nationalisten abfinden. Eine nach 1830 aufkommende Gruppe von Schriftstellern, „Junges Deutschland" genannt, zu der auch Heinrich Heine gehörte, forderte Emanzipation auf allen Gebieten des Lebens und liberale Reformen für das zukünftige Deutschland.

Nachdem Napoleons Macht zusammengebrochen war, zerfiel auch die Allianz zwischen den Landesfürsten und den progressiven jungen Deutschen. Die konservativen Machthaber, deren maßgebender Staatsmann der österreichische Staatskanzler Prinz Metternich war, versuchten die gefallenen Reste der feudalen Fürstenherrschaft wieder aufzurichten. Am Wiener Kongreß vom Oktober 1814 bis Juni 1815 wurde ein loser „Deutscher Bund," dem 38 selbständige deutsche Länder angehörten, gegründet. Mit der Schöpfung des Deutschen Bundes entstand ein Dualismus, der Norddeutschland zur Einflußsphäre Preußens machte, Süddeutschland zu der Österreichs. Die Idee eines nationalen Einheitsstaates war nicht verwirklicht worden.

Die von der politischen Entwicklung enttäuschte Jugend Deutschlands gründete aber eine Bewegung, die ihren nationalen und liberalen Hoffnungen Ausdruck gab: die Burschenschaften. Diese Studentenverbindungen wurden nun zum Mittelpunkt der politischen Gärung. Am 18. Oktober 1817 versammelten sich die Burschenschaften zu einer Feier auf der Wartburg. Die Studenten sangen die patriotischen Lieder aus der Zeit des Befreiungskrieges und hielten Reden gegen die konservative Politik der Einzelstaaten. Metternich wurde durch diese Kundgebung auf das oppositionelle Treiben der Studenten aufmerksam, und im Jahre 1819 wurden die Burschenschaften durch die Karlsbader Beschlüsse verboten. Obwohl sie unter andren Namen wieder auflebten, lösten sie sich doch unter polizeilichem Druck und wegen innerer Zerspaltung allmählich auf. Die Unterdrückung der politischen Opposition stieß auch auf den Universitäten auf fast keinen Widerstand. Als die französische Julirevolution von 1830 zu ähnlichen Ausbrüchen in anderen Ländern führte, blieb es in Deutschland verhältnismäßig ruhig.

Die liberal-nationalen Kreise hatten ihre Hoffnung auf Volksfreiheit und Reichseinheit jedoch noch nicht aufgegeben, und schließlich erwies sich der Beginn einer wirtschaftlichen Einheit in Deutschland als der stärkste Antrieb zur Überwindung der konservativen Reaktion. Die Entstehung des Zollvereins (1834), dem sich fast alle deutschen Einzelstaaten anschlossen, und die Entwicklung des deutschen Eisenbahnsystems führten allmählich zum Verfall der Kleinstaaterei, des Merkantilismus, und des Absolutismus. „Das Eisenbahnsystem und der Zollverein sind siamesische Zwillinge," schrieb List. „Zwillinge: zur gleichen Zeit geboren, körperlich auseinandergewachsen, eines Geistes und Sinnes, unterstützen sie sich wechselseitig, streben sie nach einem und demselben großen Ziel, nach Vereinigung der deutschen Stämme zu einer großen und gebildeten, zu einer reichen, mächtigen und unantastbaren Nation."

Vor allem aber war die Epoche zwischen der französischen Revolution und dem Jahr 1848 eine kulturelle Blütezeit Deutschlands. Die verschiedenartigen Erscheinungsformen der deutschen Romantik lassen sie schwer als ein einheitliches Ganzes kennzeichnen. War die Romantik eine Gefühlsbewegung und als solche ein Gegenpol zum Rationalismus der Aufklärung? Sicher das, und vieles mehr. Sie entdeckte die irrationalen Kräfte der Psyche und das unterbewußte Reich der Träume und Märchen. Die Romantiker waren vielleicht, wie schon oft behauptet wurde, die ersten „modernen" Menschen. Die Fülle der Namen auf jedem künstlerischen Gebiet zeigt uns, wie fruchtbar dieses Zeitalter war: Kleist, Hölderlin, Schumann, Beethoven, Fichte, Schelling und noch viele andere. Obwohl es noch keine politische Einheit gab, war ein geistiges deutsches Reich erwachsen.

Wilhelm von Humboldt: *Denkschrift über die deutsche Verfassung*[1]

Wenn man über den zukünftigen Zustand Deutschlands redet, muß man sich wohl hüten, bei dem beschränkten Gesichtspunkte stehenzubleiben, Deutschland gegen Frankreich sichern zu wollen. Wenn auch in der Tat der Selbständigkeit Deutschlands nur von dorther Gefahr droht, so darf ein so einseitiger Gesichtspunkt nie zur Richtschnur bei der Grundlegung zu einem dauernd wohltätigen Zustand für eine große Nation dienen. Deutschland muß frei und stark sein, nicht bloß, damit es sich gegen diesen oder jenen Nachbar oder überhaupt gegen jeden Feind verteidigen könne, sondern deswegen, weil nur eine auch nach außen hin starke Nation den Geist in sich bewahrt, aus dem auch alle Segnungen im Innern strömen; es muß frei und stark sein, um das, auch wenn es nie einer Prüfung

From „Denkschrift über die deutsche Verfassung" (December 1813), in *Deutsche Literatur in Entwicklungsreihen, Reihe Politische Dichtung,* edited by Robert F. Arnold, II, 194-196. Leipzig, Reclam, 1932. Reprinted with permission of Verlag Philipp Reclam Jr., Stuttgart.

[1] Karl Wilhelm von Humboldt (1767-1835), philologist and diplomat, was one of the founders of the University of Berlin. Prussian minister to Rome (1801-08), to Vienna (1810), and London (1817). He resigned the office of privy chancellor in 1819 because he objected to the reactionary policies of his government.

ausgesetzt würde, notwendige Selbstgefühl zu nähren, seiner Nationalentwicklung ruhig und ungestört nachzugehen und die wohltätige Stelle, die es in der Mitte der europäischen Nationen für dieselben einnimmt, dauernd behaupten zu können.

Von dieser Seite angesehen, kann die Frage nicht zweifelhaft sein, ob die verschiedenen deutschen Staaten einzeln fortbestehen oder ein gemeinschaftliches Ganzes bilden sollen? Die kleineren Fürsten Deutschlands bedürfen einer Stütze, die größeren einer Anlehnung, und selbst Preußen und Österreich ist es wohltätig, sich als Teile eines größeren, und, allgemein genommen, noch wichtigeren Ganzen anzusehen. Dies aus großmütigem Schutz und bescheidener Unterordnung zusammengesetzte Verhältnis bringt eine größere Billigkeit und Allgemeinheit in ihre auf ihr eigenes Interesse gerichteten Ansichten. Auch läßt sich das Gefühl, daß Deutschland ein Ganzes ausmacht, aus keiner deutschen Brust vertilgen, und es beruht nicht bloß auf Gemeinsamkeit der Sitten, Sprache und Literatur (da wir es nicht in gleichem Grade mit der Schweiz und dem eigentlichen Preußen teilen), sondern auf der Erinnerung an gemeinsam genossene Rechte und Freiheiten, gemeinsam erkämpften Ruhm und bestandene Gefahren, auf dem Andenken einer engeren Verbindung, welche die Väter verknüpfte, und die nur noch in der Sehnsucht der Enkel lebt. Das vereinzelte Dasein der sich selbst überlassenen deutschen Staaten (selbst wenn man die ganz kleinen größeren anfügte) würde die Masse der Staaten, die gar nicht oder schwer auf sich selbst ruhen können, auf eine dem europäischen Gleichgewichte gefährliche Weise vermehren, die größeren deutschen Staaten, selbst Österreich und Preußen, in Gefahr bringen und nach und nach alle deutsche Nationalität untergraben.

Es liegt in der Art, wie die Natur Individuen in Nationen vereinigt und das Menschengeschlecht in Nationen absondert, ein überaus tiefes und geheimnisvolles Mittel, den einzelnen, der für sich nichts ist, und das Geschlecht, das nur im einzelnen gilt, in dem wahren Wege verhältnismäßiger und allmählicher Kraftentwickelung zu erhalten; und obgleich die Politik nie auf solche Ansichten einzugehen braucht, so darf sie sich doch nicht vermessen, der natürlichen Beschaffenheit der Dinge entgegen zu handeln. Nun aber wird Deutschland in seinen nach den Zeitumständen erweiterten

oder verengerten Grenzen immer, im Gefühl seiner Bewohner und
vor den Augen der Fremden, eine Nation, ein Volk, ein Staat
bleiben.

Die Frage kann also nur die sein: wie soll man wieder aus
Deutschland ein Ganzes schaffen?

Könnte die alte Verfassung wieder hergestellt werden, so wäre
nichts so wünschenswert als dies; und hätte nur fremde Gewalt ihre
in sich rüstige Kraft unterdrückt, so würde sie sich wieder mit
Federkraft emporheben. Aber leider war ihr eigenes langsames
Ersterben selbst hauptsächlich Ursache ihrer Zerstörung durch
äußere Gewalt, und jetzt, wo diese Gewalt verschwindet, strebt
keines ihrer Teile anders als durch ohnmächtige Wünsche nach ihrer
Wiedererweckung.

Erwägt man die einzelnen Punkte, so wachsen alle Schwierigkeiten. Herstellung der Kaiserwürde, Beschränkung der Wahl-
fürsten auf eine kleine Zahl, Bedingungen der Wahl, alles würde bei
Haupt und Gliedern unendliche Hindernisse finden, und wenn alle
überwunden wären, würde doch etwas Neues gebildet, nicht das Alte
hergestellt sein. Denn niemand wird wohl an der Unzulänglichkeit
des ehemaligen Reichsverbandes zu der jetzt nötigen Sicherung
unserer Selbständigkeit zweifeln. Selbst unter den alten Namen
müßte man also neue Gestalten schaffen.

Es gibt nur zwei Bindungsmittel für ein politisches Ganzes: eine
wirkliche Verfassung oder einen bloßen Verein. Eine Verfassung
ist unstreitig einem Verein vorzuziehen; sie ist feierlicher, binden-
der, dauernder; aber Verfassungen gehören zu den Dingen, deren
es einige im Leben gibt, deren Dasein man sieht, aber deren
Ursprung man nie ganz begreift und daher noch weniger nachbilden
kann. Jede Verfassung, auch als ein bloß theoretisches Gewebe
betrachtet, muß einen materiellen Keim ihrer Lebenskraft in der
Zeit, den Umständen, dem Nationalcharakter vorfinden, der nur der
Entwickelung bedarf. Sie rein nach Prinzipien der Vernunft und
Erfahrung gründen zu wollen, ist im hohen Grade mißlich, und so
gewiß alle wirklich dauerhaften Verfassungen einen unförmlichen
und keiner strengen Prüfung ertragenden Anfang gehabt haben, so
gewiß würde es einer von Anfang herein folgerechten an Bestand
und Dauer mangeln.

Auf die Frage: soll Deutschland eine wahre Verfassung erhalten? läßt sich daher meines Erachtens nur so antworten. Sprechen zu der Zeit, wo die Frage entschieden werden muß, Haupt und Glieder aus, daß sie Haupt und Glieder sein wollen, so folge man der Anzeige und leite nur und beschränke. Ist das aber nicht, verlautet nichts, als das kalte Verstandesurteil, daß ein Band für das Ganze da sein muß, so bleibe man bescheiden beim geringeren stehen und bilde bloß einen Staatenverein, einen Bund.

Fragt man mich nun, was eigentlich die bindenden und erhaltenden Prinzipien in einer durch bloße Schutzbündnisse gebildeten Vereinigung Deutschlands sein sollen, so kann ich bloß folgende, allerdings sehr starke, allein freilich meist moralische nennen: die Übereinstimmung Österreichs und Preußens; das Interesse der größten unter den übrigen deutschen Staaten; die Unmöglichkeit der kleineren, gegen sie und Österreich und Preußen aufzukommen; den wieder erweckten und durch Freiheit und Selbständigkeit zu erhaltenden Geist der Nation; und die Gewährleistung Rußlands und Englands.

Ernst Moritz Arndt: *Des Deutschen Vaterland*[1]

Was ist des Deutschen Vaterland?
Ist's Preußenland, ist's Schwabenland?
Ist's, wo am Rhein die Rebe blüht?
Ist's, wo am Belt die Möwe zieht?[2]
O nein, nein, nein!
Sein Vaterland muß größer sein.

From „Des Deutschen Vaterland," in *Gedichte, neue Auswahl,* 29-31. Leipzig, Weidmann'sche Buchhandlung, 1850.

[1] Arndt (1769-1860), poet and patriot, taught history at the University of Greifswald until his outspoken hatred of the French forced him to flee the country during the Napoleonic wars. He returned to Germany after a brief exile, and in 1809 became professor of history at the University of Bonn. His poems and songs aroused the Germans against the French conqueror and awakened in them a consciousness of a common Fatherland. The song reprinted here was first published in 1813, and ran to ten stanzas.

[2] **wo . . . zieht** where the sea-gull skims the Baltic coast; **Belt** a channel between the islands of Denmark

Was ist des Deutschen Vaterland?
Ist's Bayerland, ist's Steierland?
Ist's, wo des Marsen[3] Rind sich streckt?
Ist's, wo der Märker[4] Eisen reckt?
O nein, nein, nein!
Sein Vaterland muß größer sein.

Was ist des Deutschen Vaterland?
So nenne mir das große Land!
Ist's Land der Schweizer? ist's Tirol?
Das Land und Volk gefiel mir wohl;
Doch nein, nein, nein!
Sein Vaterland muß größer sein.

Was ist des Deutschen Vaterland?
So nenne mir das große Land!
Gewiß es ist das Österreich,
An Ehren und an Siegen reich?
O nein, nein, nein!
Sein Vaterland muß größer sein.

Das ist des Deutschen Vaterland,
Wo Eide schwört der Druck der Hand,
Wo Treue hell vom Auge blitzt
Und Liebe warm im Herzen sitzt—
Das soll es sein!
Das, wackrer Deutscher, nenne dein.

Das ganze Deutschland soll es sein!
O Gott vom Himmel sieh darein
Und gib uns rechten deutschen Mut,
Daß wir es lieben treu und gut.
Das soll es sein!
Das ganze Deutschland soll es sein!

[3] **des Marsen** of the Marsh dweller (the Marshes are the coastal region of northern Germany)
[4] **Märker** inhabitant of the Mark, a frontier province of the north

Am Wiener Kongreß 1814-15 kamen die wichtigsten Fürsten und Staatsmänner zusammen; dieses Gemälde von Isabey zeigt (links, vorstehend) Metternich, von Gentz (stehend, dritten von r.), Humboldt (zweiten von r.), und rechts am Tisch Talleyrand

F. von Gentz: *Über das Wartburgfest*[1]

Daß es bei dem Wartburger Feste[2] weit mehr auf politische, als auf religiöse Beziehung abgesehen war, ergibt sich unverkennbar aus der Wahl des Tages, und aus dem seltsamen Zusammenschmelzen zweier völlig ungleichartigen, an allen andern Orten in Deutschland

From „Über das Wartburgfest," in *Schriften von Friedrich von Gentz*, II, 28-31. Mannheim, Heinrich Hoff, 1839.

[1] Friedrich von Gentz (1764-1832) first attracted attention through his translation and defense of Burke's *Reflections on the French Revolution* and his support of German unification through the cooperation of Prussia and Austria. In 1802 he entered the service of Austria where his moderate liberalism was thrown aside and replaced by a more conservative outlook. He rose to prominence under Metternich, serving as secretary to the congresses of Vienna and Verona, and fervently supporting his government's policies in his writings.

[2] Between October 17 and 19, 1817, hundreds of students from German universities

gebührend von einander abgesonderten Veranlassungen. Den
Jahrestag einer Begebenheit, die jedes deutsche Gemüt ohne Aus-
nahme mit Stolz und Freude erfüllen soll, an das Jubiläum einer
andern, über welche die Meinungen in Deutschland notwendig
geteilt sein müssen, das Fest der politischen Vereinigung der deutschen Nation an das Gedächtnis ihrer kirchlichen Trennung zu
knüpfen, war an und für sich gewiß kein glücklicher Gedanke; und
diese gewaltsame Koalition kann nur allein in dem Bestreben, die
Wartburgsfeier mit politischen Verhandlungen und politischen
Fragen in möglichst nahe Berührung zu bringen, ihren Ursprung
gehabt haben. War ein solches Bestreben heilsam und lobenswert?
Deutschland müßte sich selbst nicht mehr ähnlich, es müßten alle
alten Grundzüge des deutschen Nationalcharakters verwischt und
verschwunden sein, wenn diese Frage nicht in sämmtlichen deutschen Ländern durch eine überwiegende Stimmenmehrheit abgeur-
teilt werden sollte.

Auf der Wartburg wurde zum ersten Male von Männern, welchen
deutsche Väter ihr teuerstes Gut, die Pflege und Bildung ihrer Söhne,
anvertrauen, eine Sprache geführt, die der Jugend den Wahn ein-
flößen muß, als sei der Zweck des Lernens für die Universitäten im
neunzehnten Jahrhunderte zu beschränkt, als wären Burschen in
dieser Eigenschaft berufen, an den wichtigsten öffentlichen Geschäf-
ten des Vaterlands Teil zu nehmen. Es ist hier nicht der Ort, die
Grundsätze derer, die einen solchen Wahn begünstigen konnten,
zu prüfen. Ob sie selbst auf dem Wege der Wahrheit sind, ob sie
selbst richtig erkannt haben, was der Menschheit, was dem gemeinschaftlichen Vaterlande nutzen oder schaden kann, mag für jetzt
dahingestellt bleiben. Daß aber das Handeln unmöglich dem
Lernen, daß die Anwendung der Grundsätze nicht dem Aufsuchen
und Erforschen derselben, daß ein gebieterisches Absprechen über
Gegenstände, welchen die höchste Reife des menschlichen Geistes,

gathered at the Wartburg Castle in Saxe-Weimar to celebrate the tricentennial of
Luther's Ninety-five Theses and Napoleon's last battle on German soil, the Battle of
Leipzig. The celebration, with torchlight processions and bonfires, soon turned
into a political demonstration against Austrian power in the German Confederation.
It thus became the expression of a growing and serious revolutionary nationalism.
Gentz's observations on this occurrence were published in various newspapers in
1817-18.

mit vieljähriger Erfahrung verbunden, oft kaum gewachsen ist, nicht dem Studium der Tatsachen, nicht der Kenntnis von dem, was Andere vor uns gedacht, erfunden und gelehrt haben, nicht der ganzen Reihe wissenschaftlicher Arbeiten, zu welchen das Universitätsleben allein und ausschließend bestimmt war—vorrangehen sollte, dies bedarf wohl keines weitern Beweises.

Die Natur, das heißt die ewige Weltordnung, hat jedem Menschenalter, wie jedem Menschengeschlecht, seinen Wirkungskreis angewiesen; und in ihren, selbst von der Höhe der Wartburg herab, nicht zerstörbaren Gesetzen liegt eben so wenig ein ungestümes Vorgreifen in die Zukunft, als ein widernatürlicher Rückgang in die Vergangenheit. Die Weisheit aller Jahrhunderte hat in ihren politischen Anordnungen dieselben Gesetze befolgt, und ungestraft wird niemand sie übertreten. Der Jüngling soll die kostbaren Jahre, die seiner Ausbildung zum tüchtigen Staatsbürger und künftigen Geschäftsmanne gewidmet sind, nicht auf eitles und gewagtes Raisonnement über Angelegenheiten verwenden, über welche ihm, da er sie nicht kennt, und sie vor seinem Eintritt in das praktische Leben zu kennen ganz unfähig ist, schon die Bescheidenheit, eine der ersten Tugenden und Zierden seines Alters, jedes öffentliche Urteil untersagt. Und so lange Regierungen und Völker ihre Stützen und ihre Vertreter nicht in der Klasse der Burschen zwischen dem 17ten und 20ten Jahre suchen werden, leistet derjenige offenbar der studierenden Jugend einen schlechten Dienst, der sie ihrer wahren Bestimmung entfremdet und zu unbefugten Anmaßungen und zeitverderbenden Debatten verleitet.

In einem Zeitpunkte, wo der menschliche Verstand, durch eine lange Reihe von Stürmen erschüttert, auf hundert Abwegen umher streift, wo folglich mehr als je zuvor ein ruhiges, gründliches Studiensystem, eine nüchterne strenge Geistesdisziplin beim Unterricht der Jugend den Vorsitz führen muß, sind diese Betrachtungen von doppeltem Gewicht. Man sollte es kaum für möglich halten, daß sie Männern von reifem Alter, die man mit den Pflichten ihres großen Berufs hinlänglich vertraut glauben mußte, entgehen konnten. Wenn nun nichtsdestoweniger, wie selbst aus den bisherigen unvollkommenen Nachrichten hervorgeht, bei einer Feierlichkeit, wozu man fünf oder sechshundert studierende Jünglinge versammelte, Grundsätze gepredigt, Gesinnungen an den Tag gelegt, ja selbst Handlungen verübt und gepriesen wurden, die, nach allen bisherigen Begriffen, mit dem Zweck und der Würde des öffentlichen Lehramtes streiten, wer kann es dem Freunde der Ordnung und Ruhe, wer kann es besonders dem um das Wohl seiner Kinder besorgten Vater verdenken, wenn er mit Kummer in die Zukunft blickt, und dem Zeitpunkte, wo sein Sohn eine ehemals so hoffnungsvolle, jetzt von so großen Gefahren umringte, von so großen Verirrungen bedrohte Laufbahn betreten soll, mit Ängstlichkeit entgegensieht?

Friedrich List: *Das Nationale System der Politischen Ökonomie*[1]

VIERUNDDREISSIGSTES KAPITEL—DIE INSULAR-SUPREMATIE UND DIE DEUTSCHE HANDELSUNION

Was eine große Nation in unsern Tagen ist ohne tüchtige Handelspolitik, und was sie werden kann durch eine tüchtige Handelspolitik, hat Deutschland in den letztverflossenen zwanzig Jahren an sich selbst erfahren. Dieses Land war, was Franklin einst von dem Staat Neu-Jersey sagte, ein überall von seinen Nachbarn an- und abgezapftes Faß. England, nicht zufrieden, den Deutschen den größten Teil ihrer Fabriken ruiniert zu haben und ihnen unermeßliche Quantitäten Wollen- und Baumwollenwaren und Kolonialprodukte zu liefern, wies deutsches Getreide und Holz, ja zeitweise sogar deutsche Wolle von seinen Grenzen zurück. Es gab eine Zeit, wo der Manufakturwarenabsatz Englands nach Deutschland zehnmal bedeutender gewesen ist als der nach seinem vielgepriesenen ostindischen Reich; dennoch wollte der alles monopolisierende

From *Das Nationale System der Politischen Ökonomie,* edited by Artur Sommer, in *Schriften, Reden, Briefe,* VI, 388-389. Berlin, Reimar Hobbing, 1930. Reprinted with permission of Verlag von Reimar Hobbing GmbH., Essen.

[1] Friedrich List (1789-1846) gave up his position as professor of economics at the University of Tübingen in 1819 to devote himself to the support of the *Zollverein,* or Customs Union. List was jailed and later forced to seek exile in the United States for his work in this cause. In 1837 he returned to Germany as an American consul. Only after his death was his system of national economy regarded as a chief step toward German national unification and of some service to the nation.

Insulaner dem armen Deutschen nicht einmal vergönnen, was er dem unterworfenen Hindu verstattete—seinen Bedarf an Manufakturwaren in Agrikulturprodukten zu bezahlen. Vergebens erniedrigten sich die Deutschen zu Wasserträgern und Holzhackern der Briten:[2] man behandelte sie schlechter als ein unterjochtes Volk. Nationen wie Individuen, lassen sie sich nur erst von einem mißhandeln, werden bald von allen gehöhnt und zuletzt der Kinder Spott. Frankreich, nicht zufrieden, nach Deutschland unermeßliche Quantitäten Wein, Öl, Seide und Modewaren abzusetzen, verkümmerte den Deutschen auch ihren Absatz an Vieh, Getreide und Linnen. Ja eine kleine vormals deutsche und von Deutschen bewohnte Seeprovinz,[3] die durch Deutschland reich und mächtig geworden in alle Ewigkeit nur mit und durch Deutschland zu bestehen vermag, sperrte ein halbes Menschenalter hindurch, unter Vorschützung elender Wortverdrehungen, Deutschlands besten Strom. Zum Übermaß des Hohns ward von hundert Kathedern gelehrt, wie die Nationen nur durch allgemeine Handelsfreiheit zu Reichtum und Macht gelangen können.

So war es, und wie ist es jetzt? Deutschland ist im Lauf von zehn Jahren in Wohlstand und Industrie, in Nationalselbstgefühl und Nationalkraft um ein Jahrhundert vorgerückt. Und wodurch? Daß die Schlagbäume fielen, welche den Deutschen von dem Deutschen trennten, war schon gut und heilsam, hätte aber der Nation zu schlechtem Troste gereicht, wäre ihre innere Industrie fortan der fremden Konkurrenz bloßgestellt geblieben. Es war hauptsächlich der Schutz, den das Vereinszollsystem den Manufakturartikeln des gemeinen Verbrauchs gewährte, was diese Wunder bewirkte.

[2] **erniedrigten sich die Deutschen . . . Briten** A traditional figure of speech of the Irish in England to denote slave labor. As early as the 18th century, British merchant seamen were warned of the dangers of free trade with France: ". . . to become hewers of wood and drawers of water to the nation they have so often beaten."
[3] **kleine . . . bewohnte Seeprovinz** Holland

Novalis: *Die Christenheit oder Europa*[1]

Es waren schöne, glänzende Zeiten, wo[2] Europa ein christliches Land war, wo *eine* Christenheit diesen menschlich gestalteten Weltteil bewohnte; *ein* großes gemeinschaftliches Interesse verband die entlegensten Provinzen dieses weiten geistlichen Reiches.—Ohne große weltliche Besitztümer lenkte und vereinigte *ein* Oberhaupt[3] die großen politischen Kräfte.

Mit Recht widersetzte sich das weise Oberhaupt der Kirche frechen Ausbildungen menschlicher Anlagen auf Kosten des heiligen Sinns und unzeitigen, gefährlichen Entdeckungen im Gebiete des Wissens. So wehrte er den kühnen Denkern, öffentlich zu behaupten, daß die Erde ein unbedeutender Wandelstern sei, denn er wußte wohl, daß die Menschen mit der Achtung für ihren Wohnsitz und ihr irdisches Vaterland auch die Achtung vor der himmlischen Heimat und ihrem Geschlecht[4] verlieren und das eingeschränkte Wissen dem unendlichen Glauben vorziehen und sich gewöhnen würden, alles Große und Wunderwürdige zu verachten und als tote Gesetzwirkung zu betrachten.

Wie wohltätig, wie angemessen der inneren Natur der Menschen diese Regierung, diese Einrichtung war, zeigt das gewaltige Emporstreben aller andern menschlichen Kräfte, die harmonische Entwicklung aller Anlagen, die ungeheure Höhe, die einzelne Menschen in allen Fächern der Wissenschaften des Lebens und der Künste erreichten, und der überall blühende Handelsverkehr mit geistigen und irdischen Waren in dem Umkreis von Europa und bis in das fernste Indien hinaus.

From *Schriften*, Kritische Neuausgabe, edited by Ernst Heilborn, II, 399, 420, passim. Berlin, Verlag von Georg Reimar, 1901.

[1] Friedrich von Hardenberg (1772-1801), who wrote under the pseudonym Novalis, was a typical representative of the Romantic reaction to the ideas of the *Aufklärung*. The world, in the view of German Romanticism, cannot be understood by reason; for Novalis it is a secret or puzzle which can be fathomed by his faith in a united Christianity. Novalis sees modern history as a battle between beliefs. This excerpt is therefore as much a religious hymn as an essay on the philosophy of history.
[2] wo here: when
[3] *ein* Oberhaupt one supreme head, that is, the Pope of the Catholic Church
[4] Geschlecht here: the spirits of heaven

Luther verkannte den Geist des Christentums und führte einen anderen Buchstaben und eine andere Religion ein, nämlich die heilige Allgemeingiltigkeit der Bibel, und damit wurde leider eine andere, höchst fremde, irdische Wissenschaft in die Religionsangelegenheit[5] gemischt—die Philologie, deren auszehrender Einfluß von da an unverkennbar wird.

Mit der Reformation wars um die Christenheit getan.[6] Von nun an war keine mehr vorhanden. Katholiken und Protestanten oder Reformierte[7] standen in sektierischer Abgeschnittenheit weiter voneinander als von Mohammedanern und Heiden.

Der anfängliche Personalhaß gegen den katholischen Glauben ging allmählich in Haß gegen die Bibel, gegen den christlichen Glauben und endlich gar gegen die Religion über. Noch mehr—der Religionshaß dehnte sich sehr natürlich und folgerecht auf alle Gegenstände des Enthusiasmus aus, verketzerte Phantasie und Gefühl, Sittlichkeit und Kunstliebe, Zukunft und Vorzeit, setzte den Menschen in der Reihe der Naturwesen mit Not oben an und machte die unendliche schöpferische Musik des Weltalls zum einförmigen Klappern einer ungeheuren Mühle, die, vom Strom des Zufalls getrieben und auf ihm schwimmend, eine Mühle an sich, ohne Baumeister und Müller, und eigentlich ein echtes Perpetuum mobile, eine sich selbst mahlende Mühle sei.

Die Mitglieder dieses neuen Glaubens waren rastlos beschäftigt, die Natur, den Erdboden, die menschliche Seele und die Wissenschaften von der Poesie zu säubern, jede Spur des Heiligen zu vertilgen, das Andenken an alle erhebenden Vorfälle und Menschen durch Sarkasmen zu verleiden und die Welt allen bunten Schmucks zu entkleiden. Das Licht war wegen seines mathematischen Gehorsams und seiner Frechheit ihr Liebling geworden, und so benannten sie nach ihm ihr großes Geschäft, Aufklärung. Schade, daß die Natur so wunderbar und unbegreiflich, so poetisch und unendlich blieb, allen Bemühungen sie zu modernisieren zum Trotz.

---

[5] **Religionsangelegenheit** matters of religion
[6] **wars . . . getan** Christianity was finished
[7] **Reformierte** members of the Reformed Church founded by Ulrich Zwingli (1484-1531) and John Calvin (1509-64)

Höchst merkwürdig ist diese Geschichte des modernen Unglaubens und der Schlüssel zu allen ungeheuren Phänomenen der neueren Zeit.

Alte und neue Welt[8] sind im Kampf begriffen, die Mangelhaftigkeit und Bedürftigkeit der bisherigen Staatseinrichtungen sind in furchtbaren Phänomenen offenbar geworden. Unter den streitenden Mächten kann kein Friede geschlossen werden, aller Friede ist nur Illusion, nur Waffenstillstand; auf dem Standpunkt der Kabinette, des gemeinen Bewußtseins, ist keine Vereinigung denkbar.

Wer weiß, ob des Krieges genug ist; aber er wird nie aufhören, wenn man nicht den Palmenzweig ergreift, den allein eine geistliche Macht darreichen kann. Es wird so lange Blut über Europa strömen, bis die Nationen ihren fürchterlichen Wahnsinn gewahr werden, der sie im Kreise herum treibt, und von heiliger Musik getroffen und besänftigt, zu ehemaligen Altären in bunter Vermischung treten, Worte des Friedens vernehmen, und ein großes Liebesmahl als Friedensfest auf den rauchenden Walstätten mit heißen Tränen gefeiert wird. Nur die Religion kann Europa wieder auferwecken und die Völker versöhnen und die Christenheit mit neuer Herrlichkeit sichtbar auf Erden in ihr altes, friedenstiftendes Amt installieren.

Georg Steinhausen:[1] *Biedermeierzeit*[2]

So unbehaglich war es gar nicht nach 1815 in Deutschland: es wurde viel gearbeitet, munter gesungen und gedichtet. Tüchtige Leute fehlten nicht. Zwar das Leben wurde einfacher und ärmlicher als vorher. Die Kriegslasten und Kontributionen, die Wunden, die

[8] **Alte und neue Welt** This refers to the world before and after the French Revolution.

From *Geschichte der deutschen Kultur,* 701-703. Leipzig and Vienna, Bibliographisches Institut, 1904.

[1] Steinhausen (1866-1933) was librarian of the city of Kassel and a teacher of history.

[2] The **Biedermeierzeit** (bieder—staunch and upright; Meier is as common a name in Germany as Smith or Brown in America) refers to the period 1815-48 in Germany. The term *Biedermeier* may originally have been used to describe the heavy and ornate furniture of that period, then came to caricature the general philistinism of the era.

die Kontinentalsperre[3] schlug, hatten Handel und Wandel gelähmt, das Land entvölkert, viel Wohlstand ruiniert und manchen Besitzenden zu kleinen Entsagungen geführt. 1816 auf 1817 hatte es auch eine große Hungersnot gegeben, und die Bettelplage schwoll noch einmal gewaltig an. Aber demgegenüber fehlte es nicht an Gegenbildern. Die Seehandelstädte hatten von der Kontinentalsperre auf ihre Art Gewinn gezogen. Es gab Leute, die als Kriegslieferanten oder als Finanziers reich geworden waren. Die Kriegsentschädigungen nach dem Frieden brachten viel Geld ins Land, nach Preußen 100 Millionen Francs. Sehr lohnend war die Landwirtschaft, die aus starker Ausfuhr Gewinn zog. Es kam sogar zu einer Spekulation in Gütern, deren Preise rasch stiegen, worauf dann allerdings in den zwanziger Jahren wieder eine landwirtschaftliche Krisis folgte. Um diese Zeit ebbte überhaupt alles wieder ab. England überschüttete schon lange Deutschland mit seinen Waren, Frankreich hob sich rasch und konkurrierte ebenfalls. Die landwirtschaftliche Ausfuhr ging zurück, das Geld wurde wieder knapper, die Preise sanken überall. So kam man auch wirtschaftlich zu einer resignierten, entsagenden, unfrischen Stimmung. *Beschränktheit der Verhältnisse,* die die Kraft des Einzelnen verzehrte, war die Signatur der Zeit. Auch die Wohnung zeigte die damalige dürftige Einfachheit wie die trotz der Romantik herrschende Nüchternheit. Die geradlinigen, steifen, durch die zugespitzten Tisch- und Stuhlbeine ärmlich erscheinenden, immerhin soliden Formen des Empire,[4] aus der antikisierenden Richtung des ausgehenden 18. Jahrhunderts geboren und von dem antirepublikanischen Geist der Revolution ausgebildet, paßten dazu ganz gut. Sie blieben auch in der Mittelschicht bewahrt, als die feine Welt sich nach 1815 dem neuen französischen Geschmack zuwandte, der nun das Rokoko mit seiner zur Zeitstimmung passenden Gedämpftheit und Schnörkelhaftigkeit (aber ohne seine liebenswürdigen Eigenschaften) zurückbrachte.

---

[3] The **Kontinentalsperre,** or Continental System as the English called it, was Napoleon's attempt, in 1806, to isolate England economically from the European Continent. The effects of the interruption of trade with England were particularly severe on the German seaports.
[4] Empire designates the style of furniture which originated during the Napoleonic Empire (1804-15), a style characterized by long curving lines and relative simplicity.

Burg Rheinstein. Stil, typisch für aufkeimenden idealen Patriotismus.

Dem entsprach ein Anwachsen jener Philisterhaftigkeit, des nur für kleine eigene Wohl besorgten Stillebens, das von der herrschenden Reaktion auch am liebsten gesehen wurde.

Diesem Philistertum war nun zwar die Romantik todfeind, aber echte Menschen konnte doch niemand weniger erziehen als sie. Gewiß hatte die stürmische Zeit kernhaftere Züge in sie hineingebracht: hell klangen die patriotischen Dichtungen des tüchtigen Arndt. Aus der Romantik sog auch die Wissenschaft, deren Zentrum jetzt Berlin war, immer neue, fruchtbare Anregungen: ihr entsproß vor allem die Germanistik, die deutsche Altertumswissenschaft. Wie sich ferner von der Begeisterung der Romantiker für das Mittelalter und die alte Kaiserherrlichkeit wohl verbindende Fäden zur späteren Reichsbegeisterung ziehen lassen, so hat auch die Geschichtswissenschaft der Romantik viel zu verdanken. Ihr entstammt das Hineinversetzen in die Seele der Vergangenheit, die objektive Behandlung derselben. Höchst fruchtbar erwies sich eine geschichtliche Auffassung der Dinge anstatt der rationalistischen: überall wurde das Werden verfolgt, im Recht wie in der Sprache, in der Religion.

Aber gleichwohl bewährte sich Goethes Wort, daß im Gegensatz zum Klassisch-Gesunden „das Romantische das Kranke" sei. Die *Ungesundheit* zeigte sich nicht nur in der auch von der neuen historischen Rechtsschule unterstützten, die Reaktion fördernden Staatslehre der Romantik, sie zeigte sich vor allem in der Unfähigkeit, das Leben mit den gepriesenen Anschauungen in Einklang zu bringen. Daher der in allen Schichten erkennbare Mangel an Willenskraft und Energie, daher die praktische Unbeholfenheit bei aller Bildung, Humanität und Toleranz, daher überall Resignation, daher aber zugleich Characterlosigkeit und leichtes Beugen unter die Macht der Verhältnisse. Das lassen nicht nur die Staatsmänner und Beamten erkennen, die in Preußen übrigens zum Teil ihre Tüchtigkeit aufs neue glänzend bewährten, sondern ebenso die Gelehrten, die noch systematisch bewiesen, daß das Mangelhafte so sein müsse. Daher schließlich wieder das leichte Vergessen eigener Art und die Bewunderung alles Fremden. Sehr bald verbreitete sich unter diesen Umständen, namentlich in Berlin, eine Decadenzstimmung, „eine Flucht vor allem Heiligen, Großherzigen und Schönen," wie Menzel[5] sagte, dafür Frivolität, äußeres Blendwerk, Effekthascherei, Geistreichigkeit und Blasiertheit. Aber auch die Kritik erhielt etwas ganz Unfreies. Der Mangel einer freien Presse brachte das Versteckte, Gequälte, die Anspielung hoch.

F. Schnabel: *Deutsche Geschichte im neunzehnten Jahrhundert*[1]

Die Romantik war ihrer subjektivistischen Herkunft entsprechend ursprünglich amoralisch und apolitisch; Chateaubriand[2] ist ein großes Beispiel. Er ging zur Politik über, als Poesie und Liebe im Abklingen waren und er eine neue Bühne für die Schaustellung seiner Persönlichkeit brauchte. Er richtete seine diplomatische Tätigkeit durchaus nach den Launen seines privaten Lebens, machte sie abhängig von seinen Liebeshändeln und ging aus verletzter Eitelkeit zur Opposition über, in keiner diplomatischen Stellung behauptete er sich länger als einige Monate, und den Mangel an Sachkunde, Willen und sittlichem Ernst ersetzte er durch gewandte oder bombastische Reden. Auch dies war ein neuer und zukunftsreicher Typus. Bis dahin war die Politik gemacht worden von Männern der Verwaltung oder der Theorie; Menschlichkeiten[3] hatten nie gefehlt, aber eine Arbeit am Staate ohne sachlichen Untergrund war undenkbar. Erst aus dem romantischem Ästhetentum entstand die moderne Figur des „raisonneur dans le vide,"[4] wie Napoleon von Chateaubriand gesagt hat. Soweit jedoch den Roman-

---

[5] Adolf Menzel (1818-1905) was a realistic artist whose woodcuts and paintings illustrated Germany's past military glories and the commercial rise of his time.

From *Deutsche Geschichte im neunzehnten Jahrhundert*, I, 301-303. Freiburg i. Br., Herder & Co. GmbH., 1929-37. Reprinted with permission of Verlag Herder, Freiburg.

[1] Franz Schnabel (b. 1887) has been professor of history at the University of Munich since 1947. He is one of Germany's leading historians, a specialist in German history of the nineteenth century. This excerpt comes from the first volume of his four-volume history.

[2] François René, Vicomte de Chateaubriand (1768-1848), French author and statesman.

[3] **Menschlichkeiten** here: individual cases of sympathy

[4] „**raisonneur dans le vide**" someone arguing in a vacuum (removed from reality)

tikern Aktivität überhaupt versagt war, haben sie wie Novalis auch den Staat zunächst nur poetisiert. Indessen—mit der Umkehr zur Bindung und Tradition war auch eine Bejahung des Staates unmittelbar verbunden. Wenn Schleiermacher[5] in den „Monologen" den ästhetischen Staat Schillers gepredigt hatte—also die vollkommene Gesellschaft, in der die schöne Sitte das Gesetz entbehrlich werden läßt—, so machte er in der Folge beim Aufbau seiner Ethik doch nicht die Persönlichkeit zur Trägerin des sittlichen Lebens, sondern die Gemeinschaft. Objekt der Ethik war ihm das „Leben der Vernunft in der Organisation." Von hier aus gewann er wie Fichte[6] und Humboldt[7] den Ausgleich des individuellen und des sozialen Daseins und fand ein neues Verhältnis wie zu Ehe und Kirche so auch zum Staate und zur Nation. Auch für ihn war dabei der Gedanke der Individualität die Brücke, die ohne inneren Bruch von dem alten zu dem neuen Standpunkte gelangen ließ. Die Ablehnung jeder abstrakten Vernunftreligion hatte schon in den „Monologen" zu dem durchaus subjektivistischen Satze geführt, daß es nur geschichtliche, positive Religionen gebe und daß jedes Volk also seine bestimmte, ihm eigene Religion habe. Von der Idee des eigentümlichen Volkes gelangte Schleiermacher dann auch zur Idee des eigentümlichen Staates, der aus inneren Gesetzen heraus sich entwickelt und nicht an abstrakte Verfassungsformen gebunden ist, sich vielmehr wandelt wie das Leben des Volkes selbst. Es konnte ja nicht ausbleiben, daß die Lehre vom individuellen und organischen Leben auch dem Staate zugute kam. Wenn das Weltall durch die Fülle von Individualitäten gefestigt und gekräftigt schien, so konnte auch der Staat begriffen werden als eine solche Individualität, die selber wieder aus Individuen sich zusammenfügt.

In der „Politik" des Aristoteles heißt es: „Dasjenige, woraus eine organische Einheit werden soll, muß sich der Art nach unterscheiden." Nur freilich war das Wesen des Organischen durch die

[5] Friedrich Ernst Daniel Schleiermacher (1768-1834), German philosopher and theologian.
[6] Johann Gottlieb Fichte (1762-1814), German philosopher, whose fiery *Reden an die deutsche Nation* in 1807-08 gave expression to the spirit of German nationalism in the Napoleonic era.
[7] Wilhelm von Humboldt (see p. 84) attempted to derive a philosophy of state wholly from what he considered the eternal dictates of reason, and thus to make the government of men less arbitrary, more humane and ethical.

Biologie des 18. Jahrhunderts, durch Albrecht von Haller[8] und
Goethe tiefer begriffen worden, als dies bei den Alten möglich
gewesen. So hatte schon Kant den Organismus neu definieren
können als das Ganze, das den Teilen vorangeht und sie von innen
her beherrscht und bildet. Die Anwendung auf den Staat findet
sich in der kantischen Rechtslehre noch nicht; seit Schelling[9] aber
wurde zum Ausdruck gebracht, daß auch der Staat keine abstrakte
Norm sei, sondern eine lebendige Persönlichkeit in einer viel-
fältigen Staatenwelt, und daß sein Wesen wie seine Kraft nicht in
abstrakter Herrschaft, sondern im Eigenleben seiner Glieder bestehe.
Indem der Gedanke des nationalen Staates aus der Idee vom
Volksgeiste sich entwickelte, ließ er die Freiheit der Persönlichkeit
in ganz anderer Weise zu als die bisherige Atomistik; diese hatte
den Einzelnen isoliert, zu einer Zahl gemacht und in willkürlich
konstruierte gesellschaftliche Mechanismen eingesetzt, deren viele
neben und gegeneinander arbeiteten. Das neue Lebensgefühl dagegen faßte das Verhältnis von Individuum und Gesamtheit persönlich, biologisch: der Einzelne findet Zweck und Wert in der Hingabe
an die Gemeinschaft, diese selbst aber ist abermals eine Persönlichkeit eigenen Rechtes und selbst wieder zugehörig einer übergeordne-
ten Einheit. Als eine dieser Gemeinschaften erschien nun auch der
nationale Staat: auch er lebte in einer Fülle von Individualitäten,
er beruht auf der freien Hingabe seiner Glieder und ist selbst wieder
ein Glied der großen Gemeinschaft Europas. So ist der Gedanke
des nationalen Staates von der Romantik aus einer tiefen und
umfassenden Weltanschauung herausgearbeitet und in einen großen
und starken Lebenszusammenhang gestellt worden. Geachtet blieben
die eigenen Rechte der Menschen und ihrer Korporationen, geachtet
auch das erhabene Ideal der Menschheit, das die Atomistik im
Kampfe der Staaten hatte untergehen sehen oder durch einen
Völkerverein oder ein mechanisches Weltreich im Stile des napoleonischen Empire hatte festhalten wollen. Der Gedanke des
nationalen Staates ist im Anfang des 19. Jahrhunderts von der
Romantik so gefaßt worden, daß er mit der Freiheit der Gewissen

[8] Albrecht von Haller (1708-77), Swiss nature poet and physician.
[9] Friedrich Wilhelm Joseph von Schelling (1775-1824), whose ideal of intellectual
intuition represents German philosophy's extreme in the reaction to Kantian ideas.

und mit den Ideen des Christentums und der Menschlichkeit zusammenstimmte. Aber schon in der Not der napoleonischen Fremdherrschaft haben auch im Kreise der Romantik leidenschaftliche oder flache Naturen den nationalen Gedanken zu umschränkter Geltung erhoben, und je mehr dann im 19. Jahrhundert die nationalstaatliche Bewegung ihrer Erfüllung entgegenging und je mehr sie durch die dem Jahrhundert eigene Verweltlichung und Materialisierung aller Gedanken vergröbert wurde, desto gründlicher entledigte sie sich der geistigen und menschlichen Beziehungen.

VI

1848

Im Februar 1848 führten die revolutionären Ereignisse in Paris zum Sturz der Monarchie und zur Bildung einer republikanischen Regierung in Frankreich. In den folgenden Monaten setzte sich die revolutionäre Bewegung auch in den meisten anderen Ländern Europas durch. In Deutschland, wie überall, verlangte die bürgerlich-liberale Schicht der Bevölkerung die Abschaffung der absoluten Monarchie. Die Forderungen der anderen deutschen Bevölkerungsschichten waren nicht in allen Einzelheiten dieselben, aber alle Deutschen waren sich darin einig, daß drei grundlegende Ziele anzustreben seien: persönliche Freiheit, ein geeintes Deutschland, und ein allgemein, gleich und geheim gewähltes Parlament.

Die revolutionäre Stimmung breitete sich in fast allen deutschen Staaten aus. Der Verlauf war überall der gleiche. Am Anfang, im März und April 1848, schien die Revolution noch erfolgreich: in Preußen und Österreich wurde dem Volk eine Verfassung versprochen, unpopuläre Minister wurden entlassen, und die Fürsten und Könige posierten als verfassungsmäßig ernannte Monarchen. Im ersten Anlauf der Revolution wurde auch der österreichische Staatskanzler Metternich gestürzt. Mit seinem Rücktritt wurde ein Zeitalter abgeschlossen. Zur revolutionären

Beseitigung aller Einzelstaaten und Dynastien und zur Schaffung einer
nationalen Republik war Deutschland jedoch noch nicht reif.

Trotz der Einwände vieler Fürsten wurden in allen deutschen Staaten
Abgeordnete zu einem Nationalparlament in Frankfurt am Main gewählt.
Die Aufgabe dieser Versammlung, die am 18. Mai 1848 eröffnet wurde,
war es, einen Nationalstaat zu schaffen und ihm eine Verfassung zu geben.
Zum ersten Mal wurden in Deutschland politische Fragen in der Öffentlichkeit debattiert. Es wurde bald klar, daß es der Nationalversammlung
nicht gelingen würde, das Problem vom Verhältnis des Nationalstaates
zum Einzelstaat zu lösen. Eine Faktion der Abgeordneten wollte Österreich aus dem Nationalstaat ausschließen, da sich ein guter Teil der österreichischen Bevölkerung aus Magyaren und Slawen zusammensetzte.
Noch eine andere Faktion aber fürchtete, daß der Ausschluß Österreichs
vom zukünftigen Deutschen Reich zur Vorherrschaft Preußens führen
würde.

Auch die politische Gestaltung der künftigen Nation stellte die Versammlung vor ein schwieriges Problem, da eine Gruppe der Abgeordneten
für die Republik eintrat, eine andere für die Monarchie. Erst im März
1849 kam es zur entscheidenden Abstimmung. Sie ergab einen Kompromiß: die Abgeordneten entschieden sich für eine stark freiheitliche
Verfassung und wählten den König von Preußen zum erblichen Kaiser
Deutschlands. Doch Friedrich Wilhelm IV wollte die Kaiserkrone nicht
aus den Händen der Revolution empfangen. Die Vorgänge des Jahres
1848 machen das leicht verständlich. In Preußen hatte schon eine
Gegenrevolution begonnen, die sich bald auch in den andern Staaten
ausbreitete. Als Friedrich Wilhelm die Kaiserkrone ablehnte, herrschten
in Berlin Polizei und Militär mehr denn je. Vor der Revolution brauchte
er sich nicht mehr zu fürchten.

Deutschland hatte also zum zweitenmal den Anschluß an die Entwicklung in den westeuropäischen Ländern nicht gefunden. Die Reaktion
hatte aus zwei Gründen gesiegt: die Abgeordneten konnten sich über
keine Regierungsform einigen, und die Arbeiterklasse glaubte sich von
den bürgerlichen Führern der Revolution verraten. Der deutsche Nationalismus bekam von da an einen zunehmend konservativen politischen
Anstrich und rückte von seiner früheren demokratischen Einstellung
immer mehr ab. Die neuen revolutionären Kräfte, die sich jetzt regten,
stammten nicht mehr aus dem liberalen Bürgertum, sondern aus der

Bewegung des jungen Proletariats. Ihre Richtung erhielt diese durch den Fehlschlag der Revolution entstandene Arbeiterbewegung aus den Lehren von Karl Marx. Die sozialen und politischen Probleme des Proletariats innerhalb einer industriellen Gesellschaft bestanden fort. Im Jahre 1848 wurde auch ein Werk von Karl Marx und Friedrich Engels veröffentlicht: *Manifest der kommunistischen Partei.*

Trotz aller Rückfälle erreichte die deutsche Mittelklasse das wichtigste gesellschaftliche Ziel, das sie sich gesetzt hatte: dem Bürgertum mußte eine Rolle in der Verwaltung des erwachenden Industriestaates gegeben werden. Der absoluten Monarchie war ein Ende gesetzt, weil das Staatswesen viel komplizierter geworden war. Zu einer Liberalisierung der staatlichen Bürokratie ließ es die Gegenrevolution jedoch nie kommen. Für Deutschland hatte das, was sich im Jahre 1848 *nicht* ereignete, die größten und nachhaltigsten Wirkungen.

Georg Büchner: *Der Hessische Landbote*[1]

VORBERICHT

Dieses Blatt soll dem hessischen Lande die Wahrheit melden, aber wer die Wahrheit sagt, wird gehenkt; ja sogar der, welcher die Wahrheit liest, wird durch meineidige Richter vielleicht gestraft. Darum haben die welchen dies Blatt zukommt, folgendes zu beobachten:

1. Sie müssen das Blatt sorgfältig außerhalb ihres Hauses vor der Polizei verwahren;
2. sie dürfen es nur an treue Freunde mitteilen;

From „Der Hessische Landbote," in *Werke und Briefe,* edited by Fritz Bergemann, 323-326, 329-332, 335. Leipzig, Inselverlag, n. d.

[1] Büchner (1813-37) was known in his lifetime primarily as a political agitator. He was forced to flee from Germany and died in exile. Today he is looked upon as a dramatist who was possibly a hundred years ahead of his time: *Dantons Tod* (1835), and especially *Woyzeck* (not published until 1879), read more like expressionist dramas of the 1920's than anything written in the nineteenth century, both in form and theme. The original manuscript of *Der Hessische Landbote,* written by Büchner to arouse his Hessian countrymen against their oppressors, was lost. The version from which the excerpts here are taken, is the one edited by Büchner's friend, the pastor Friedrich Ludwig Weidig.

3. denen, welchen sie nicht trauen wie sich selbst, dürfen sie es nur heimlich hinlegen;

4. würde das Blatt dennoch bei einem gefunden, der es gelesen hat, so muß er gestehen, daß er es eben dem Kreisrat[2] habe bringen wollen;

5. wer das Blatt nicht gelesen hat, wenn man es bei ihm findet, der ist natürlich ohne Schuld.

Friede den Hütten! Krieg den Palästen!

Im Jahr 1834 siehet es aus, als würde die Bibel Lügen gestraft.[3] Es sieht aus, als hätte Gott die Bauern und Handwerker am fünften Tage und die Fürsten und Vornehmen am sechsten gemacht, und als hätte der Herr zu diesen gesagt; „Herrschet über alles Getier, das auf Erden kriecht," und hätte die Bauern und Bürger zum Gewürm gezählt. Das Leben der Vornehmen ist ein langer Sonntag: sie wohnen in schönen Häusern, sie tragen zierliche Kleider, sie haben feiste Gesichter und reden eine eigne Sprache; das Volk aber liegt vor ihnen wie Dünger auf dem Acker. Der Bauer geht hinter dem Pflug, der *Vornehme* aber geht hinter ihm und dem Pflug und treibt ihn mit den Ochsen am Pflug, er nimmt das Korn und läßt ihm die Stoppeln. Das Leben des Bauern ist ein langer Werktag; Fremde verzehren seine Äcker vor seinen Augen, sein Leib ist eine Schwiele, sein Schweiß ist das Salz auf dem Tische des *Vornehmen.*

Im Großherzogtum Hessen sind 718 373 Einwohner, die geben an den Staat jährlich an 6 363 436 Gulden, als

1. Direkte Steuern	2 128 131	Fl.
2. Indirekte Steuern	2 478 364	''
3. Domänen	1 547 394	''
4. Regalien	46 938	''
5. Geldstrafen	98 511	''
6. Verschiedene Quellen	64 198	''
	6 363 436	Fl.

Dies Geld ist der Blutzehnte,[4] der von dem Leib des Volkes genommen wird. An 700 000 Menschen schwitzen, stöhnen und hungern

---

[2] **Kreisrat** here: district magistrate
[3] **als . . . gestraft** as if the Bible would have to be called a liar
[4] **der Blutzehnte** the tithe of blood

dafür. Im Namen des Staates wird es erpreßt, die Presser berufen
sich auf die Regierung, und die Regierung sagt, das sei nötig, die
Ordnung im Staat zu erhalten. Was ist denn nun das für gewaltiges
Ding: der Staat? Wohnt eine Anzahl Menschen in einem Land und
es sind Verordnungen oder Gesetze vorhanden, nach denen jeder
sich richten muß, so sagt man, sie bilden einen Staat. Der Staat also
sind alle; die Ordner im Staate sind die Gesetze, durch welche das
Wohl aller gesichert wird und die aus dem Wohl aller hervorgehen
sollen.—Seht, nun, was man in dem Großherzogtum aus dem Staat
gemacht hat; seht, was es heißt: die Ordnung im Staate erhalten!
700 000 Menschen bezahlen dafür 6 Millionen, d. h. sie werden zu
Ackergäulen und Pflugstieren gemacht, damit sie in Ordnung leben.
In Ordnung leben heißt hungern und geschunden werden.

Wer sind denn die, welche diese Ordnung gemacht haben und
die wachen, diese Ordnung zu erhalten? Das ist die Großherzogliche
Regierung. Die Regierung wird gebildet von dem Großherzog und
seinen obersten Beamten. Die andern Beamten sind Männer, die
von der Regierung berufen werden, um jene Ordnung in Kraft zu
erhalten. Ihre Anzahl ist Legion: Staatsräte und Regierungsräte,
Landräte und Kreisräte, geistliche Räte und Schulräte, Finanzräte
und Forsträte usw. mit allem ihrem Heer von Sekretären usw. Das
Volk ist ihre Herde, sie sind seine Hirten, Melker und Schinder;
sie haben die Häute der Bauern an, der Raub der Armen ist in ihrem
Hause; die Tränen der Witwen und Waisen sind das Schmalz auf
ihren Gesichtern; sie herrschen frei und ermahnen das Volk zur
Knechtschaft. Ihnen gebt ihr 6 000 000 Fl. Abgaben; sie haben
dafür die Mühe, euch zu regieren; d. h. sich von euch füttern zu
lassen und euch eure Menschen- und Bürgerrechte zu rauben. Sehet,
was die Ernte eures Schweißes ist!

Für das Ministerium des Innern und der Gerechtigkeitspflege
werden bezahlt 1 110 607 Gulden. Dafür habt ihr einen Wust von
Gesetzen, zusammengehäuft aus willkürlichen Verordnungen aller
Jahrhunderte, meist geschrieben in einer fremden Sprache. Der
Unsinn aller vorigen Geschlechter hat sich darin auf euch vererbt,
der Druck, unter dem sie erlagen, sich auf euch fortgewälzt. Das
Gesetz ist das Eigentum einer unbedeutenden Klasse von *Vornehmen*
und Gelehrten, die sich durch ihr eignes Machwerk die Herrschaft

zuspricht. Diese Gerechtigkeit ist nur ein Mittel, euch in Ordnung zu halten, damit man euch bequemer schinde; sie spricht nach Gesetzen, die ihr nicht versteht, nach Grundsätzen, von denen ihr nichts wißt, Urteile, von denen ihr nichts begreift. Unbestechlich ist sie, weil sie sich gerade teuer genug bezahlen läßt, um keine Bestechung zu brauchen. Aber die meisten ihrer Diener sind der Regierung mit Haut und Haar verkauft. Ihre Ruhestühle stehen auf einem Geldhaufen von 461 373 Gulden (so viel betragen die Ausgaben für die Gerichtshöfe und die Kriminalkosten). Die Fräcke, Stöcke und Säbel ihrer unverletzlichen Diener sind mit dem Silber von 197 502 Gulden beschlagen (so viel kostet die Polizei überhaupt, die Gendarmerie usw). Die Justiz ist in Deutschland seit Jahrhunderten die Hure der deutschen Fürsten. Jeden Schritt zu ihr müßt ihr mit Silber pflastern, und mit Armut und Erniedrigung erkauft ihr ihre Sprüche. Denkt an das Stempelpapier, denkt an euer Bücken in den Amtsstuben und euer Wachestehen vor denselben. Denkt an die Sporteln für Schreiber und Gerichtsdiener. Ihr dürft euern Nachbar verklagen, der euch eine Kartoffel stiehlt; aber klagt einmal über den Diebstahl, der von Staats wegen unter dem Namen von Abgabe und Steuern jeden Tag an eurem Eigentum begangen wird, damit eine Legion unnützer Beamten sich von eurem Schweiße mästen; klagt einmal, daß ihr der Willkür einiger Fettwänste überlassen seid und daß diese Willkür Gesetz heißt, klagt, daß ihr die Ackergäule des Staates seid, klagt über eure verlorne Menschenrechte: wo sind die Gerichtshöfe, die eure Klage annehmen, wo die Richter, die Recht sprächen?—Die Ketten eurer Vogelsberger[5] Mitbürger, die man nach Rockenburg[6] schleppte, werden euch Antwort geben.

Und will endlich ein Richter oder ein andrer Beamte von den wenigen, welchen das Recht und das gemeine Wohl lieber ist als ihr Bauch und der Mammon, ein Volksrat und kein Volksschinder sein, so wird er von den obersten Räten des Fürsten selber geschunden.

[5] **Vogelsberg** In this Hessian town the peasants rebelled in 1830, but were cut down by the military.
[6] **Rockenburg** The prison in which the survivors of the Vogelsberg uprising were incarcerated.

Im Jahr 1789 war das Volk in Frankreich müde, länger die
Schindmähre seines Königs zu sein. Es erhob sich und berief
Männer, denen es vertraute, und die Männer traten zusammen und
sagten, ein König sei ein Mensch wie ein anderer auch, er sei nur
der erste Diener im Staat, er müsse sich vor dem Volk verantworten,
und wenn er sein Amt schlecht verwalte, könne er zur Strafe
gezogen werden. Dann erklärten sie die Rechte des Menschen:
„Keiner erbt vor dem andern mit der Geburt ein Recht oder einen
Titel, keiner erwirbt mit dem Eigentum ein Recht vor dem andern.
Die höchste Gewalt ist in dem Willen aller oder der Mehrzahl.
Dieser Wille ist das Gesetz, er tut sich kund durch die Landstände
oder die Vertreter des Volks, sie werden von allen gewählt, und
jeder kann gewählt werden; diese Gewählten sprechen den Willen
ihrer Wähler aus, und so entspricht der Wille der Mehrzahl unter
ihnen dem Willen der Mehrzahl unter dem Volke; der König hat
nur für die Ausübung der von ihnen erlassenen Gesetze zu sorgen."
Der König schwur, dieser Verfassung treu zu sein; er wurde aber
meineidig an dem Volke, und das Volk richtete ihn, wie es einem
Verräter geziemt. Dann schafften die Franzosen die erbliche
Königswürde ab und wählten frei eine neue Obrigkeit, wozu jedes
Volk nach der Vernunft und der Heiligen Schrift das Recht hat.
Die Männer, die über die Vollziehung der Gesetze wachen sollten,
wurden von der Versammlung der Volksvertreter ernannt, sie
bildeten die neue Obrigkeit. So waren Regierung und Gesetzgeber
vom Volk gewählt, und Frankreich war ein Freistaat.

Die übrigen Könige aber entsetzten sich vor der Gewalt des
französischen Volkes; sie dachten, sie könnten alle über der ersten
Königsleiche den Hals brechen, und ihre mißhandelten Untertanen
möchten bei dem Freiheitsruf der Franken erwachen. Mit gewal-
tigem Kriegsgerät und reisigem Zeug stürzten sie von allen Seiten
auf Frankreich, und ein großer Teil der Adligen und *Vornehmen*
im Lande stand auf und schlug sich zu dem Feind. Da ergrimmte
das Volk und erhob sich in seiner Kraft. Es erdrückte die Verräter
und zerschmetterte die Söldner der Könige. Die junge Freiheit
wuchs im Blut der Tyrannen, und vor ihrer Stimme bebten die
Throne und jauchzten die Völker. Aber die Franzosen verkauften
selbst ihre junge Freiheit für den Ruhm, den ihnen Napoleon darbot,

und erhoben ihn auf den Kaiserthron.—Da ließ der Allmächtige das Heer des Kaisers in Rußland erfrieren und züchtigte Frankreich durch die Knute der Kosaken und gab den Franzosen die dickwanstigen Bourbonen wieder zu Königen, damit Frankreich sich bekehre vom Götzendienst der erblichen Königsherrschaft und dem Gotte diene, der die Menschen frei und gleich geschaffen. Aber als die Zeit seiner Strafe verflossen war und tapfere Männer im Julius 1830 den meineidigen König Karl den Zehnten [7] aus dem Lande jagten, da wendete dennoch das befreite Frankreich sich abermals zur halberblichen Königsherrschaft und band sich in dem Heuchler Louis Philipp [8] eine neue Zuchtrute auf. In Deutschland und ganz Europa aber war große Freude, als der zehnte Karl vom Thron gestürzt ward, und die unterdrückten deutschen Länder rüsteten sich zum Kampf für die Freiheit. Da ratschlagten die Fürsten, wie sie dem Grimm des Volkes entgehen sollten, und die listigen unter ihnen sagten: Laßt uns einen Teil unserer Gewalt abgeben, daß wir das übrige behalten. Und sie traten vor das Volk und sprachen: Wir wollen euch die Freiheit schenken, um die ihr kämpfen wollt. Und zitternd vor Furcht warfen sie einige Brocken hin und sprachen von ihrer Gnade. Das Volk traute ihnen leider und legte sich zur Ruhe.—Und so ward Deutschland betrogen wie Frankreich.

Hebt die Augen auf und zählt das Häuflein eurer Presser, die nur stark sind durch das Blut, das sie euch aussaugen, und durch eure Armee, die ihr ihnen willenlos leiht. Ihrer sind vielleicht 10 000 im Großherzogtum und eurer sind es 700 000, und also verhält sich die Zahl des Volkes zu seinen Pressern auch im übrigen Deutschland. Wohl drohen sie mit dem Rüstzeug und den Reisigen der Könige, aber ich sage euch: Wer das Schwert erhebt gegen das Volk, der wird durch das Schwert des Volkes umkommen. Deutschland ist jetzt ein Leichenfeld, bald wird es ein Paradies sein. Das deutsche Volk ist ein Leib, ihr seid ein Glied dieses Leibes. Es ist einerlei, wo die Scheinleiche zu zucken anfängt. Wann der Herr euch seine

[7] Charles X (1824-30) tried to restore absolute monarchy in France, but was overthrown by the July Revolution in 1830.
[8] Louis Philippe (1830-48) first promised to be a democratic king, but then ruled in the typically autocratic and arbitrary fashion of the Bourbon kings until he was deposed by the Revolution in February 1948.

Zeichen gibt durch die Männer, durch welche er die Völker aus der
Dienstbarkeit zur Freiheit führt, dann erhebet euch, und der ganze
Leib wird mit euch aufstehen.

Der Entwurf zum Reichsgrundgesetz—Gutachten der 17 Vertrauensmänner der Bundesversammlung vom 26. April 1848[1]

ARTIKEL IV. GRUNDRECHTE DES DEUTSCHEN VOLKES

Das Reich gewährleistet dem deutschen Volke folgende Grundrechte, welche zugleich der Verfassung jedes einzelnen deutschen
Staates zur Norm dienen sollen:

a) eine Volksvertretung mit entscheidender Stimme bei der Gesetzgebung und der Besteuerung, und mit Verantwortlichkeit der
Minister gegen die Volksvertreter;

b) Öffentlichkeit der Ständeversammlungen;

c) eine freie Gemeindeverfassung auf Grundlage selbständiger
Verwaltung in Gemeinde-Angelegenheiten;

d) Unabhängigkeit der Gerichte, Unabsetzbarkeit der Richter
außer nach Urteil und Recht; Öffentlichkeit und Mündlichkeit
des Gerichtsverfahrens mit Schwurgerichten, in Kriminalsachen
und bei allen politischen Vergehen; Vollziehbarkeit der rechts-
kräftigen Erkenntnisse deutscher Gerichte im ganzen Gebiete
des Reichs;

e) Gleichheit aller Stände in Betreff der Staats- und Gemeinde-
lasten und der Amtsfähigkeit;

From „Der Entwurf zum Reichsgesetz—Gutachten der 17 Vertrauensmänner der
Bundesversammlung vom 26. April 1848," in *Dokumente der Deutschen Politik
und Geschichte von 1848 bis zur Gegenwart,* edited by Johannes Hohlfeld, I,
31-32. Berlin, Dokumenten-Verlag Dr. Herbert Wendler & Co., 1951. Reprinted
with permission of Dokumenten-Verlag Dr. Herbert Wendler & Co. K-G, Berlin.

[1] In April 1848 the *Bundestag,* the assembly of the loose federation of German
states (see p. 83), delegated a committee of seventeen to revise the constitution
of the *Bund.* Although the outline for a new constitution created by this committee had little political impact, since it was still bound to the discredited
Bundestag, its insistence on basic individual rights reflects the demands of the
liberals of the time. It is the direct antecedent of the Frankfurt Constitution of
1849, which has much in common wih the first ten amendments of the American
Constitution.

f) allgemeine Bürgerwehr;

g) freies Versammlungs- und Vereins-Recht, mit Vorbehalt eines Gesetzes gegen den Mißbrauch;

h) unbeschränktes Petitionsrecht, sowohl der Einzelnen als der Körperschaften;

i) das Recht jedes Beteiligten, Beschwerde über gesetzwidriges Verfahren einer Behörde, nach vergeblichem Anruf der vorgesetzen Behörden, an die Landstände und, sofern eine Verletzung von Reichsgesetzen behauptet wird, an eines der Häuser des Reichstags mit der Bitte um Verwendung zu bringen;

k) Preßfreiheit, ohne irgend eine Beschränkung durch Zensur, Konzessionen und Kautionen; Aburteilung der Preßvergehen durch Schwurgerichte;

l) Unverbrüchlichkeit des Briefgeheimnisses, unter gesetzlicher Normierung der bei Kriminaluntersuchungen und in Kriegsfällen notwendigen Beschränkungen;

m) Sicherstellung der Person gegen willkürliche Verhaftung und Haussuchung durch eine habeas-corpus-Akte;

n) Berechtigung aller Angehörigen des deutschen Reichs, in jedem einzelnen Staate und an jedem Orte ihren Aufenthalt zu nehmen, und unter den nämlichen Bedingungen, wie die Angehörigen des betreffenden Staats, Grundstücke zu erwerben und Gewerbe zu betreiben;

o) Auswanderungsfreiheit;

p) Freiheit der Wahl des Berufs und der Bildung dazu im In- und Auslande;

q) Freiheit der Wissenschaft;

r) Freiheit des Glaubens und der privaten und öffentlichen Religionsübung; Gleichheit aller Religionsparteien in bürgerlichen und politischen Rechten;

s) Freiheit volkstümlicher Entwickelung, insbesonders auch der nicht deutschen Volksstämme durch Gleichberechtigung ihrer Sprache in Rücksicht auf Unterricht und innere Verwaltung.

Hans Blum: *Die Antwort des Königs, 3. April 1849*[1]

Mit großer Pracht und Feierlichkeit empfing der König zur festgesetzten Stunde die Frankfurter Kaiserdeputation, im großen Rittersaale, unter dem Thronhimmel stehend, in Uniform, den Helm im Arme, umgeben von den Prinzen, Ministern, dem militärischen und persönlichen Hofstaat. Präsident Simson[2] trat vor, hielt eine kurze bewegende Anrede und überreichte die Ausfertigung der Reichsverfassung und des Protokolls über die Kaiserwahl. Dann sprach der König die Worte, die das Schicksal Deutschlands entscheiden sollten, in freier Rede, mit lauter Stimme. Er äußerte seine Befriedigung über den an ihn ergangenen Ruf, in dem er „die Stimme der Vertretung des deutschen Volkes erkenne" und der ihm ein Anrecht gebe, dessen Wert er zu schätzen wisse. Für das Vertrauen, das er ehre, bat er seinen Dank an die Nationalversammlung zu vermitteln, versicherte auch, daß Preußen zu Deutschlands Schutz und Schirm stets bereit sei. Das alles klang noch nicht entmutigend; nun aber ließ der König die Stimme noch mehr anschwellen, hob die Augen gen Himmel und rief: „vor dem Könige der Könige" sei er mit seinem Gewissen zu Rate gegangen und könne die ihm dargebotene Krone erst annehmen, wenn die anderen Fürsten dieser Würde sowohl zugestimmt, als auch unter sich und mit ihm selbst sich darüber verständigt hätten, „ob die Reichsverfassung in ihrer dermaligen Gestalt dem Einzelnen wie dem Ganzen frommen, ob die ihm als Reichsoberhaupt zugedachten Rechte ihn in den Stand setzen würden, mit starker Hand die Geschicke Deutschlands zu leiten und die Hoffnungen seiner Völker zu erfüllen."

Mit tiefer Bekümmernis und Bestürzung vernahm die Deputation diese Worte; tief erschüttert kehrte sie aus dem Schlosse zurück.

From *Die deutsche Revolution 1848-1849*, 383-384. Jena and Leipzig, Eugen Diedrichs, 1905.

[1] On March 28, 1849, the Frankfurt Assembly voted to offer Friedrich Wilhelm IV the imperial crown. His refusal to accept it, because he wished to accept such an honor only from his fellow princes, made the efforts of the Assembly useless, and dealt the liberal and national movement in Germany its severest setback. A written refusal followed the answer to the delegation on May 15.
    Hans Blum (1841-1910), Leipzig jurist, advocate of social democracy.

[2] Eduard Simson (1810-99) was a liberal politician and president of the Frankfurt Assembly.

Karl Marx: *Rede vor den Kölner Geschworenen*[1]

EXCERPT I

Die *moderne bürgerliche Gesellschaft,* unsere Gesellschaft, beruht auf der Industrie und dem Handel. Das Grundeigentum selbst hat alle seine ehemaligen Existenzbedingungen verloren, es ist abhängig geworden von dem Handel und der Industrie. Die Agrikultur wird daher heutzutage industriell betrieben, und die alten Feudalherren sind herabgesunken zu Fabrikanten von Vieh, Wolle, Korn, Runkelrüben, Schnaps u. dgl., zu Leuten, die mit diesen Industrieprodukten Handel treiben wie jeder andere Handelsmann!

So sehr sie an ihren alten Vorurteilen festhalten mögen, in der Praxis verwandeln sie sich in Bürger, die zu wenigst möglichen Kosten möglichst viel produzieren, die einkaufen, wo am billigsten einzukaufen und verkaufen, wo am teuersten zu verkaufen ist. Die Lebens-, die Produktions-, die Erwerbsweise dieser Herren zeigt also schon ihre überkommenen hochtrabenden Einbildungen der Lüge. Das Grundeigentum als das herrschende gesellschaftliche Element setzt die *mittelalterliche Produktions- und Verkehrsweise* voraus. Der Vereinigte Landtag vertrat diese mittelalterliche Produktions- und Verkehrsweise, die längst aufgehört hatte zu existieren, und deren Repräsentanten, so sehr sie an den alten Privilegien festhalten, ebenso sehr die Vorteile der neuen Gesellschaft mitgenießen und ausbeuten. Die neue bürgerliche auf ganz anderen Grundlagen, auf einer veränderten Produktionsweise beruhende Gesellschaft mußte auch die politische Macht an sich reißen; sie mußte sie den Händen entreißen, welche die Interessen der untergehenden Gesellschaft vertraten, eine politische Macht, deren ganze Organisation aus ganz verschiedenen materiellen Gesellschaftsverhältnissen hervorgegan-

From „Rede vor den Kölner Geschworenen," in *Politische Schriften,* edited by Hans-Joachim Lieber, I, 102-105, 113-116. Stuttgart, Cotta-Verlag, 1960. Reprinted with permission of J. G. Cotta'sche Buchhandlung Nachf. GmbH., Stuttgart.

[1] Karl Heinrich Marx (1818-83), editor in chief of the *Neue Rheinische Zeitung* in 1848, was put on trial for treason in February 1849 for inciting rebellion because of what had been published in that paper on November 18, 1848. He was acquitted but expelled from Prussia. In 1864, while in exile in London, he founded the International Working Men's Association. *Das Kapital* was published in 1867. These excerpts from the defendant's speech to the jury were first printed in the *Neue Rheinische Zeitung* on February 19, 25, 27, and 28, 1849.

Zeitgenössische Photographie von Karl Marx

gen war. *Daher die Revolution.* Die Revolution war daher ebenso sehr gegen das *absolute Königtum* gerichtet, den höchsten politischen Ausdruck der alten Gesellschaft, als gegen die *ständische Vertretung,* die eine längst durch die moderne Industrie vernichtete gesellschaftliche Ordnung oder höchstens noch anmaßliche Trümmer der täglich mehr von der bürgerlichen Gesellschaft überflügelten, in den Hintergrund gedrängten aufgelösten Stände repräsentierte. Wie kam man also auf den Einfall, den Vereinigten Landtag, den Vertreter der alten Gesellschaft der neuen, in der Revolution sich zu ihrem Rechte bringenden Gesellschaft Gesetze diktieren zu lassen?

Angeblich, um den *Rechtsboden* zu behaupten. Aber meine Herren, was verstehen Sie denn unter Behauptung des Rechtsbodens?

Die Behauptung von Gesetzen, die einer vergangenen Gesellschaftsepoche angehören, die von Vertretern untergegangener oder untergehender gesellschaftlicher Interessen gemacht sind, also auch nur diese im Widerspruch mit den allgemeinen Bedürfnissen befindlichen Interessen zum Gesetz erheben.

Die Gesellschaft beruht aber nicht auf dem Gesetze. Es ist das eine juristische Einbildung.

Das Gesetz muß vielmehr auf der Gesellschaft beruhen, es muß Ausdruck ihrer gemeinschaftlichen, aus der jedesmaligen materiellen Produktionsweise hervorgehenden Interessen und Bedürfnissen gegen die Willkür des einzelnen Individuums sein.

Hier, der Code Napoleon,[2] den ich in der Hand habe, er hat nicht die moderne bürgerliche Gesellschaft erzeugt. Die im 18. Jahrhundert entstandene, im 19. fortentwickelte bürgerliche Gesellschaft findet vielmehr im Code nur einen gesetzlichen Ausdruck. Sobald er den gesellschaftlichen Verhältnissen nicht mehr entspricht, ist er nur noch ein Ballen Papier. Sie können die alten Gesetze nicht zur Grundlage der neuen gesellschaftlichen Entwicklung machen, so wenig als diese alten Gesetze die alten gesetzlichen Zustände gemacht.

[2] **Code civil des Francais** the French civil code of 1804, revised as the Napoleonic Code in 1807. This code of civil law was introduced into areas of Southwest Germany. In the Rhine province it remained in use even after unification with Prussia. The Code Napoléon was, in general, based on the human rights attained by the French Revolution.

Aus diesen alten Zuständen sind sie hervorgegangen, mit ihnen müssen sie untergehen. Sie verändern sich notwendig mit den wechselnden Lebensverhältnissen. Die Behauptung der alten Gesetze gegen die neuen Bedürfnisse und Ansprüche der gesellschaftlichen Entwicklung ist im Grunde nichts anderes, als die scheinheilige Behauptung unzeitgemäßer Sonderinteressen gegen das zeitgemäße Gesamtinteresse.

Diese Behauptung des Rechtsbodens will solche Sonderinteressen als *herrschende* geltend machen, während sie *nicht mehr herrschen;* sie will der Gesellschaft Gesetze aufdringen, die durch die Lebensverhältnisse dieser Gesellschaft, durch ihre Erwerbsweise, ihren Verkehr, ihre materielle Produktion selbst verurteilt sind, sie will Gesetzgeber in Funktion halten, die nur noch Sonderinteressen verfolgen, sie will die Staatsmacht mißbrauchen, um gewaltsam die Interessen der Minorität den Interessen der Majorität überzuordnen. Sie tritt also jeden Augenblick in Widerspruch mit den vorhandenen Bedürfnissen, sie hemmt den Verkehr, die Industrie, sie bereitet *gesellschaftliche Krisen* vor, die in *politischen Revolutionen* zum Ausbruch kommen.

Das ist der wahre Sinn der Anhänglichkeit an den Rechtsboden und der Behauptung des Rechtsbodens. Und auf diese Phrase vom Rechtsboden hin, die entweder auf bewußtem Betrug oder auf bewußtloser Selbsttäuschung beruht, stützte man die Zusammenberufung des Vereinigten Landtages, ließ man diesen Landtag organische Gesetze für die durch die Revolution notwendig gewordene und durch sie erzeugte Nationalversammlung fabrizieren. Und nach diesen Gesetzen will man die Nationalversammlung richten!

Die Nationalversammlung repräsentierte die moderne bürgerliche Gesellschaft gegenüber der im Vereinigten Landtage vertretenen feudalen Gesellschaft. Sie war vom Volke gewählt, um selbständig eine Verfassung festzusetzen, die den mit der bisherigen politischen Organisation und den bisherigen Gesetzen in Konflikt getretenen Lebensverhältnissen entspreche.

Sie war daher von vornherein souverän, konstituierend. Wenn sie sich gleichwohl auf den Vereinbarerstandpunkt herabließ, so war das rein formelle Höflichkeit gegen die Krone, reine Zeremonie. Ich brauche hier nicht zu untersuchen, ob die Versammlung dem Volke gegenüber das Recht hatte, sich auf den Vereinbarungsstandpunkt zu stellen. Nach ihrer Meinung sollte die Kollision mit der Krone durch den guten Willen beider Teile verhindert werden.

EXCERPT II

Täuschen wir uns nicht, meine Herren Geschworenen, über die Natur des Kampfes, der im März zum Ausbruche kam, der später zwischen der Nationalversammlung und der Krone geführt wurde. Es handelt sich hier nicht um einen gewöhnlichen Konflikt zwischen einem Ministerium und einer parlamentarischen Opposition, es handelte sich nicht um den Konflikt zwischen Leuten, die Minister waren, und Leuten, die Minister werden wollten, es handelt sich nicht um den Parteikampf zweier politischer Fraktionen in einer gesetzgebenden Kammer. Es ist möglich, daß Mitglieder der Nationalversammlung, der Minorität oder Majorität angehörig, sich alles dies einbildeten. Nicht die *Meinung* der Vereinbarer—die *wirkliche historische Stellung der Nationalversammlung,* wie sie aus der europäischen Revolution und der durch sie bedingten Märzrevolution hervorging, sie allein entscheidet. Was hier vorlag, das war kein politischer Konflikt zweier Fraktionen auf dem Boden *einer* Gesellschaft, das war der *Konflikt zweier Gesellschaften selbst,* ein sozialer Konflikt, der eine politische Gestalt angenommen hatte, es war der Kampf der *alten feudalbürokratischen mit der modernen bürgerlichen Gesellschaft,* der Kampf zwischen der Gesellschaft der *freien Konkurrenz* und der *Gesellschaft des Zunftwesens,* zwischen der Gesellschaft des Grundbesitzes mit der Gesellschaft der Industrie, zwischen der Gesellschaft des Glaubens mit der Gesellschaft des Wissens.

Der entsprechende *politische* Ausdruck der alten Gesellschaft, das war die Krone von Gottes Gnaden, die bevormundende Bürokratie, die selbständige Armee. Die entsprechende *soziale* Grundlage dieser alten politischen Macht, das war der privilegierte adlige Grundbesitz mit seinen leibeigenen oder halbleibeigenen Bauern, die kleine patriarchalische oder zünftig organisierte Industrie, die von einander abgeschlossen Stände, der brutale Gegensatz von Stadt und Land, und vor allem die Herrschaft des Landes über die Stadt.

Die alte politische Macht,—gottbegnadete Krone, bevormundende Bürokratie, selbständige Armee—sah ihre eigentliche materielle Grundlage unter den Füßen hinschwinden, sobald die Grundlage der alten Gesellschaft, der privilegierte adlige Grundbesitz, der
Adel selbst, die Herrschaft des Landes über die Stadt, die Abhängigkeit des Landvolkes und die allen diesen Lebensverhältnissen entsprechende Gesetzgebung wie Gemeindeordnung, Kriminalgesetz-
gebung u. dgl. angetastet wurden. Die Nationalversammlung verübte
dies Attentat.

Andererseits sah jene alte Gesellschaft die politische Macht ihren
Händen entrissen, sobald die Krone, die Bürokratie und die Armee
ihre feudalen Privilegien einbüßten. Und die Nationalversammlung
wollte diese Privilegien kassieren. Kein Wunder also, daß Armee,
Bürokratie, Adel vereint die Krone zu einem Gewaltstreich hin-
drängten, kein Wunder daß die Krone, die ihr eigenes Interesse im
innigsten Zusammenhange mit dem der alten feudalbürokratischen
Gesellschaft wußte, sich zum Staatsstreich hindrängen ließ. Die
Krone war eben der *Repräsentant* der feudal aristokratischen Gesellschaft, wie die *Nationalversammlung* der *Repräsentant* der modern-
bürgerlichen Gesellschaft war. Es liegt in den Lebensbedingungen
der letzteren, daß Bürokratie und Armee aus Beherrschern des
Handels und der Industrie zu ihren Werkzeugen erniedrigt zu
bloßen Organen des bürgerlichen Verkehrs *gemacht* werden. Sie
kann nicht dulden, daß die Agrikultur durch feudale Privilegien, die
Industrie durch bürokratische Bevormundung beschränkt wird. Es
widerstrebt dies ihrem Lebensprinzip der freien Konkurrenz. Sie
kann nicht dulden, daß die auswärtigen Handelsverhältnisse, statt
durch die Interessen der Nationalproduktion, vielmehr nach den
Rücksichten einer internationalen Hofpolitik geregelt werden. Sie
muß die Finanzverwaltung den Produktionsbedürfnissen unterordnen, während der alte Staat die Produktion den Bedürfnissen der
Krone von Gottes Gnaden und der Ausflickung der Königsmauern,
der sozialen Stützen dieser Krone, unterordnen muß. Wie die
moderne Industrie tatsächlich nivelliert, so muß die moderne Gesellschaft jede gesetzliche und politische Schranke zwischen Stadt und
Land einreißen. In ihr gibt es noch *Klassen* aber keine *Stände* mehr.
Ihre Entwicklung besteht in dem Kampfe dieser Klassen, aber diese

sind vereinigt gegenüber den Ständen und ihrem gottbegnadeten Königtum.

Das Königtum von Gottes Gnaden, der höchste politische Ausdruck, der höchste politische Repräsentant der alten feudalbürokratischen Gesellschaft, kann daher der modernen bürgerlichen Gesellschaft keine *aufrichtigen* Zugeständnisse machen. Der eigene Erhaltungstrieb, die Gesellschaft, die hinter ihm steht, auf die es sich stützt, werden es stets von Neuem dahin treiben, die gemachten Zugeständnisse zurückzunehmen, den feudalen Charakter zu behaupten, die Konterrevolution zu riskieren!

Nach einer Revolution ist die Konterrevolution die stets sich erneuernde Lebensbedingung der Krone.

Heinrich Heine: *Im Oktober 1849*[1]

Gelegt hat sich der starke Wind
Und wieder still wird's daheime;
Germania, das große Kind,
Erfreut sich wieder seiner Weihnachtsbäume.

Wir treiben jetzt Familienglück—
Was höher lockt, das ist vom Übel—
Die Friedensschwalbe kehrt zurück,
Die einst genistet in des Hauses Giebel.

From *Sämtliche Werke,* edited by Ernst Elster, I, 426-427. Leipzig, Bibliographisches Institut, n.d.

[1] Heine (1797-1856) remains one of the most controversial personalities and talents in the history of German literature. A highly gifted lyric poet, a fervid revolutionary, and friend of the young Marx, a sharp critic of Romanticism, a German enamored of his fatherland and yet one of its sharpest critics, forced to spend half his life in exile in Paris—there are as many facets to Heine's personality as there are critical views of him. The poem here was first published in the collection entitled *Romanzero* in 1851.

The Revolution of 1848 had also spread to Hungary. There, under the leadership of Lajos Kossuth (1802-94), the Hungarian liberals pushed through some radical political reforms and then refused to accept the accession of Franz Joseph to the throne of Austria-Hungary. In the spring of 1849 Austrian armies invaded Hungary, and Russia attacked its eastern flank at the same time. By October 1849 the last of the Hungarian resistance had been crushed, and Kossuth forced to flee the country.

Gemütlich ruhen Wald und Fluß,
Von sanftem Mondlicht übergossen;
Nur manchmal knallt's—Ist das ein Schuß?—
Es ist vielleicht ein Freund, den man erschossen.

Vielleicht mit Waffen in der Hand
Hat man den Tollkopf angetroffen,
(Nicht jeder hat so viel Verstand
Wie Flaccus,[2] der so kühn davon geloffen).[3]

Es knallt. Es ist ein Fest vielleicht
Ein Feuerwerk zur Goethefeier![4]—
Die Sontag,[5] die dem Grab entsteigt,
Begrüßt Raketenlärm—die alte Leier.[6] . . .

Wenn ich den Namen Ungarn hör',
Wird mir das deutsche Wams zu enge,
Es braust darunter wie ein Meer,
Mir ist als grüßten mich Trompetenklänge!

Es klirrt mir wieder im Gemüt
Die Heldensage, längst verklungen,
Das eisern wilde Kämpenlied[7]—
Das Lied vom Untergang der Nibelungen.[8]

Es ist dasselbe Heldenlos,
Es sind dieselben alten Mären,[9]
Die Namen sind verändert bloß,
Doch sind's dieselben „Helden lobebären."[10]

---

[2] A reference to Horace's flight in the battle of Philippi.
[3] geloffen = gelaufen
[4] Heine is here referring to the centenary of Goethe's birth on August 28, 1849.
[5] The return to the stage of the retired opera singer Henrietta Sontag was enthusiastically celebrated in 1849.
[6] die alte Leier the same old tune or story
[7] Kämpenlied a warrior's song, in reference to the Nibelungenlied
[8] The second half of the Nibelungenlied deals with the visit of a group of German warriors to the castle of Attila the Hun, where they are betrayed and killed. Their battle is seen as typical of the heroic fight to the finish against hopeless odds.
[9] Mären tidings
[10] Helden lobebären heroes praiseworthy—a reference to the opening lines of the Nibelungenlied: „Uns ist in alten maeren wunders vil geseit/von heleden lobebaeren von grôzer arebeit."

Es ist dasselbe Schicksal auch—
Wie stolz und frei die Fahnen fliegen,
Es muß der Held, nach altem Brauch,
Den tierisch rohen Mächten unterliegen.

Und diesmal hat der Ochse[11] gar
Mit Bären[12] einen Bund geschlossen—
Du fällst; doch tröste dich, Magyar,
Wir andre haben schlimmre Schmach genossen.

Anständ'ge Bestien sind es doch,
Die ganz honett dich überwunden;
Doch wir geraten in das Joch
Von Wölfen, Schweinen und gemeinen Hunden.

Das heult und bellt und grunzt—ich kann
Ertragen kaum den Duft der Sieger.
Doch still, Poet, das greift dich an[13]—
Du bist so krank und schweigen wäre klüger.

Veit Valentin: *Geschichte der deutschen Revolution von 1848–49*[1]

Mancher Betrachter der deutschen Revolution von 1848/49 hat ihr
den Namen Revolution nicht zugestehen wollen. Gewiß: romanische
und slawische Revolutionen haben mit heißerem Ungestüm die
letzten Möglichkeiten der revolutionären Tat erschöpft; auch die
englische Revolution des 17. Jahrhunderts ist voll stärkerer Spannung, wenn sie auch mit der deutschen Revolution den eigenartigen

[11] **der Ochse** The ox here means Austria.
[12] **mit Bären** the bear, or symbolically Russia; a reference to Russian participation
in the suppression of the Hungarian revolution
[13] **das greift dich an** that will tire you out

From *Geschichte der deutschen Revolution von 1848-49*, II, 548-550. Berlin,
Verlag Ullstein, 1931. Reprinted with permission of Mrs. Liane v. K. Elledge.

[1] Veit Valentin (1885-1947) served on the staff of the Berlin School of Economics
and was chief councilor to the German National Archives from 1919-33. After the
accession of Hitler to power, Valentin left for England, and later was also visiting
lecturer at various American universities. At the time of his death he was a
research associate at the Library of Congress.

Die Abbildung zeigt Straßenkämpfe in Berlin in März 1848

Zug gemeinsam hat, möglichst schnell in eine neue Legitimität zurückfinden zu wollen. Jedes Volk macht nun einmal die ihm angemessene Revolution. Krieg und Außenpolitik bringen, bei allen möglichen Schattierungen, doch ein absolutes Maß bester übernationaler Leistung hervor; Revolutionen sind die individuellste Offenbarung der Volkspsyche. Verkniffene Revolutionen bekommen schlecht; die Revolution von 1848/49 hat sich nicht voll durchsetzen können, und das geht dem deutschen Volke bis heute nach. Um so energischer hat aber die Gegenrevolution seit 1848/49 das deutsche Schicksal geformt. Der Revolutionsversuch mit seinen Scheinerfolgen war nun einmal da, er war gemacht worden. Alle deutschen Fürsten und Staatsmänner haben seitdem mit der Revolution gerechnet und sich mit Gegenmaßnahmen auf sie eingerichtet. Der Riß war vorhanden, die Unschuld war weg. Die gemachte Erfahrung wirkte klirrend fort. Man könnte sagen: erst die Gegenrevolution in Deutschland beweist die volle geschichtliche Existenz der Revolution.

Die alten Gewalten hatten nun gemerkt, worauf es ankam. Sie fürchteten die Wiederholung und beugten vor. Die Polizeiorgane

hatten sich als unzulänglich erwiesen; deshalb war es nötig, die
militärische Truppe so oft einzusetzen. Das wurde nun anders. Die
Armenpflege, der Nachrichtendienst, die Verkehrsmittel, die Zensur
hatten vielfach versagt; der alte Staatsorganismus war technisch den
Anforderungen nicht gewachsen gewesen, er zerbrach unter dem
Druck des neuen Inhalts, die Selbsthilfe der Untertanen hatte deshalb
eingesetzt; die schlecht bezahlte und sozial gedrückte mittlere und
untere Beamtenschaft hatte sich fast überall auf die Seite der Volksbewegung gestellt. Der neue Autoritätsstaat gedachte nicht mehr,
sich das gefallen zu lassen; er verlangte das Selbstvertrauen und die
Disziplin, welche die höhere Beamtenschaft in Preußen, aber auch
in den meisten Kleinstaaten nie aufgegeben hatte, nun von jedem
Staatsdiener; er war entschlossen, illegale Organisationen, Selbstbe-
waffnung, revolutionäre Bünde mit angemaßter politischer Selbsthilfe nicht mehr zu dulden; der Autoritätsstaat kämpfte um sich
und kannte deshalb keine Gnade. Die Revolution hatte die Desor-
ganisation des Bestehenden durch das Talent bedeutet; die Gegenrevolution brachte die Organisation des Willens zur Selbsterhaltung
durch mäßig begabte Leute. Die Hauptsache war, im Untertan eine
neue Loyalität zu erziehen; er sollte es als Genuß empfinden, sich
führen zu lassen; wer brav und arbeitsam war, kam voran. Der
genialische Weltenbummler, der souveräne Ironiker von Heinrich
Heines Gnaden wurde unmodern; die Zeit Anton Wohlfahrts[2] kam
herauf, des fleißigen Bürgersohnes, der es im Haben weit bringt,
weil er das Soll richtig versteht. Der Autoritätsstaat war der Sieger,
und als Sieger schrieb er die Geschichte der Volksbewegung von
1848/49: alles war nichts gewesen als Narrheit und Torheit, als
Unreife, Philisterei, Kinderei und Komik. Die Pädagogen führten
das auf mangelhafte Erziehung, die Professoren auf traurige Unwissenheit zurück; die Beamten beklagten so viel Insubordination,
die Militärs die Disziplinlosigkeit, die Diplomaten die naive Plumpheit der Form, die Vornehmen fanden die Revolution ordinär, die
Wohlhabenden lehnten sie ab als eine neumodische Form des Bettels
oder gar des Straßenraubs; die Deutschen, hieß es, sind politisch

[2] Anton Wohlfahrt is a character in Gustav Freytag's novel *Soll und Haben* (1855)
and, as his name implies, represents the commercial spirit of his times.

unbegabt; das beste ist, wenn das Regieren weiter durch Fachleute geschieht.

Es war die eigentliche Meisterleistung der Gegenrevolution, im deutschen Volke die Überzeugung von seinem Mangel an politischer Begabung sehr weit zu verbreiten. Vor 1848 war man vom Gegenteil überzeugt: der nationale freiheitliche Staat war ja das letzte, einzige, was den Deutschen noch fehlte, nachdem in Philosophie und Kunst alles Hohe und Höchste erreicht war. Und diese eigentliche Vollendung unseres geschichtlichen Schicksals sollte uns nun versagt bleiben, denn wir waren nicht—reif dafür!?

Die deutsche Gutmütigkeit glaubte es tatsächlich ihrer hohen Obrigkeit, das „Volk" habe alles sehr dumm gemacht, und daraus verstehe sich das ganze Unglück; sie glaubte, Parlamentarismus und Demokratie seien ausländische Importartikel, die sich eigentlich für das wahre Deutschtum gar nicht schickten; sie glaubte, eine wohlwollend oktroyierte Verfassung böte alles das, was an „Konstitutionalismus" schließlich nicht entbehrt werden könne; die deutsche Gutmütigkeit wurde also wieder militärfromm und adelsnärrisch, sie lernte das Geld respektieren, besonders das viele Geld; sie ochste tüchtig und wühlte sich in allerlei Kleinkram; selbständiges politisches Denken galt bald als eine Art Frechheit; Schriftsteller wurden wieder für zügellose, unbescheidene Leute gehalten, Demokraten für schlechte Kerle, Menschen von weltbürgerlicher Gesinnung für Auslandsnarren, patriotische Deutsche für Verräter an Landesfürst, Stammesstaat und Bundestag. Befehlsgewalt und Gehorsamspflicht —das wurde der Ersatz für schöpferisches Staatsbürgertum. Das „tolle" Jahr war vorbei, und jeder ging wieder vernünftig seinen Pflichten nach. Deutschland hatte groß, frei, stark sein wollen—und nun war alles wieder wie früher. Und warum sollten die guten Deutschen denn unzufrieden sein? Sie konnten ja wieder dichten und denken, was sie so gut verstanden, sie konnten wieder alles vertiefen und vernebeln, sie konnten grübeln und klügeln, Worte klauben und Weisheiten drechseln, sie konnten Fäden spinnen und darauf tanzen,[3] ja sogar dabei herunterpurzeln, sie konnten mit ernsthafter Forschermiene Begriffe spalten und den letzten dünnsten

---

[3] **tanzen** spinning a thin thread of logic and dancing on it.

Scheit Vernunft fachmännisch zum Nichts zerzanken. Wollten die
Deutschen denn nicht glücklich dabei sein? Nein; es war ein
Unsicherheitsgefühl in ihnen; seit 1848 leidet Deutschland unter
dem politischen Minderwertigkeitskomplex. Das echte große stolze
Selbstbewußtsein war dahin und kam nicht wieder. Die Gewalt,
nicht die Vernunft hatte gesiegt. Viele beteten die Gewalt nun an
und dachten, es ginge nicht anders. Viele wandten sich resigniert ab,
viele dichteten Gasele, flüchteten zur mittelalterlichen Sage oder zu
den germanischen Göttern oder zu Buddha. Nun hatte also Hegel
doch nicht recht! Die letzte große deutsche Synthesis war mißlungen.
Schopenhauers[4] Tag brach an.

Es war aber nicht so wie früher. Es war irgend etwas gutzu-
machen. Eine Schuld war noch zu tilgen. Dies Gefühl beherrscht
die folgenden Jahrzehnte. Es war im Innersten des Deutschtums
etwas zerschlagen, etwas verkrüppelt worden. Die Wunde hat sich
nicht geschlossen, bis heute nicht.

[4] Arthur Schopenhauer (1788-1860) refused to accept the Hegelian idea of intuition of the Absolute, and its ensuing conceptions of the "Ideal" and "Real."

VII

BISMARCK UND DAS ZWEITE REICH

Die Revolution von 1848 war gescheitert und der Wunsch nach nationaler Einheit blieb unerfüllt. Erst dem Fürsten Otto von Bismarck (1815-98) gelang es, die deutschen Staaten zusammenzuführen, doch wäre es irreführend, die Gründung des zweiten deutschen Reiches im Januar 1871 als wirkliche Einigung zu betrachten. Vielmehr war es eine von Preußen angestrebte Neuordnung, die nicht organisch gewachsen war, also eine „Einigung von oben."

Der gesellschaftliche und wirtschaftliche Umschwung, den die Industrialisierung Deutschlands nach der Revolution von 1848 herbeigeführt hatte, bereitete der deutschen Kleinstaaterei ein Ende. Aber der Bund, der im Mai 1850 wieder zusammentrat, war machtlos. Der offene Dualismus der beiden Großmächte, Preußen und Österreich, verhinderte alles sinnvolle Planen für die Zukunft. Im Jahre 1851 wurde Bismarck Gesandter Preußens am Bundestag in Frankfurt. Hier erlebte er die kleinlichen Bestrebungen der beiden Großmächte und beschloß, sich dem „Netz der Bundesverfassung über dem Haupte des emporgekommenen preußischen Staates" zu entziehen. Die Beziehungen der Staaten zueinander sollten auf der Wahrung ihrer Interessen beruhen. Die Bahn war nun frei für Bismarcks Realpolitik.

1862 weigerte sich das preußische Abgeordnetenhaus die Kosten für die von der Regierung vorgeschlagene Herresreform zu genehmigen. Der König Wilhelm I. war bereit abzudanken, und die Krone seinem Sohn zu überlassen. Doch da trat ihm Otto von Bismarck zur Seite und versprach, diese politische Krise zu überwinden. Als preußischer Ministerpräsident regierte Bismarck drei Jahre lang ohne gesetzmäßig bewilligten Staatshaushalt. Während dieser Zeit rechnete er auf die Loyalität der Streitkräfte und der Staatsbeamten. Seine außenpolitischen Erfolge brachten sogar viele seiner Gegner zur Ansicht, daß sein Weg der richtige sei.

1866 ließ sich Österreich in einen Krieg gegen Preußen manövrieren. Nach sieben Wochen waren Österreichs Armeen geschlagen, und Preußens Hauptgegner war nun endgültig aus der deutschen Politik ausgeschaltet. An Stelle des Deutschen Bundes trat 1867 der Norddeutsche Bund, der alle nördlich vom Main gelegenen deutschen Staaten, also alle Länder außer Bayern, Baden, Württemberg und Hessen-Darmstadt, umfaßte. Der Norddeutsche Bund hatte gemeinsame Streitkräfte und gemeinsame Gesetzgebung. Die gesamte militärische Macht des Bundes unterstand dem König von Preußen. An der Spitze der Verwaltung des Bundes aber stand als Kanzler Otto von Bismarck.

Der letzte Schritt zur Reichseinigung war die von Bismarck vorausgesehene unvermeidliche Auseinandersetzung mit Frankreich. Es gelang dem diplomatisch geschickten Bismarck Frankreich den Krieg aufzuzwingen. Als Napoleon III. keine andere Wahl übrig blieb, als im Juli 1870 den Krieg zu erklären, traten die süddeutschen Staaten geschlossen auf die Seite Preußens. Damit hatte Bismarck sein Ziel erreicht. Schon im November 1870 hatten sich die vier süddeutschen Fürsten in den Verträgen dem Norddeutschen Bund angeschlossen, und am 18. Januar 1871 wurde im Palast Ludwigs XIV. zu Versailles feierlich verkündet, daß König Wilhelm von Preußen auf den Wunsch der deutschen Fürsten und freien Städte die erbliche deutsche Kaiserwürde übernehme.

Die Verfassung des neuen Reiches glich der des Norddeutschen Bundes. Das Reich war ein Bundesstaat. Aber es war doch kein parlamentarisch regierter Staat, denn der Kaiser war bei der Ernennung des Reichskanzlers und der Verwaltung der Streitkräfte unabhängig vom Reichstag, der durch allgemeines und direktes Stimmrecht gewählt wurde.

Der Aufschwung der Industrie hatte jedoch einen neuen Stand im Staat geschaffen, den deutschen Arbeiter, der mit seiner Lage immer weniger zufrieden war. Die Sozialdemokratie gewann überraschend schnell Boden. Ein Attentat auf den Kaiser (Mai 1878) gab Bismarck Veranlassung, ein Ausnahmegesetz gegen die Sozialistische Partei einzubringen, die bei der letzten Reichstagswahl fast eine halbe Million Stimmen und 12 Abgeordnetensitze erhalten hatte. Doch am Ende gelang es Bismarck weder den Sozialismus noch den politischen Katholizismus, gegen den er von 1873 bis 1878 den sogennanten „Kulturkampf" führte, aus der deutschen Politik auszuschalten.

In der Innenpolitik lernte der Eiserne Kanzler Kompromisse zu schließen. Die soziale Gesetzgebung, die nun beginnen konnte, sollte den „vierten Stand" für den Staat gewinnen. Diese Ideen zeitigten die Versicherungsgesetze: Krankenversicherung (1883), Unfallsversicherung (1884), Alters- und Invalidenversicherung (1889). Die soziale Gesetzgebung und ihr Ausbau in den Jahren nach Bismarcks Entlassung hatten dem deutschen Volk unermeßlichen Segen gebracht und sind in der Gesetzgebung vieler anderer Länder zum Vorbild geworden.

Kaiser Wilhelm I. starb 1888, und nach der kurzen Regierung des an Krebs leidenden Kronprinzen Friedrich wurde der 29-jährige Wilhelm II. deutscher Kaiser. Eine neue Generation war in Deutschland ans Ruder gekommen, die nicht mehr auf den Rat des alten Kanzlers hören wollte. Im März 1890 wurde Bismarck entlassen. Von nun an wurde die deutsche Politik mehr und mehr durch den Willen des Kaisers allein bestimmt.

Otto von Bismarck: *Gespräch mit dem französischen Journalisten Vilbort am 4. Juni 1866 in Berlin*[1]

BISMARCK: Ich weiß, daß ich mich in Frankreich derselben Unbeliebtheit erfreue wie in Deutschland. Überall macht man mich verantwortlich für eine Lage, die ich nicht gemacht habe, sondern die sich mir genau ebenso wie allen anderen aufgenötigt hat. Ich bin der Sündenbock der öffentlichen Meinung, aber ich kümmere mich wenig darum. Ich verfolge mit dem ruhigsten Gewissen mein Ziel, das mir als richtig für meinen Staat und für Deutschland erscheint. Was die Mittel betrifft, so bediene ich mich derer, die sich mir mangels anderer darbieten.

Während Frankreich und Italien heute, jedes für sich, eine große Gesellschaft darstellt, die vom gleichen Geist und denselben Gefühlen beseelt ist, herrscht in Deutschland der Individualismus. Jeder lebt hier in seinem Winkel für sich mit seiner eigenen Meinung, immer voll Mißtrauen gegen die Regierung und gegen seinen Nachbarn, beurteilt alles nach seinem persönlichen Gesichtspunkt und niemals nach dem des Ganzen. Eigenbrötelei und Widerspruchsbedürfnis sind beim Deutschen bis zu einem unbegreiflichen Grad entwickelt: Zeigen Sie ihm eine offene Tür, so wird er lieber sich darauf versteifen, durch ein Mauerloch als durch diese Tür zu gehen. Auch wird niemals eine Regierung in Preußen, sie mag tun was sie will, populär sein. Die meisten werden immer entgegengesetzter Meinung sein. Schon darum, weil es die Regierung ist, und sie sich als Autorität vor dem einzelnen aufgepflanzt, ist sie ein für allemal dazu verdammt, von den Gemäßigten verurteilt, von den Exaltados aber verschrieen und angespieen zu werden. Das war das gemeinsame Los aller Regierungen, die einander seit den

From *Werke in Auswahl,* edited by Eberhard Scheler, III, *Die Reichsgründung: I, 1862-66,* 717-719. Darmstadt, Wissenschaftliche Buchgesellschaft, 1965. Reprinted with permission of Wissenschaftliche Buchgesellschaft and Kohlhammer Verlag.

[1] In April 1866, Prussia made an alliance with Italy. One of the conditions of this treaty provided that Italy would fight on Prussia's side in a war against Austria. Italy was to receive Venetia from Austria if the Prussian and Italian troops were victorious. So in June of that year Austria found itself fighting a war on two fronts.

Graf Otto von Bismarck nach dem Gemälde von F. von Lenbach

Anfängen dieser Dynastie gefolgt sind. Die liberalen Minister haben ebensowenig Gnade vor unseren Politikern gefunden, wie die reaktionären.

Man bejubelte die Siege Friedrichs des Großen, aber als er tot war, rieb man sich die Hände vor Freude, diesen Despoten los zu sein. Indessen ist neben diesem Widerstreben doch auch eine tiefe Anhänglichkeit für die Dynastie vorhanden. Es gibt keinen Fürsten, keinen Minister, keine Regierung, die je die Gunst dieses preußischen Individualismus erringen könnte, aber alle rufen von Herzen: „Es lebe der König!" und wenn er befiehlt, gehorchen sie.

VILBORT: Trotzdem kann man hören, Herr Minister, daß die Unzufriedenheit eines Tages zur Revolution führen könnte.

BISMARCK: Die Regierung braucht sie nicht zu fürchten und hat auch keine Angst davor. Unsere Revolutionäre sind nicht so fürchterlich. Ihre Feindseligkeit erschöpft sich hauptsächlich in Anwürfen gegen den Minister, aber vor dem König haben sie Respekt. Nur ich bin der Übeltäter und mir allein zürnen sie! Bei etwas größerer Unparteilichkeit würden sie anerkennen, daß ich so gehandelt habe, weil ich nicht anders handeln konnte. Bei der gegenwärtigen Lage Preußens in Deutschland, und Österreich gegenüber, brauchten wir vor allem eine Armee. In Preußen ist sie die einzige Kraft, die einer Disziplinierung fähig ist. Der Preuße, dem man einen Arm auf einer Barrikade zerschmetterte, würde beschämt nach Hause kommen, und seine Frau würde ihn als Dummkopf auslachen. Aber im Heer ist er ein bewunderungswürdiger Soldat und schlägt sich wie ein Löwe für die Ehre seines Landes. Die von den Umständen geforderte Notwendigkeit einer großen Heeresstreitkraft hat eine schmollende Politik nicht anerkennen wollen, so offenkundig jene auch war. Für mich aber konnte es kein Zaudern geben! Nach Familie und Erziehung bin ich vor allem ein Mann des Königs.

Vor sechzehn Jahren lebte ich als Landedelmann, als mich der Entschluß des Monarchen zum Gesandten beim Frankfurter Bundestag bestimmte. Ich war erzogen in der Bewunderung, ja fast möchte ich sagen, im Kult der österreichischen Politik. Ich brauchte nicht viel Zeit, um meine Jugendillusionen über Österreich zu verlieren, und wurde sein erklärter Gegner. Die Erniedrigung meines Staates,

die Opferung Deutschlands für fremde Interessen, eine arglistige
und hinterhältige Politik, all das war nicht angetan, mir zu gefallen.
Ich wußte nicht, daß ich in Zukunft berufen sei, eine Rolle zu
spielen; aber seit jener Zeit faßte ich den Gedanken, dessen Verwirklichung ich heute verfolge, Deutschland dem österreichischen
Druck zu entziehen, zum mindesten denjenigen Teil, der nach Geist,
Religion, Gesittung und Interessen mit den Geschicken Preußens
verbunden ist, ich meine Norddeutschland.

Dieses Ziel zu erreichen, würde ich alles auf mich nehmen: Verbannung und sogar das Schafott.

Proklamation an das deutsche Volk[1]

Wir Wilhelm, von Gottes Gnaden König von Preußen, nachdem die
deutschen Fürsten und freien Städte den einmütigen Ruf an Uns
gerichtet haben, mit Herstellung des Deutschen Reichs die seit mehr
denn sechzig Jahren ruhende deutsche Kaiserwürde zu erneuern und
zu übernehmen, und nachdem in der Verfassung des Deutschen
Bundes die entsprechenden Bestimmungen vorgesehen sind, bekun-
den hiermit, daß Wir es als eine Pflicht gegen das gemeinsame
Vaterland betrachtet haben, diesem Ruf der verbündeten deutschen
Fürsten und Städte Folge zu leisten und die deutsche Kaiserwürde
anzunehmen. Demgemäß werden Wir und Unsere Nachfolger an
der Krone Preußen fortan den Kaiserlichen Titel in allen Unseren
Beziehungen und Angelegenheiten des Deutschen Reiches führen,
und hoffen zu Gott, daß es der deutschen Nation gegeben sein werde,
unter dem Wahrzeichen ihrer alten Herrlichkeit das Vaterland einer
segensreichen Zukunft entgegenzuführen. Wir übernehmen die
kaiserliche Würde in dem Bewußtsein der Pflicht, in deutscher Treue
die Rechte des Reiches und seiner Glieder zu schützen, den Frieden
zu wahren, die Unabhängigkeit Deutschlands, gestützt auf die

„Proklamation des Königs," in *Dokumente der Deutschen Politik und Geschichte
von 1848 bis zur Gegenwart*, edited by Johannes Hohlfeld, I, 296-297. Berlin,
Dokumenten-Verlag Dr. Herbert Wendler & Co., 1951. Reprinted with permission
of Dokumenten-Verlag Dr. Herbert Wendler & Co. K-G, Berlin.

[1] On January 17, 1871, Wilhelm I was proclaimed German Emperor in the Hall of
Mirrors of the Palace of Versailles. Thus the Second German *Reich* was born.

Die Kaiserproklamation in Versailles, Januar 1871 (Gemälde von Anton von Werner)

geeinte Kraft seines Volkes, zu verteidigen. Wir nehmen sie an in der Hoffnung, daß dem deutschen Volke vergönnt sein wird, den Lohn seiner heißen und opfermutigen Kämpfe in dauerndem Frieden und innerhalb der Grenzen zu genießen, welche dem Vaterlande die seit Jahrhunderten entbehrte Sicherung gegen erneute Angriffe Frankreichs gewähren. Uns aber und Unseren Nachfolgern an der Kaiserkrone wolle Gott verleihen, allezeit Mehrer des Deutschen Reiches zu sein, nicht an siegreichen Eroberungen, sondern an den Gütern und Gaben des Friedens auf dem Gebiete nationaler Wohlfahrt, Freiheit und Gesittung.

Gegeben Hauptquartier Versailles, den 17. Januar 1871.

Wilhelm

Tagebuchaufzeichnung des Kronprinzen Friedrich Wilhelm von Preußen vom 18. Januar 1871[1]

Die Feier der Proklamation muß im eigentlichen Sinne des Wortes eine einzige genannt werden, und ich bin wahrhaft glücklich, dieselbe erlebt zu haben. Erst im Laufe der Zeit wird uns das ganze volle Gewicht dessen bewußt werden, was es heißt, im Prachtsaal von Ludwigs XIV.[2] Schloß zu Versailles die Wiedereinsetzung des auf dem französischen Schlachtfelde geschaffenen Deutschen Reiches sowie die Verkündigung des erwählten erblichen Kaisers mit angeschaut zu haben.

In dem Mittelfenster stand ein Feldaltar, vor welchem der König, von allen Fürsten im Halbkreise umgeben, sich aufstellte, und Prediger Rogge aus Potsdam die verkürzte Liturgie verlesen und ein einfaches Gebet sprechen sollte. Da das Kommando „Helm ab zu Gebet" für die Mannschaften vergessen worden war, mußte ich es selber laut geben, worauf der aus Militärmusikern der hiesigen Regimenter gebildete Liturgie-Sängerchor nebst der Militärmusik den Choral „Sei Lob und Ehr" in diesen gewaltigen Räumen mächtig ertönen ließ. Das „einfache Gebet" bestand aber in einer Strafrede auf Ludwig XIV. sowie in einer ziemlich taktlosen, langen, historisch-religiösen Abhandlung über die Bedeutung des 18. Januar für Preußen, der Schluß, welcher auf die deutsche Frage und deren Lösung durch das heutige Ereignis anspielte, sprach des warmen, sachgemäßen Inhalts wegen wieder an. Ich ließ meine Blicke während dieses Teils der Feier über die Versammlung und an die Decke schweifen, wo Ludwigs XIV. Selbstverherrlichungen, riesig in Allegorien und erläuternden, prahlenden Inschriften abgebildet,

„Tagebuchaufzeichnung des Kronprinzen Friedrich Wilhelm von Preußen vom 18. Januar 1871," in *Dokumente der Deutschen Politik und Geschichte von 1848 bis zur Gegenwart,* edited by Johannes Hohlfeld, I, 297-299. Berlin, Dokumenten-Verlag Dr. Herbert Wendler & Co., 1951. Reprinted with permission of Dokumenten-Verlag Dr. Herbert Wendler & Co. K-G, Berlin.

[1] Son of Wilhelm I of Prussia and Germany (1831-88), the Crown Prince reigned as King and Emperor of Germany from March 9 to June 15, 1888 only, before succumbing to cancer of the throat.
[2] Louis XIV (1638-1715) was King of France for a long time at a crucial period. His reign was the epitome of absolute monarchy, his court the center of European culture and art.

namentlich die Spaltung Deutschland zum Gegenstand haben, und fragte mich mehr als einmal, ob es denn wirklich wahr sei, daß wir uns in Versailles befänden, um hier die Wiederherstellung des Deutschen Kaisertums zu erleben—so traumartig wollte mir das Ganze erscheinen.

Nachdem Seine Majestät eine kurze Ansprache an die deutschen Souveräne laut und in der wohlbekannten Weise verlesen hatte, trat Graf Bismarck, der ganz grimmig verstimmt aussah, vor und verlas in tonloser ja geschäftlicher Art und ohne jegliche Spur von Wärme oder feierlicher Stimmung die Ansprache „an das deutsche Volk." Bei den Worten „Mehrer des Reichs" bemerkte ich eine zuckende Bewegung in der ganzen Versammlung, die sonst lautlos blieb.

Nun trat der Großherzog von Baden mit der ihm so eigenen natürlichen, ruhigen Würde vor und rief laut mit erhobener Rechten: „Es lebe Seine Kaiserliche Majestät der Kaiser Wilhelm I." Ein donnerndes, sich mindestens sechsmal wiederholendes Hurra durchbebte den Raum, während die Fahnen und Standarten über dem Haupte des neuen Kaisers von Deutschland wehten und „Heil dir im Siegerkranz" ertönte. Dieser Augenblick war mächtig ergreifend, ja überwältigend und nahm sich wunderbar schön aus. Ich beugte ein Knie vor dem Kaiser und küßte ihm die Hand, worauf er mich aufhob und mit tiefer Bewegung umarmte. Meine Stimmung kann ich nicht beschreiben, verstanden haben sie wohl alle, ja selbst den Fahnenträgern habe ich eine unverkennbare Gemütsbewegung angesehen.

Ferdinand Lassalle: *Arbeiterlesebuch* (*Fortsetzung*)

REDE, 19. MAI 1863[1]

So oft ein großer Mann der Wissenschaft es sich hat daran gelegen sein lassen, Mittel und Wege zu finden, die Lage der arbeitenden Klasse zu verbessern, so hat man ihn immer mit diesem Schlagwort zu Boden zu schmettern gesucht: „Sozialist!" Nun, meine Herren, wenn man dies unter Sozialismus versteht, daß wir suchen, die Lage der arbeitenden Klasse zu verbessern und ihrer Not abzuhelfen, —nun dann in 33000 Teufels Namen, dann sind wir Sozialisten! (Allgemeines Bravo!)

Glaubt man, ich würde mich vor einem Worte fürchten? Ich nicht! Und sollten Sie so furchtsam sein? Ich hoffe, Nein!— Warum habe ich denn nun also in meinem Antwortschreiben nicht besonders von den ländlichen Arbeitern gesprochen? Nun, aus dem überaus einfachen Grunde, weil sie ja schon ohnhin in die 89-95 Prozent der dürftigen Klasse, von denen ich spreche und denen geholfen werden soll, eingeschlossen waren und der Anfang, der praktische Anfang allerdings zunächst mit den industriellen Arbeitern gemacht werden muß. Warum? Der ländliche Arbeiter, meine Herren, ist in vieler Hinsicht, wenn z. B. auf Geldlohn gesehen wird, in einer noch schlechtern Lage als Sie, in mancher Hinsicht wiederum in einer bessern. Dies entscheidet also die Frage nicht. Was die Frage entscheidet, mit welcher Arbeitsart praktisch der Anfang gemacht werden muß, ist folgender Umstand. Der ländliche Arbeiter, und wenn er auch nur ein Kuhgut hat, wenn er sogar seinen Getreideakker nur mit Hacke und Spaten bearbeitet, bildet sich immer noch ein, ein Eigentümer zu sein; er ist noch nicht disponiert zur Association, und diese Disposition dazu, die Bereitwilligkeit, die kann nicht

From *Arbeiterlesebuch,* Rede, 19. Mai 1863, in *Ferdinand Lassalles Gesamtwerke,* Einzige Ausgabe, edited by Erich Blum, II, 123-125, 134, 135, 136, 137. Leipzig, Verlag von Karl Fr. Pfau, 1899-1902.

[1] Lassalle (1825-64) is regarded as the founder of the German Social Democratic Party. The selections printed here are taken from a stenographic record of two speeches he delivered in Frankfurt am Main. They are among the most important documents of the early days of German socialism, for the audience reaction to Lassalle's speech gives a good picture of the agitation which led within a week to the founding of the *Allgemeine Deutsche Arbeiterverein.* Lassalle served as the first president of this organization.

erzwungen werden. Aber hervorgerufen kann sie werden durch Erfolge, hervorgerufen kann sie werden, sage ich und zwar nur durch das eine: dadurch nämlich, daß der ländliche Arbeiter den großen Erfolg bei den industriellen Arbeitern sieht. Wenn er diese in einer ganz andern Lage sehen wird und auf seine Frage, woher dies alles kommt, die Antwort erhalten wird: durch die Association—dann wird sich auch bei ihm dieselbe Bereitwilligkeit und Geneigtheit zur Association einfinden, die heute bereits in dem industriellen Arbeiterstande eine so vorwiegende ist. Zugleich werden durch die große Association der industriellen Arbeiter, wie ich Ihnen vielleicht ein andermal näher ausführen werde, ganz neue Produktionsverhältnisse entstehen, welche auch die Bewirtschaftung des Bodens im großen ebenso notwendig, als leicht ausführbar machen und dadurch eine Quelle einer erstaunlichen Vermehrung der gesamten nationalen Produktion, herbeiführen würden.

Die industriellen Arbeiter sollen also nur die Avantgarde der Menschheit bilden, und bemerken Sie vor allem folgendes: Indem der Lohn der gemeinen Handarbeit geändert wird (es ist dies der wichtigste von allen Grundsätzen, den ich Ihnen einschärfen kann, für die Beurteilung der gesamten Frage)—indem der Lohn, sage ich, der gemeinen Handarbeit geändert wird, ändern sich auch durch organische Rückwirkung der Preise aller andern Arbeiten in der menschlichen Gesellschaft, welchen Namen sie auch tragen mögen.

Jetzt liegen doch die Tatsachen auf dem Tisch und sollten für jedermann klar sein! Wohin, frage ich, hat es die bürgerlich-liberale Bewegung in den 15 Jahren, die seit 1848 verflossen sind, während welcher die Demokratie von dem Schauplatz abgetreten war, wohin hat sie es gebracht?

Nun, von Kompromiß zu Kompromiß, von Nachgiebigkeit zu Nachgiebigkeit, von Vermittlung zu Vermittlung dahin, daß wir heute im Preußen nicht einmal das haben, was in den kleinen konstitutionellen deutschen Ländern schon seit den zwanziger Jahren besteht, daß wir nicht einmal das Budgetbewilligungsrecht, nicht einmal die Grundlage irgendwelchen Verfassungsstaates besitzen (Bravo!), daß wir im reinen Absolutismus leben! So hat die liberale Bourgeoisie Stück für Stück alle Errungenschaften wieder verloren, welche uns die Demokratie im Jahre 1848 mit ihrem Blute erkämpft

hat, so weit verloren, daß sie jetzt auch noch das letzte Recht, an
welchem der Bourgeoisie selbst am meisten gelegen war, das Budgetbewilligungsrecht verloren hat.

Das Maß unser Geduld ist also erschöpft und muß es sein.

Wir haben das Jahre lang vorher gewußt, aber wir fühlten die
Pflicht, zu warten, bis die Tatsachen auf dem Tisch liegen, Tatsachen,
welche die allgemeine Überzeugung bestimmen könnten.

Heute ist dies eingetreten. Wer heute nicht sieht, muß blind sein
oder will nicht sehen.

Heute also ist es ein ganz gedankenloses Gerede, wenn man mir
vorwirft, die Einigkeit aufheben zu wollen, denn wenn die Einigkeit
der Güter Höchstes wäre, nun, warum sind wir denn nicht alle, wir
und die Fortschrittspartei, einig mit der absolutistischen und Militär-
partei und umhalsen uns gegenseitig? (Heiterkeit.)

Also darauf kommt es an, worin man einig ist: eine Einigkeit in
der Schwäche, in der Würdelosigkeit und in der Mattheit, die ist
kein Vorteil.

Viel besser ist es, alle frischen Elemente herauszufordern und
um ein großes und starkes Banner zu vereinigen.

Wenn man mich also gefragt hat: ,,warum warten Sie nicht, bis
die Bourgeoisie ihren Kampf mit dem Militärstaat ausgekämpft
hat,'' nun, so kann ich Ihnen jetzt die wahre Antwort geben: ,,Ich
habe auf jenen Zeitpunkt nicht gewartet, weil dieser Zeitpunkt
niemals kommen wird!''

Die liberale Bourgeoisie kann diesen Kampf nie siegreich aus-
kämpfen; das einzige Mittel zur politischen Freiheit ist gerade
gleichfalls wieder diese Bewegung, die ich erhoben habe, und das
will ich Ihnen nun beweisen mit Gründen, die immer stärker und
mächtiger anschwellen sollen und für die ich mir Ihre ganze Aufmerksamkeit erbitte.

Unsere liberale Bourgeoisie, sage ich, kann den Militärstaat nicht
brechen, kann die politische Freiheit nicht erkämpfen.

Der erste und noch allerschwächste Grund hierfür ist, daß sie
als Klasse untergegangen ist in einer halben Bildung.

Die höchste Bildung erzeugt Kraft, die halbe raubt sie.

Dies ist aber nur der schwächste Grund.—Ich weise Sie zunächst
auf Tatsachen hin.

Hat die Bourgeoisie bei uns jemals sich zu der Energie der französischen Bourgeoisie von 1789 und 1830 emporgeschwungen? Hat sie jemals irgendwo eine energische Aktion hervorgerufen? Niemals!

Als Ludwig XVI. in Frankreich die konstituierende Versammlung auflösen wollte, da antwortete die Bourgeoisie einstimmig durch den Mund Mirabeaus:[2] Wir werden nur der Gewalt der Bajonette weichen.

Nun wohl, im Jahr 1849 tagte auch hier in unser Stadt eine konstituierende Versammlung—und als der König von Preußen die Deputieren zurückrief, da lief die große Majorität eiligst nach Haus und nur eine kleine Minorität widerstand und ging nach Stuttgart.[3]
—Von den Königen sagt man: *ultima ratio regum,* der letzte Grund der Könige, ist die Kanone.

Unsere Bourgeoisie wird niemals, geschehe was wolle, an die Energie eines solchen Grundes apellieren! Daran hindert sie nicht nur die Furcht vor den Regierungen, sondern auch die Furcht vor dem Volke!

Gustav Rein: *Otto von Bismarck, der Schöpferische Staatsmann*[1]

Diese verschiedenen Konfrontationen Bismarcks mit den großen politischen Strömungen seines Jahrhunderts zeigen uns, wie dieser schöpferische Staatsmann eine ihm eigentümliche Stellung außerhalb, ja oberhalb aller Ideologien seiner Zeit eingenommen hat.

[2] Honoré-Gabriel Riquetti, Count Mirabeau (1749-91), was an impetuous and corrupt French nobleman, a powerful orator who in 1789 joined the commoners in the Third Estate, led the movement to defy the monarchy, and headed a moderate reform party during the early phase of the French Revolution.
[3] After the King's refusal to accept the crown the fate of the Frankfurt Assembly was sealed. The elections decreed for July 15 never took place, and the Prussian army forced the Assembly out of Frankfurt. Only a few "radical" delegates dared to re-assemble in Stuttgart.

From *Otto von Bismarck, der Schöpferische Staatsman,* 28-29. Darmstadt, Wissenschaftliche Buchgesellschaft, 1965. Reprinted with permission of Wissenschaftliche Buchgesellschaft, Darmstadt.

[1] Gustav Adolf Rein (b. 1885) is professor of history at the University of Hamburg. He has written on European and American history, as well as edited the works of Bismarck.

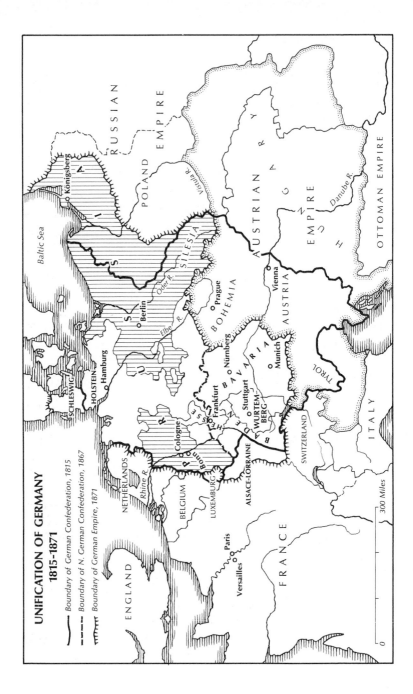

UNIFICATION OF GERMANY
1815-1871

——— Boundary of German Confederation, 1815
— — — Boundary of N. German Confederation, 1867
↑↑↑↑↑ Boundary of German Empire, 1871

RUSSIAN EMPIRE

POLAND

Baltic Sea

Königsberg

Vistula R.

AUSTRIAN EMPIRE

HUNGARY

Danube R.

OTTOMAN EMPIRE

P R U S S I A

Oder R.

SILESIA

Elbe R.

Berlin

Prague

BOHEMIA

Vienna

Hamburg

Nürnberg

BAVARIA

Munich

AUSTRIA

TYROL

SCHLESWIG

HOLSTEIN

Frankfurt

HESSE

Stuttgart

WURTEM-
BERG

BADEN

ITALY

Cologne

Bonn

PRUSSIA

SWITZERLAND

NETHERLANDS

Rhine R.

BELGIUM

LUXEMBURG

ALSACE-LORRAINE

ENGLAND

Paris

Versailles

FRANCE

300 Miles

0

Schrieb er doch damals—sich dieser eigenen Art bewußt—an einen hochgestellten Kritiker seiner politischen Maßnahmen in souveräner Weise: „Ich bin gleichgültig gegen revolutionär oder konservativ wie gegen alle Phrasen," und fügt zur Erläuterung hinzu: „Es gibt Zeiten des Liberalismus und Zeiten der Reaktion, auch der Gewaltherrschaft," also der Revolution. Liest man solche Worte, so könnte man vielleicht der Meinung sein, er sei nichts anderes als ein Opportunist; er mache Politik einmal so und einmal so, je wie die Umstände es erlauben oder fordern. Jedoch: der Opportunist ist ein Mann, der keine Überzeugungen hat, der die Fahne nach dem Winde hängt. Wer kann solches meinen, wenn er nur etwas vom Wesen Bismarcks versteht? Gerade das war er nicht. Den Zeitströmungen seines Jahrhunderts, so nahe er ihnen stand, er hat sich ihnen nicht ausgeliefert, er blieb ihnen überlegen; er benutzte sie als Helfer oder auch als Bausteine zu seinem Werk. Und was war sein Werk? Deutschland politisch in den Sattel setzen! Die Sehnsucht der Deutschen nach Einheit und Freiheit zu erfüllen, damit sie an dem Leben der großen Politik und das heißt an den großen menschlichen Verantwortungen Anteil haben könnten. Das zu vollbringen, was als Traum und Hoffnung nach dem Untergang des alten Reiches, das schon lange nur ein paßives Rechtsgebilde gewesen war, in den Deutschen seit ihrem Erwachen zum Selbstbewußtsein in den napoleonischen Kriegen lebendig geworden war.

Einem österreichischen Historiker hat Bismarck in Friedrichsruh gesagt: „Viele Wege führten zu meinem Ziel; ich mußte der Reihe nach einen nach dem andern einschlagen, den gefährlichsten—(den des Krieges)—zuletzt; Einförmigkeit im Handeln war nicht meine Sache." Dem Partei-Menschen unserer Tage, wie auch jener Zeit, fällt es nicht leicht, einen Staatsmann völlig außerhalb aller Kategorien des parteipolitischen Denkens zu erfassen; bei Bismarck ist das erforderlich. Wir dürfen ihn nicht nur als konservativ, nur als konstitutionell-liberal, nur als konterrevolutionär-napoleonisch oder gar nur als skrupellos revolutionär darstellen. Gewiß, in seiner Politik sind alle diese Elemente da; aber er hat sich ihnen niemals überantwortet. Er hat einmal erzählt; er habe nicht, wie Faust, zwei Seelen in seiner Brust, sondern eine ganze Menge; die zankten sich; es gehe in ihm zu, wie in einer Republik. Wenn er sich dann aber entschieden habe, dann sei es, als ob eine Feder eingeschnappt sei und die Waage still stehe. Wie diese Festigkeit nach langem Schwanken—(und Zanken)—entstanden sei, wisse er nicht. Solche Momente habe er mehrere im Leben durchgemacht, wobei er dann unbeugsam gegen äußere Einflüsse von oben oder von unten geblieben sei.

Friedrich Nietzsche: *Unzeitgemäße Betrachtungen*[1]

Die öffentliche Meinung in Deutschland scheint es fast zu verbieten, von den schlimmen und gefährlichen Folgen des Krieges, zumal eines siegreich beendeten Krieges zu reden: um so williger werden aber diejenigen Schriftsteller angehört, welche keine wichtigere Meinung als jene öffentliche kennen und deshalb wetteifernd beflissen sind, den Krieg zu preisen und den mächtigen Phänomenen seiner Einwirkung auf Sittlichkeit, Kultur und Kunst jubilierend nachzugehen. Trotzdem sei es gesagt: ein großer Sieg ist eine große Gefahr. Die menschliche Natur erträgt ihn schwerer als eine Niederlage; ja es scheint selbst leichter zu sein, einen solchen Sieg zu erringen, als ihn so zu ertragen, daß daraus keine schwerere Niederlage entsteht. Von allen schlimmen Folgen aber, die der letzte mit Frankreich geführte Krieg hinter sich drein zieht, ist vielleicht die schlimmste ein weitverbreiteter, ja allgemeiner Irrtum: der Irrtum der öffentlichen Meinung und aller öffentlichen Meinenden, daß auch die deutsche Kulter in jenem Kampfe gesiegt habe und deshalb jetzt mit den Kränzen geschmückt werden müsse, die so außerordentlichen Begebnissen und Erfolgen gemäß seien. Dieser Wahn ist höchst verderblich: nicht etwa weil er ein Wahn ist—denn es gibt die heilsamsten und segensreichsten Irrtümer—, sondern weil

From *Unzeitgemäße Betrachtungen* in *Nietzsches Werke*, I, 178-180. Leipzig, C. G. Naumann, 1895.

[1] Friedrich Wilhelm Nietzsche (1844-1900) was one of the most controversial and unusual figures in German philosophy. Today his significance for German intellectual history continues to be studied and debated. Perhaps his role as a critic of Western culture is his most important, and the passage printed here reflects this aspect of his philosophy. It is from one of his early works, written between 1873 and 1876.

er im Stande ist, unseren Sieg in eine völlige Niederlage zu verwandeln: *in die Niederlage, ja Exstirpation des deutschen Geistes zu Gunsten des „deutschen Reiches."*

Einmal bliebe immer, selbst angenommen, daß zwei Kulturen miteinander gekämpft hätten, der Maßstab für den Wert der siegenden ein sehr relativer und würde unter Verhältnissen durchaus nicht zu einem Siegesjubel oder zu einer Selbstglorifikation berechtigen. Denn es käme darauf an, zu wissen, was jene unterjochte Kultur wert gewesen wäre: vielleicht sehr wenig: in welchem Falle auch der Sieg, selbst bei pomphaftestem Waffenerfolge, für die siegende Kultur keine Aufforderung zum Triumphe enthielte. Andererseits kann, in unserem Falle, von einem Siege der deutschen Kultur aus den einfachsten Gründen nicht die Rede sein: weil die französische Kultur fortbesteht wie vorher, und wir von ihr abhängen wie vorher. Nicht einmal an dem Waffenerfolge hat sie mitgeholfen. Strenge Kriegszucht, natürliche Tapferkeit und Ausdauer, Überlegenheit der Führer, Einheit und Gehorsam unter den Geführten, kurz Elemente, die nichts mit der Kultur zu tun haben, verhalfen uns zum Siege über Gegner, denen die wichtigsten dieser Elemente fehlten: nur darüber kann man sich wundern, daß das, was sich jetzt in Deutschland „Kultur" nennt, so wenig hemmend zwischen diese militärischen Erfolge getreten ist, vielleicht nur, weil dieses Kultur sich nennende Etwas es für sich vorteilhafter erachtete, sich diesmal dienstfertig zu erweisen. Läßt man es heranwachsen und fortwuchern, verwöhnt man es durch den schmeichelnden Wahn, daß es siegreich gewesen sei, so hat es die Kraft, den deutschen Geist, wie ich sagte, zu exstirpieren—und wer weiß, ob dann noch etwas mit dem übrig bleibenden deutschen Körper anzufangen ist!

Friedrich Naumann: *Die politische Mattheit der Gebildeten*[1]

Das, was wir heute überlegen, ist der Verlust, den alle Parteien und insbesonders die liberalen Parteien dadurch haben, daß die Bildung[2] in den letzten Jahrzehnten sich von der aktiven Politik immer mehr zurückgezogen hat. Vor vierzig Jahren bestand eine Art geistiger Verband zwischen Bildung und Liberalismus. Der ist verloren worden, als Bismarcks Größe den Liberalismus zerdrückte. Die Mehrzahl der Gebildeten wurden Partei Bismarck, wenn man von einem unformulierbaren Verhältnis das Wort Partei brauchen kann. Sie glaubten an die Größe und Kraft des einen großen Mannes und verloren damit allen Sinn für eigene politische Einzelarbeit. Die Verachtung, mit der Bismarck gelegentlich die Berufsparlamentarier behandelte, wurde übernommen, als sei sie ein ewiges und allgemeingültiges Werturteil. Und als nun Bismarck außer Dienst gestellt wurde und als er dann starb, da übertrug sich das Verhältnis zu ihm nicht einfach auf Wilhelm II., sondern es blieb eine leere Stille im Gedankenschatz des gebildeten Deutschen. Er hatte sich abgewöhnt, selber ein Herrschaftsfaktor sein zu wollen, und fand den Rückweg nicht zum politischen Wollen.

Was den Rückweg zur früheren politischen Mitwirkung besonders erschwerte, war gerade das Erbe der letzten Epoche Bismarckischer Wirksamkeit. Zölle und Sozialistengesetz schufen eine Lage, in der es dem Bildungsvertreter blutsauer wurde, sich in die Reihe der politischen Kämpfer zu stellen, denn durch die Zölle wurde der Streit um materielle Tagesvorteile sehr verschärft und durch das Sozialistengesetz wurde die Masse der Arbeiter für mindestens ein Menschenalter aller deutschen Staatsbürgerlichkeit entfremdet. Der politische Kampf wurde massiver und schwerer als er früher gewesen war. Wie idyllisch kommt uns das Parteileben im Anfang des Deutschen Reiches vor, damals wo das Agitieren noch nicht zur Berufstechnik geworden war! Es war damals ästhetisch leichter,

From „Die politische Mattheit der Gebildeten," in *Süddeutsche Monatshefte*, 1. Jahrgang, 2. Band, July-December, 1904, 979-980. Munich and Leipzig, Verlag der Süddeutschen Monatshefte GmbH.

[1] Friedrich Naumann (1860-1919), a liberal politician and journalist, co-founder of the Deutschen Demokratischen Partei, member of the *Reichstag* from 1907-12.
[2] **Bildung** here: the educated people

politisch eifrig zu sein. Und da das ästhetische Empfinden einen bedeutenden Teil der höheren Bildungskultur ausmacht, so zogen sich die feiner Organisierten zurück und bewunderten zwar Bismarcks Größe, lernten aber nichts von ihm als Politiker. Sie fielen zurück in die Unpolitik des Zeitalters von Goethe.

Wohin aber führt diese Entwicklung? Man stelle sich eine Zeit vor, in der einmal auch unser jetziger Kaiser nicht mehr da ist. Wer repräsentiert dann den Willen des Deutschtums? Dann wird man nach politischen Energien suchen und sie vielleicht nicht finden, weil dann die Bildungsschicht politisch zu sehr erschlafft ist, um große persönliche Opfer für den Staat zu bringen.

VIII

WILHELM II. UND DER ERSTE WELTKRIEG

Das Wilhelminische Zeitalter, die Zeit von Bismarcks Rücktritt bis zum Ausbruch des ersten Weltkrieges, erhielt seinen Namen nach Wilhelm II. Obwohl er selbst die Epoche nicht formte, verkörperten sich in ihm alle Strömungen und Tendenzen seines Volkes und seiner Zeit. Der Kaiser selbst war Repräsentant eines Zeitgeistes, in dem sich gegensätzliche Einflüsse und Traditionen bekämpften: Nachgiebigkeit und Machtpolitik, Liberalismus und Absolutismus, Idealismus und Materialismus, romantische Gefühlsschwärmerei und moderner Industriegeist, Säbelrasseln und Friedensbereitschaft. Sein maßloser Stolz und sein Ehrgeiz, Bismarcks außenpolitische Erfolge zu übertreffen, wie auch die falsche Einschätzung der Rolle Deutschlands in der Konstellation der europäischen Mächte bestimmten seine unbesonnene Politik, die schließlich zum ersten Weltkrieg führte. Aber als Mensch war Wilhelm II. nicht böswillig und hielt sich für einen umsichtigen, beliebten Herrscher. Gleich nach Bismarcks Rücktritt schaffte er das seit 1878 geltende Sozialistengesetz ab, das sozialdemokratische Vereine, Versammlungen und Druckschriften verboten hatte.

Obgleich der Kaiser eine „Weltpolitik ohne Krieg" führen wollte, liebte er das Soldatentum, stellte die rein militärische Macht über jede andere und benutzte sie als Drohung gegen Frankreich und Rußland, die er als Deutschlands Erbfeinde betrachtete. Er hielt die Weltöffentlichkeit bestürzende Reden und verkündete überall die „deutsche Sendung." Er wollte durch Deutschlands zukünftige Weltmachtstellung der Welt einen Dienst leisten und verhinderte dadurch eine echte Verständigung zwischen den Nationen. Er war davon überzeugt, daß Frankreich, Rußland, und später auch England Deutschlands Gegner sein müßten. Deswegen hielt er es für notwendig, immer stärker zu rüsten, eine gewaltige Kriegsflotte aufzubauen und auch das Heer zu verstärken. Natürlich fühlten sich Deutschlands Nachbarn und auch England bedroht, und sahen in dem Kaiser und seinem Volk eine Gefahr. Auf diese Weise wurde Wilhelms ursprünglich falsche Meinung über seine mutmaßlichen Gegner durch ihn und seine Politik zur Tatsache.

Der Anlaß zum ersten Weltkrieg war aber nicht nur Wilhelms Prestigepolitik. Die Ursachen dieses 1914 ausgebrochenen Konfliktes, mit dem das neue Zeitalter der Weltkriege begann und das „alte Europa" zu Ende ging, waren nationale und gesellschaftliche Erscheinungen in allen europäischen Ländern. Während Bismarck noch versucht hatte, das Reich mit konservativen Mitteln zu festigen, wollten seine Nachfolger es durch kühnes Zugreifen stärken und erweitern. Sie wollten die neu gewonnene Macht nicht nur in den Händen haben, sondern auch gebrauchen. Um die neu erworbenen deutschen Kolonien im Notfalle verteidigen zu können, glaubte Wilhelm in der Schaffung einer starken Kriegsflotte die Aufgabe seines Lebens zu sehen. Zu sehr auf diese Heeres- und Flottenrüstung vertrauend, versäumte er, dem Wandel der Zeit durch eine Umgestaltung von Deutschlands Bündnissystem Rechnung zu tragen. Von Jahr zu Jahr wuchs die Spannung zwischen den Mächten. England war mit Frankreich zu einem Einvernehmen über alle Kolonialfragen gekommen und hatte auch seine Beziehungen mit Rußland verbessert, während Deutschland und Österreich enge Bündnispartner waren.

Der zündende Funke war die Ermordung des österreichischen Thronfolgers, des Erzherzogs Franz Ferdinand, und seiner Gattin durch serbische Nationalisten am 28. Juni 1914. Nach dem Plan des deutschen Generalstabs sollten die deutschen Truppen im Falle eines Zweifrontenkrieges zuerst Frankreich, dann Rußland angreifen. Der Feldzugsplan des Generalstabs bewährte sich aber nicht. Eine starke französische Armee trat kurz danach dem deutschen Heer an der Marne entgegen und hielt in einer blutigen Schlacht den deutschen Vormarsch auf. Die deutschen Armeen verschanzten sich nun in einer langen Linie von Flandern bis zur Schweizer Grenze in Schützengräben und Unterständen. Der Stellungskrieg im Westen begann. Die deutsche Flotte erlag der Übermacht der englischen Marine, und durch seinen scharfen Unterseebootkrieg verscherzte sich Deutschland die Sympathie der Neutralen. Schließlich trat Amerika in den Krieg ein. Deutschland, Österreich, Bulgarien und die Türkei kämpften gegen mehr als zwanzig Staaten.

Im Frühling 1918 war es klar, daß Deutschland militärisch und psychologisch geschlagen war. In der Schlacht von Verdun (1916) allein waren eine halbe Million deutsche Soldaten gefallen. Auch in der Heimat konnte der Kriegswille bei solch sinnlosem Gemetzel nicht aufrechterhalten werden. Als am 11. November 1918 endlich der Waffenstillstand geschlossen wurde, waren in Deutschland schon von Sozialisten angeregte Aufstände ausgebrochen. Am 9. November dankte Wilhelm II. ab und floh nach Holland. Am gleichen Tag wurde auf der Treppe des Reichstagsgebäudes die Republik ausgerufen unter der Devise: Frieden, Freiheit, Brot.

Ansprache des Kaisers bei der Jubiläumsfeier des Deutschen Reiches am 18. Januar 1896[1]

Der heutige Tag, ein Tag dankbaren Rückblickes, wie das ganze Jahr in allen seinen Feiern, ist eine einzige große Dankesfeier und Gedenkfeier für den hochseligen großen Kaiser. Über dem heutigen Tage ruht der Segen, schwebt der Geist dessen, der in Charlotten-

„Ansprache des Kaisers bei der Jubiläumsfeier des Deutschen Reiches am 18. Januar 1896 im weißen Saale des Königlichen Schlosses zu Berlin," in *Dokumente der Deutschen Politik und Geschichte von 1848 bis zur Gegenwart*, edited by Johannes Hohlfeld, II, 63-64. Berlin, Dokumenten-Verlag Dr. Herbert Wendler & Co., 1951. Reprinted with permission of Dokumenten-Verlag Dr. Herbert Wendler & Co. K-G, Berlin.

[1] This address was delivered before a group of nobles and state officials on the twenty-fifth anniversary of the proclamation of the Second German *Reich*.

burg,[2] und dessen, der in der Friedenskirche[3] gebettet ist. Was unsre Väter erhofften, was die deutsche Jugend träumend gesungen und gewünscht hat, ihnen, den beiden Kaisern, ist es vergönnt gewesen, das Deutsche Reich mit den Fürsten sich zu erkämpfen und wieder herzustellen. Wir dürfen dankbar die Vorteile genießen; wir dürfen uns des heutigen Tages freuen. Damit geht auf uns jedoch die ernste Pflicht über, auch das zu erhalten, was die hohen Herren uns erkämpft haben. Aus dem Deutschen Reich ist ein Weltreich geworden. Überall in fernen Teilen der Erde wohnen Tausende unsrer Landsleute. Deutsche Güter, deutsches Wissen, deutsche Betriebsamkeit gehen über den Ozean. Nach Tausenden von Millionen beziffern sich die Werte, die Deutschland auf der See fahren hat. An Sie, meine Herren, tritt die ernste Pflicht heran, Mir zu helfen, dieses größere deutsche Reich auch fest an unser heimisches zu gliedern. Das Gelöbnis, was[4] ich heute vor Ihnen ablege, es kann nur Wahrheit werden, wenn Ihre von einheitlichem patriotischen Geiste beseelte vollste Unterstützung Mir zuteil wird. Mit diesem Wunsche, daß Sie in vollster Einigkeit Mir helfen werden, Meine Pflicht nicht nur Meinen engeren Landsleuten, sondern auch den vielen Tausenden von Landsleuten im Auslande gegenüber zu erfüllen, das heißt, daß Ich sie schützen kann, wenn Ich es muß, und mit der Mahnung, die an uns alle geht: „Was du ererbt von deinen Vätern hast, erwirb es, um es zu besitzen,"[5] erhebe ich mein Glas auf unser geliebtes deutsches Vaterland und rufe: „Das Deutsche Reich hoch! und nochmals hoch! und zum dritten male hoch!"

[2] Charlottenburg is a suburb to the west of Berlin. In the royal castle there, are the remains of the first Emperor of the Second *Reich,* Wilhelm I.
[3] The *Friedenskirche* is a church in Berlin in which Frederick the Great lies buried.
[4] was = das
[5] This citation is from Goethe's *Faust,* Part I, 11.682-3.

Friedrich von Bernhardi: *Deutschland und der nächste Krieg*[1]

Innerhalb gewisser Grenzen wird niemand den Bestrebungen, die Kriegsgefahr zu verringern und die Leiden, die der Krieg mit sich bringt, abzuschwächen, einige Berechtigung absprechen. Daß der Krieg das Erwerbsleben zeitweilig stört, die ruhige wirtschaftliche Entwicklung unterbricht, vielfaches Elend mit sich führt und die ursprüngliche Roheit des Menschen hervorbrechen läßt, ist eine nicht wegzuleugnende Tatsache. Es ist daher nur zu billigen, wenn Kriege aus leichtfertigen Gründen unmöglich gemacht werden sollen, wenn man bemüht ist, die Unbilden, die der Krieg notwendig mit sich führt, einzuschränken, soweit es mit dessen eigenstem Wesen vereinbar ist. Was die Haager Friedenskongresse[2] auf diesem engeren Gebiete geleistet haben, verdient wie jede zulässige Humanisierung des Krieges allgemeine Anerkennung. Ganz etwas anderes aber ist es, wenn die Absicht dahin geht, den Krieg überhaupt zu beseitigen und seine entwicklungsgeschichtliche Notwendigkeit zu leugnen.

Dieses Streben setzt sich in unmittelbaren Widerspruch mit den großen allgemeinen Gesetzen, die alles Leben beherrschen, denn der Krieg ist in erster Linie eine biologische Notwendigkeit, ein Regulator im Leben der Menschheit, der gar nicht zu entbehren ist, weil sich ohne ihn eine ungesunde, jede Förderung der Gattung und daher auch jede wirkliche Kultur ausschließende Entwicklung ergeben müßte. „Der Krieg ist der Vater aller Dinge." Diese Erkenntnis

---

From *Deutschland und der nächste Krieg*, 11-12, 15-17. Stuttgart and Berlin, J. G. Cotta'sche Buchhandlung, 1913. Reprinted with permission of J. G. Cotta'sche Buchhandlung Nachf. GmbH., Stuttgart.

[1] Friedrich von Bernhardi (1849-1930) served as German military attaché in Switzerland and later was head of the military history department of the General Staff in Berlin. From 1907 to 1909 he commanded the VII. Army Corps and then served on both fronts in World War I. He wrote numerous books and articles on military history.

[2] The Hague Peace Conferences of 1899 and 1907 achieved little in trying to limit armed force. The first conference did modify the Geneva Convention (1864) for some of the nations agreed to outlaw the use of poisonous gas and "dum-dum" bullets. The second conference reached no agreement about disarmament, but a more "humane" conduct of war was recommended.

hatte sich schon lange vor Darwin[3] den Weisen des Altertums erschlossen.

So ist der Kampf ein allgemeines Gesetz der Natur, und der Trieb zur Selbsterhaltung, der zum Kampf führt, als eine natürliche Bedingung alles Lebens durchaus berechtigt. „Mensch sein heißt ein Kämpfer sein." Sich selbst aufgeben aber ist eine Verneinung des Lebens, wie im Dasein des einzelnen, so auch im Leben der Staaten als der Volkspersönlichkeiten; das eigene selbständige Dasein zu behaupten, ist das erste und oberste Gesetz. Nur in der Selbstbehauptung kann der Staat seinen Bürgern die Lebensbedingungen erhalten und den rechtlichen Schutz gewähren, den jeder von ihm zu fordern berechtigt ist. Diese Pflicht der Selbstbehauptung ist aber keineswegs durch die bloße Abwehr feindlicher Angriffe erschöpft; sie schließt die Forderung ein, der Gesamtheit des Volkes, das der Staat umfaßt, Daseins- und Entwicklungsmöglichkeit zu gewähren.

Kräftige, gesunde und aufblühende Völker nehmen an Volkszahl zu; sie bedürfen daher von einem gegebenen Augenblick an einer steten Erweiterung ihrer Grenzen, sie brauchen Neuland, um den Überschuß der Bevölkerung unterzubringen. Da aber die Erde fast überall besiedelt ist, kann Neuland im allgemeinen nur auf Kosten Besitzender gewonnen werden, d. h. durch Eroberung, die damit zu einem Gesetz der Notwendigkeit wird.

Das Recht der Eroberung ist auch allgemein anerkannt. Zunächst vollzieht sie sich auf friedlichem Wege; übervölkerte Länder ergießen einen Strom von Auswanderern in andere Staaten und Gebiete. Indem diese sich den Rechtsordnungen des Einwanderungslandes unterordnen, suchen sie sich auf Kosten der ursprünglichen Einwohner und im Wettbewerb mit ihnen günstige Daseinbedingungen zu schaffen, d. h. zu erobern.

Allgemein anerkannt ist aber auch das Recht der Kolonisation, indem weite, von wenig kultivierten Massen bewohnte Gebiete durch Staaten höherer Kultur in Besitz genommen und ihrer Herrschaft unterworfen werden. Die höhere Kultur und die dementsprechend größere Macht begründen das Recht zur Besitzergreifung. Freilich ist dieses Recht ein sehr schwankendes, und es dürfte unmöglich

---

[3] Charles Robert Darwin (1809-92), was an English naturalist and the originator of the doctrine of evolution.

sein, zu bestimmen, welcher Kulturunterschied die Besitzergreifung und Unterwerfung rechtfertigt. Gerade die Unmöglichkeit, in diesen Beziehungen der Völker zueinander eine rechtliche Grenze zu finden, ist aber wieder die Ursache vieler Kriege. Der Unterworfene erkennt das Recht nicht an, ihn zu unterwerfen, und das stärkere Kulturvolk seinerseits will dem Unterworfenen das Recht auf Selbständigkeit nicht zugestehen. Kritisch wird dieser Zustand besonders dann, wenn die Kulturverhältnisse sich mit der Zeit geändert haben—wenn auch das unterworfene Volk höhere Lebensformen und Lebensauffassungen gewonnen hat und der Kulturunterschied damit immer mehr verschwindet: Verhältnisse, wie sie jetzt zum Beispiel in Britisch-Indien heranreifen.

Endlich gilt auch von jeher das Recht der Eroberung durch den Krieg. Wo für ein zunehmendes Volk Kolonialland von unkultivierten Rassen nicht gewonnen werden kann und dennoch der Volksüberschuß, den das eigene Land nicht mehr zu ernähren vermag, dem Staate erhalten werden soll, bleibt nichts anderes übrig, als sich das nötige Gebiet durch Krieg zu verschaffen; da zwingt der Selbsterhaltungstrieb zum Kriege und zur Eroberung fremden Landes. Da hat nicht mehr Recht, wer besitzt, sondern wer im Kampfe Sieger bleibt.

Gerhard Ritter: *Die „Militarisierung" des deutschen Bürgertums*[1]

Das wilhelminische Reich bildet auch für das Problem des deutschen „Militarismus" eine durchaus neue Epoche. Die Welt hat das auch immer so empfunden. Der Regierung Bismarcks hat niemand, so lange sie dauerte, vorgeworfen, sie bedrohe den europäischen Frieden. Im Gegenteil: nichts ist eindrucksvoller, als in den Berichten

From *Staatskunst und Kriegshandwerk*, II, 118, 120-121, 123, 127, 128, 129, 130-131. München, Verlag R. Oldenbourg, 1960. Reprinted with permission of R. Oldenbourg Verlag, München.

[1] Ritter (1888-1967) was professor of history at the University of Freiburg. The volume from which this selection is taken is one of the most important and controversial contributions to the understanding of the problem of militarism in modern Germany.

ausländischer Diplomaten während der siebziger und achtziger Jahre zu verfolgen, wie anfängliche Befürchtungen, Bismarck könne die geballte Kraft des neuen Reiches zu gewaltsamer Machterweiterung mißbrauchen, sehr rasch verschwanden und wie sich nach und nach Vertrauen anstelle des Mißtrauens bildete. Nicht als Friedensstörer, sondern als Friedenhort, trotz aller Energie seiner Machtbehauptung, erschien damals das Reich der europäischen Mitte. Die Vorstellung, Bismarcks „Realpolitik" sei Vorstufe und Anfang eines rein „militaristischen" Nationalismus gewesen, der grundsätzlich Gewalt vor Recht setzt und nur noch auf „Blut und Eisen" statt auf friedliches Verhandeln baute, hat zwar ihre Wurzeln in den innenpolitischen Kämpfen der sechziger Jahre, ist aber erst nach seinem Sturz zu einem politischen Schlagwort der anti-deutschen Publizistik geworden. Solange Bismarck selbst noch am Steuer stand, konnte im Ernst niemand daran zweifeln, daß kühle Staatsräson, nicht nationalistische Leidenschaft und nicht militaristischer Kampfeseifer den Kurs der deutschen Politik bestimmte.

Was hat nun dieses Vertrauen unter seinen Nachfolgern erschüttert und das wilhelminische Deutschland in den Ruf gebracht, vom Geist eines gewalttätigen „Militarismus" beherrscht zu sein? Wir müssen, um darauf eine Antwort zu finden, zunächst die Stellung der Armee im Ganzen des deutschen politischen Lebens ins Auge fassen.

Von irgendwelcher Popularität der Armee kann bis zu den Kriegen Friedrichs des Großen noch keineswegs gesprochen werden. Das Bürgertum betrachtete den Hochmut und die Anmaßung der adligen Offiziere mit ebenso feindeseligen Blicken wie das wilde, nur durch grausame Disziplin in Zucht gehaltene Soldatenvolk, das aus aller Herren Länder zusammengeräubert war. Von Anfang an hat es in den Garnisonstädten oft heftige Konflikte und Straßentumulte zwischen Bürgern und Soldaten gegeben. Auch die siegreichen Feldzüge Friedrichs des Großen, die so viel Bewunderung für den König und so viel patriotischen Stolz weckten, haben an dem sozialen Ansehen des Soldatenstandes nicht viel verändert.

So ist die vielberufene „Militärfrömmigkeit" des deutschen Bürgertums ein relativ junges Produkt unserer Geschichte. Die dankbare Bewunderung der großen Leistungen der Armee in drei siegreichen Kriegen ließ natürlich auch das soziale Ansehen des Offizierstandes noch höher steigen, als es schon vorher gewesen war. Die oberste Rangstufe hatten ihm schon die altpreußischen Soldaten-könige angewiesen—jetzt nahm er sie unbestritten in den Augen der ganzen bürgerlichen Gesellschaft ein. Das soziale Ansehen des Offizierstandes lockte viele, auf diesem Wege gesellschaftlichen Rang, wohl gar unmittelbaren Zugang zum kaiserlichen Hof zu gewinnen. Damit ist schon der Punkt berührt, an dem die „Mili-tarisierung" des deutschen Lebens unmittelbare politische Bedeutung im Sinn unseres Generalthemas gewinnt: das Eindringen militäri-scher Denkweise in die politische Vorstellungswelt des deutschen Bürgertums. Es erfolgte hauptsächlich auf dem Wege über den „Reserveoffizier"—eine militärische Figur, die erst nach der Reichs-gründung in der deutschen Armee eine größere Rolle zu spielen begann.

Das Reserveoffizierkorps betrachtete sich selbst als eine soziale Elite, und so wurde es der Ehrgeiz des jungen deutschen Staats-bürgers, durch seine Ernennung zum Reserveoffizier seinen Rang als „vornehmer Mann" bestätigt zu erhalten. Es ist kaum auszudenken, in welchem Maße dadurch die Klassengegensätze in Deutschland versteift worden sind. Für die Angehörigen gewisser Berufe, vor allem für den Juristenstand und die höheren Verwaltungsbeamten, war es einfach Ehrensache, nicht nur Reserveoffizier zu sein, sondern womöglich zu einem Regiment mit vorwiegend adligem Offizier-korps zu gehören, am besten der Kavallerie. So entwickelte sich ein Ehrgeiz der militärischen Rangordnung auch im Zivilleben, der fast an gewisse Traditionen der alt-russischen Staatsordnung erinnert. Verdiente Staatsmänner erhielten als Auszeichnung irgendeinen militärischen Rang. Es wurde guter Stil auch für höhere Staats-beamte, bei jeder nur irgend passenden Gelegenheit den Soldatenrock zu tragen. So erschien Bethmann-Hollweg[2] bei seinem ersten Auf-treten als Kanzler im Reichstag in Majorsuniform—eine Übung, an der Bismarck mit seiner ewigen Verkleidung als Kürassiergeneral gewiß nicht unschuldig gewesen ist. Nur wer die Uniform mit den silbernen Achselstücken tragen durfte, galt noch als ein ganzer

[2] Theodor von Bethmann-Hollweg (1856-1921) was Chancellor of Germany from 1909 to 1917.

Der alte Bismarck wird mit Kaiser Wilhelm II. versöhnt; vor dem Schloß in Berlin

Kerl, vollends wenn er es bis zum Rittmeister der Reserve oder Landwehr gebracht hatte. Die Nachahmung adliger Lebenssitten und des schnoddrigen Kasinotons in bürgerlichen Kreisen nahm vielfach geradezu lächerliche Formen an—am lächerlichsten vielleicht im studentischen Verbindungswesen, in dem eine unreife oder halbreife Jugend ihre Männlichkeit durch möglichst gezwungene und steife Verkehrsformen sich selbst zu bestätigen suchte. „Forsches" Auftreten und ständige Bereitschaft zum Duell wurde in weiten Kreisen zum akademischen Lebensstil. Aber es blieb nicht bei der Nachahmung äußerer Lebensformen.

Prinz Schönaich[3] ist als Politiker weiteren Kreisen des In- und Auslands erst dadurch bekanntgeworden, daß er 1890 in einer rasch berühmt gewordenen Reichstagrede vor einseitig kämpferischen Maßnahmen gegen die Sozialdemokratie warnte und das gebildete Bürgertum zu geistiger Auseinandersetzung mit dem Sozialismus aufrief. Was er selbst dazu beitragen konnte, war unbedeutend. Aber

[3] Heinrich Prinz von Schönaich-Carolath (1844-1916) was a Prussian district councilor and a representative in the German parliament.

sicher ist, daß er in jener Rede an den wundesten Punkt der Innenpolitik des bismarckischen Reiches gerührt hatte: an die unheilvolle
Spaltung der Nation in zwei Lager: das der militärfrommen bürgerlichen Rechten und der grundsätzlich antimilitärischen Linken. Diese
Haltung wurde ganz wesentlich dadurch vertieft, daß die liberalen
Traditionen der Jahrhundertmitte im höheren Bürgertum und in der
Beamtenschaft seit den achtziger Jahren so stark verblaßten. Wer
vorankommen wollte in der preußischen Verwaltung, mußte unter
dem alten Bismarck und seinem Innenminister Puttkammer un-
bedingt „zuverlässig" im Sinn der konservativen Parteien sein. Der
politische Einfluß des Offizierkorps hat diese Richtung noch ver-
stärkt. Nach dem Abgang Bismarcks erwies er sich aber auch für
das außenpolitische Denken des deutschen Bürgertums als gefährlich. Die Begriffe „stramm" und „schlapp," dem Jargon der
Exerzierplätze und Kasinos entstammend, beherrschten mehr und
mehr das Gerede „national" gesinnter Bürgerklubs und patriotischer
Stammtische über außenpolitische Fragen. Nun ist dem Soldaten die
Vorstellung natürlich, daß mit bloßer Willensenergie auch schwere
Hindernisse sich zuletzt überwinden lassen. Im Kriege darf keine
Gefahr schrecken—wenigstens nicht in den unteren Führungsrän-
gen. Im Bereich der Politik, vollends auf dem Felde der Diplomatie
mit seinen überaus komplizierten Fragen, reichen so primitive
Rezepte nicht aus. Zur Staatskunst gehört auch die Fähigkeit, unter
Umständen auf Umwegen und durch Kompromisse oder Nachgeben
zum Ziele zu gelangen. Es war ein Unheil, daß militärische Vor-
stellungen von der natürlichen „Schlappheit" des Zivilisten und
„Federfuchsers" sich immer weiter verbreiteten und das Kraft-
bewußtsein unserer rasch aufsteigenden Nation erst vollends übersteigern halfen. Die Bismarcklegende, die sich bald nach dem
Abgang des großen Kanzlers bildete, hat seinen Nachfolgern schwer
zu schaffen gemacht, und es wird sich kaum leugnen lassen, daß die
„Militarisierung" der Nation an dieser Entwicklung einen starken
Anteil hatte. Sie half mit dazu, in „nationalen" Kreisen eine Atmosphäre zu schaffen, deren Druck die schwachen Reichsregierungen
der wilhelminischen Epoche oft nur mit Mühe widerstehen konnten.

Fritz Fischer: *Um die „Schuld" am Weltkrieg*[1]

Es bedarf keiner Frage, daß in dem Zusammenstoß von politisch-militärischen Interessen, Ressentiments und Ideen, die in der Juli-krise[2] zur Wirkung kommen, die Regierungen der beteiligten euro-päischen Mächte in der einen oder anderen Weise an der Verant-wortung für den Ausbruch des Weltkrieges teilhaben. Hier kommt es allein auf die Zielsetzung und praktische Politik der deutschen Reichsleitung in der Julikrise an, und zwar unter dem Blickwinkel, der diese Politik in den Zusammenhang der Klärung von Vorausset-zungen und Entstehung der deutschen Kriegsziele hineinstellt.

Bei der angespannten Weltlage des Jahres 1914, nicht zuletzt als Folge der deutschen Weltpolitik—die 1905/06, 1908/09 und 1911/12[3] bereits drei gefährliche Krisen ausgelöst hatte—, mußte jeder begrenzte (lokale) Krieg in Europa, an dem eine Großmacht unmittelbar beteiligt war, die Gefahr eines allgemeinen Krieges un-vermeidbar naherücken. Da Deutschland den österreich-serbischen Krieg gewollt, gewünscht und gedeckt hat und, im Vertrauen auf die deutsche militärische Überlegenheit, es im Jahre 1914 bewußt auf einen Konflikt mit Rußland und Frankreich ankommen ließ, trägt die deutsche Reichsführung einen erheblichen Teil der histori-schen Verantwortung für den Ausbruch des allgemeinen Krieges. Diese verringert sich auch nicht dadurch, daß Deutschland im letzten Augenblick versuchte, das Verhängnis aufzuhalten; denn die Ein-wirkung auf Wien geschah ausschließlich wegen der drohenden Intervention Englands, und auch dann wurde sie nur mit halben, verspäteten und sofort widerrufenen Schritten unternommen.

From *Griff nach der Weltmacht*, 96-99. Düsseldorf, Droste Verlag, 1962. Re-printed with permission of Droste Verlag und Druckerei GmbH, Düsseldorf.

[1] Fritz Fischer (b. 1908) is professor of history at the University of Hamburg and one of the leading historians in Germany today. The excerpt here is taken from his major work on German policy in World War I.
[2] After the assassination of Archduke Franz Ferdinand in June 1914, in July of that year the diplomatic and military mills began to grind in all European coun-tries. The crisis in July reached its height with the mobilization of most powers.
[3] In these years Germany became involved in crises over colonies, such as the first Moroccan crisis in 1905. Many feared that such an episode might set off a war. Ironically, it was Austria's policy toward her Slavic possessions that eventually became the immediate cause of the war.

Zwar haben die deutschen Politiker in der Öffentlichkeit und mit ihnen die ganze deutsche Propaganda während des Krieges sowie auch die deutsche Geschichtsschreibung nach dem Kriege—erst recht nach Versailles—stets die These vertreten, daß der Krieg Deutschland aufgezwungen wurde, oder zumindest, daß der deutsche Teil der Verantwortung—im Sinne des politisch motivierten Wortes von Lloyd George: „Wir sind alle in den Krieg hineingeschlittert"— nicht größer sei als der der anderen Beteiligten. Aber im vertrauten Kreise fielen zwischen den beiden Verbündeten und zwischen den Verantwortlichen in Deutschland selbst Äußerungen, die, bar jeder propagandistischen Absicht, ein enthüllendes Schlaglicht auf die tatsächliche Verantwortung werfen.

Als wenige Wochen nach Ausbruch des Krieges, in den Krisen der Marneschlacht und in Galizien, den Österreichern die von ihnen dringend geforderte deutsche Hilfe vor der drohenden russischen Übermacht verweigert wurde, riet Graf Tisza[4] Berchtold,[5] den Deutschen zu erklären, „daß wir den Krieg auf die klipp und klare Äußerung sowohl Kaiser Wilhelms wie des deutschen Reichskanzlers beschlossen haben, daß sie den Moment für geeignet halten und es mit Freude begrüßen, wenn wir ernst machen."

Knapp drei Jahre später warf der österreichisch-ungarische Außenminister Graf Czernin,[6] auf dem Höhepunkt einer hitzigen Debatte um die Fortsetzung des Krieges zur Erzwingung der deutschen Kriegsziele, am 14. August 1917 seinen deutschen Gesprächspartnern erregt entgegen: „Krieg ist damals nicht von Österreich allein begonnen! Deutschland hat strenge Form des Ultimatums an Serbien . . ." (hier bricht das amtliche deutsche Protokoll der Reichskanzlei für diesen zentralen Satz bezeichnenderweise ab und berichtet auch nichts von einem Widerspruch der deutschen Staatsmänner Michaelis, Kühlmann und Helfferich). Jedoch hat der Protokollant der OHL[7] den Satz zu Ende geführt: Deutschland hat strenge Form des Ultimatums „gefordert."

[4] Count Stephen Tisza (1861-1918) was Premier of Hungary from 1913 to 1917.
[5] Count Leopold von Berchtold (1863-1942) was the Austro-Hungarian Minister for Foreign Affairs, February 1912 to 1915.
[6] Count Ottokar Czernin (1872-1932) was named Austro-Hungarian Minister for Foreign Affairs in December 1916.
[7] **OHL** abbreviation for *Oberste Heeresleitung,* the German High Command in World War I.

Admiral von Müller[8] kommentierte die Antwortnote der Entente auf das deutsche Friedensangebot am 31. Dezember 1916, die Deutschland einen erheblichen Teil der Schuld am Weltkrieg zuschob, in seinem Kriegstagebuch damit, daß sie „einige bittere Wahrheiten über unsere Regie des Kriegsausbruches" enthalten hätte.

Schließlich aber hat Albert Ballin[9]—der enge politische Vertraute Bethmann-Hollwegs und Jagows,[10] den dieser selbst noch während der kritischen Julitage des Jahres 1914 in einer Sondermission nach London geschickt hatte (um die englische Neutralität zu erreichen) —Mitte 1916, als er nach Berlin gerufen wurde, um an der Antwortnote Deutschlands an die USA mitzuwirken, die über Krieg und Frieden mit Amerika entscheiden mußte, dann aber von Jagow doch nicht empfangen wurde, aus seiner intimen Kenntnis der Julivorgänge heraus dem Staatssekretär geschrieben: „Ich habe jede Nachsicht für einen Mann, der wie Euer Exzellenz so schwer belastet ist und die entsetzliche Verantwortung zu tragen hat für die Inszenierung dieses Krieges, der Deutschland Generationen prächtiger Menschen kostet und es für 100 Jahre zurückwirft."

Auch Bethmann-Hollweg selbst hat während des Krieges öfter in dunklen Worten durchblicken lassen, wie stark Deutschland mit dem Beginn des Krieges verwoben war. Weniger ging es ihm die „Inszenierung" als um den Aufweis der geistigen Haltung der deutschen Führung, die es ermöglichte, daß der Krieg trotz der umgestürzten Prämissen begonnen wurde. In der harten Auseinandersetzung um den Beginn des uneingeschränkten U-Boot-Krieges fielen seine herben Worte vor dem Hauptausschuß des Reichstages (Anfang Oktober 1916), die die eigentliche „Schuld" Deutschlands, die ständige Überschätzung der eigenen Kräfte in Verkennung der Realitäten umreißen:

Seit Anfang des Krieges sind wir dem Fehler nicht entgangen, die Kraft unserer Feinde zu unterschätzen. Wir haben diesen Fehler aus der

---

[8] Georg Alexander von Müller (1854-1940) was an admiral and Chief of the German Department of the Navy.
[9] Albert Ballin (1857-1918) was director of the Hapag, the Hamburg-Amerikanische Paketfahrt-Aktiengesellschaft, a shipping line.
[10] Gottlieb von Jagow (1863-1935) was the German Secretary of State for Foreign Affairs from 1913 to 1916.

Friedenszeit übernommen. Bei der staunenswerten Entwicklung unseres Volkes in den letzten 20 Jahren erlagen weite Schichten der Versuchung, unsere gewiß gewaltigen Kräfte im Verhältnis zu den Kräften der übrigen Welt zu überschätzen . . . in der Freude über das eigene Emporkommen [haben wir] die Verhältnisse in anderen Ländern nicht genügend berücksichtigt . . .

Kriegsbriefe gefallener Studenten[1]

Leipzig (leider immer noch!), 3. August 1914.

Hurra! endlich habe ich meine Beordnung: morgen vormittag 11 Uhr in einem hiesigen Lokal. Stunde um Stunde habe ich auf meinen Befehl gewartet. Heute vormittag traf ich eine junge bekannte Dame; ich schämte mich fast, mich in Zivilkleidern vor ihr sehen zu lassen.—Auch Ihr, meine guten Eltern, werdet mir recht geben: ich gehöre nicht mehr ins friedliche Leipzig. Liebe Mutter, halte Dir bitte, bitte immer vor Augen, was ich seit gestern (dem Abschied von daheim) im Wechsel der Stimmungen gelernt: Wenn wir in diesen Zeiten an uns und unsere Angehörigen denken, werden wir klein, schwach. Denken wir an unser Volk, ans Vaterland, an Gott, an alles Umfassende, so werden wir mutig und stark.

Im Eisenbahnzug, 24. September 1914.

Nun möchte ich Dir noch über eines schreiben, das Du Dir nach einigen Stellen in Deinen letzten Briefen vielleicht anders denkst: Warum ich mich als Kriegsfreiwilliger gemeldet habe? Natürlich nicht aus allgemeiner Begeisterung für den Krieg, auch nicht, weil ich es für eine besonders große Tat halte, sehr viele Menschen totzuschießen oder sich sonst im Kriege auszuzeichnen. Im Gegenteil, ich finde den Krieg etwas sehr, sehr Schlimmes und glaube auch, daß bei einer geschickteren Diplomatie es auch diesmal hätte gelingen müssen, ihn zu vermeiden. Aber jetzt, wo er einmal erklärt ist, finde ich es einfach selbstverständlich, daß man sich soweit als Glied

From *Kriegsbriefe gefallener Studenten,* edited by Prof. Dr. Philipp Witkop, 7, 22, 123-124, 278-279, 346. München, Georg Müller Verlag, 1928.

[1] These letters from German students reveal the disillusionment brought about by the face-to-face encounter with the reality of war. The letters reprinted here, from a collection published in 1928, represent the feelings of several students.

des Volksganzen fühlt, um sein Schicksal möglichst eng mit dem des Ganzen zu verbinden. Und auch, wenn ich überzeugt bin, daß ich im Frieden für das Vaterland und das Volk mehr tun kann als im Krieg, so finde ich es ebenso verkehrt und unmöglich, solche abwägenden, fast rechnenden Betrachtungen jetzt anzustellen, wie etwa für einen Mann, der, bevor er einem Ertrinkenden hilft, sich selbst überlegen wollte, wer der Ertrinkende wäre und ob er nicht vielleicht wertvoller sei als dieser.—Denn das Entscheidende ist doch immer die *Opferbereitschaft,* nicht das, wofür das Opfer gebracht wird.

Ich finde den Krieg, nach allem, was ich davon gehört habe, etwas so Fürchterliches, Menschenunwürdiges, Törichtes, Überlebtes, in jeder Weise Verderbliches, daß ich mir fest vorgenommen habe, wenn ich aus dem Kriege heimkehre, mit aller Kraft alles zu tun, was ich kann, damit es in Zukunft so etwas nicht mehr geben kann. . . .

23. Juli 1915.

Das sind nun nackte Schilderungen von Geschehnissen—und was enthalten sie an furchtbaren Empfindungen der menschlichen Seele! Sie zu beschreiben vermögen nicht alle Bücher der Erde. Der Mensch kann daran sein Leben zehren, daß er *einen* hat sterben sehen; der Soldat ist verurteilt, empfindungslos, hart und roh zu scheinen. Und beim Angriff? fragt Ihr. „Man ist ja kein Mensch mehr," so sagte einmal ein Jägeroffizier, der seit September in den Argonnen liegt und Sturm auf Sturm, auch den letzten großen, mitgemacht hat. All' diese Einzelerlebnisse stehen selbstständig für sich da, unfaßbar, unerklärbar, schlechthin irrational.

Manch „schönes Gedicht," in der warmen Stube in Begeisterung vielleicht geschrieben, vom Heldentod und vom schönen Sterben berichtend, liest man jetzt mit bitterem Lächeln.

18. Juli 1915, Feuerstellung Elzbiecin.[2]

Diese zwei Jahre[3] im Krieg stellen eine Unterbrechung des Lebens dar und sind doch ein so wichtiges Stück davon; aber was der Krieg

[2] An emplacement on the Eastern front, possibly in Poland.
[3] The author of this letter is either counting the war months of 1914 and 1915 as two full years or predicting that the war could not last more than two years.

Deutsche Truppen an der östlichen Front

uns als Menschen lehren will, das haben wir nicht gelernt und werden's auch nicht. Wir hofften auf einen Ausgleich der sozialen Gegensätze auf Grund eines besseren Sichkennenlernens, wir hofften auf Veredelung des Volksgeschmacks in den Genüssen des Lebens, auf eine Vereinfachung der Lebenshaltung, und alles ist nur in sehr geringem Maße zustandegekommen und befindet sich vielfach schon in der Auflösung. Das Füreinanderleben ist gar unvollkommen; nach wie vor herrscht der Egoismus im Felde wie daheim. Glücklich der, der wenigstens für seine Persönlichkeit einen fördernden Einfluß dieses Krieges spürt, der uns so viel versagt, was man in diesen jungen Jahren hätte erarbeiten können und genießen. Glücklich, wem das Dienen und Sichopfern fürs Ganze nun auch für die Zeit nach dem Kriege in Fleisch und Blut übergegangen ist, ohne Reflexion auf eine Belohnung oder Auszeichnung, so wie die wahren Lebenskünstler das Gute nicht für die Belohnung im Jenseits tun. Zukunftshoffnungen, Zukunftspläne sind uns auch versagt, viele, die heimkommen, finden dort Elend, einen verwahrlosten Hausstand, ein heruntergekommenes Geschäft; und noch weiß man nicht, wie das Schicksal Deutschlands und damit von uns allen ausfallen wird. Nur eine geheime Sehnsucht nach dem Frieden als etwas überschwänglich Großem und Erhabenem ist da und ein unbezähmbarer Wille, diesen Frieden mit den Waffen zu erkämpfen. Oft denkt man auch an die Erlösung aus diesen Gefahren und Entbehrungen durch einen plötzlichen Tod, und dieser Gedanke ist uns so naheliegend geworden, daß er für uns alle Furchtbarkeit verloren hat. Unsere besten Freunde, die herrlichsten Menschen haben sich diesem Tod in die Arme geworfen, warum sollen wir ihn fürchten und meiden? Er ist der schönste, der einem im Leben beschieden sein kann; und doch stirbt keiner gern, denn das fühlen wir: wir haben mit dem Leben nicht abgeschlossen, wir stehen seinen Tiefen und Geheimnissen noch fremd gegenüber.

Flandern, Januar 1915.

Eins sage ich Euch immer wieder: Ihr in der Heimat vergeßt nie, wie gräßlich der Krieg ist. Betet ohne Unterlaß. Macht Ernst. Laßt alles Oberflächliche. Haut sie hinaus aus Theater und Konzert, die lachen und witzeln, indes ihre Kämpfer und Schützen leiden und bluten und sterben. Wieder war ich drei Tage (1. bis 4. Januar) in der schrecklichsten Blutschlacht der Weltgeschichte, zweihundert Meter vor dem Feind, im hastig und notdürftig aufgeworfenen Graben. Drei Tage und drei Nächte lang Granate über Granate— ein Krachen, Pfeifen, Gurgeln, Schreien, Stöhnen. Fluch denen, die den Krieg heraufbeschworen!

Erich Maria Remarque: *Im Westen Nichts Neues*[1]

Wir zählen die Wochen nicht mehr. Es war Winter, als ich ankam, und bei den Einschlägen der Granaten wurden die gefrorenen Erdklumpen fast ebenso gefährlich wie die Splitter. Jetzt sind die Bäume wieder grün. Unser Leben wechselt zwischen Front und Baracken. Wir sind es teilweise schon gewohnt, der Krieg ist eine Todesursache wie Krebs und Tuberkulose, wie Grippe und Ruhr. Die Todesfälle sind nur viel häufiger, verschiedenartiger und grausamer.

Unsere Gedanken sind Lehm, sie werden geknetet vom Wechsel der Tage—sie sind gut, wenn wir Ruhe haben, und tot, wenn wir im Feuer liegen. Trichterfelder draußen und drinnen.

Alle sind so, nicht wir hier allein—was früher war, gilt nicht, und man weiß es auch wirklich nicht mehr. Die Unterschiede, die Bildung und Erziehung schufen, sind fast verwischt und kaum noch zu erkennen. Sie geben manchmal Vorteile im Ausnutzen einer Situation; aber sie bringen auch Nachteile mit sich, indem sie Hemmungen wachrufen, die erst überwunden werden müssen. Es ist, als ob wir früher einmal Geldstücke verschiedener Länder gewesen wären; man hat sie eingeschmolzen, und alle haben jetzt denselben Prägestempel. Will man Unterschiede erkennen, dann muß man schon genau das Material prüfen. Wir sind Soldaten und

From *Im Westen Nichts Neues*, 266-267, 278-279. Berlin, Propyläen-Verlag, 1928. Reprinted with permission of Verlag Kiepenheuer & Witsch, Cologne.

[1] Remarque (b. 1898) fought in the war and was seriously wounded five times. The publication of *Im Westen Nichts Neues* in 1929 made both book and author world-famous, and this novel has remained the most impelling anti-war book of our time. Remarque was forced to leave Germany in 1938 and emigrated to the United States.

erst später auf eine sonderbare und verschämte Weise noch Einzel-
menschen.

Die Monate rücken weiter. Dieser Sommer 1918 ist der blutigste
und der schwerste. Die Tage stehen wie Engel in Gold und Blau
unfaßbar über dem Ring der Vernichtung. Jeder hier weiß, daß
wir den Krieg verlieren. Es wird nicht viel darüber gesprochen, wir
gehen zurück, wir werden nicht wieder angreifen können nach dieser
großen Offensive, wir haben keine Leute und keine Munition mehr.

Doch der Feldzug geht weiter—das Sterben geht weiter—

Sommer 1918—Nie ist uns das Leben in seiner kargen Gestalt
so begehrenswert erschienen wie jetzt—der rote Klatschmohn auf
den Wiesen unserer Quartiere, die glatten Käfer an den Grashalmen,
die warmen Abende in den halbdunklen, kühlen Zimmern, die
schwarzen, geheimnisvollen Bäume der Dämmerung, die Sterne und
das Fließen des Wassers, die Träume und der lange Schlaf—o
Leben, Leben, Leben!

Sommer 1918—Nie ist schweigend mehr ertragen worden als in
dem Augenblick des Aufbruchs zur Front. Die wilden und aufpeit-
schenden Gerüchte von Waffenstillstand und Frieden sind aufgetaucht, sie verwirren die Herzen und machen den Aufbruch schwerer
als jemals!

Sommer 1918—Nie ist das Leben vorne bitterer und grauenvoller
als in den Stunden des Feuers, wenn die bleichen Gesichter im
Schmutz liegen und die Hände verkrampft sind zu einem einzigen:
Nicht! Nicht! Nicht jetzt noch! Nicht jetzt noch im letzten
Augenblick!

Sommer 1918—Wind der Hoffnung, der über die verbrannten
Felder streicht, rasendes Fieber der Ungeduld, der Enttäuschung,
schmerzlichste Schauer des Todes, unfaßbare Frage: Warum?
Warum macht man kein Ende? Und warum flattern diese Gerüchte
vom Ende auf?

Hermann Hesse: *Das Reich*[1]

DEZEMBER 1918

Es war ein großes, schönes, doch nicht eben reiches Land, darin wohnte ein braves Volk, bescheiden, doch kräftig, und war mit seinem Los zufrieden. Reichtum und gutes Leben, Eleganz und Pracht gab es nicht eben viel, und reichere Nachbarländer sahen zuweilen nicht ohne Spott oder spöttisches Mitleid auf das bescheidene Volk in dem großen Lande.

Einige Dinge jedoch, die man nicht für Geld kaufen kann und welche dennoch von den Menschen geschätzt werden, gediehen in dem sonst ruhmlosen Volke gut. Sie gediehen so gut, daß mit der Zeit das arme Volk trotz seiner geringen Macht berühmt und geschätzt wurde. Es gediehen da solche Dinge wie Musik, Dichtung und Gedankenweisheit, und wie man von einem großen Weisen, Prediger oder Dichter nicht fordert, daß er reich, elegant und sehr gesellschaftsfähig sei, und ihn in seiner Art dennoch ehrt, so taten es die mächtigeren Völker mit diesem wunderlichen armen Volk. Sie zuckten die Achseln über seine Armut und sein etwas schwerfälliges und ungeschicktes Wesen in der Welt, aber sie sprachen gern und ohne Neid von seinen Denkern, Dichtern und Musikern.

Und allmählich geschah es, daß das Land der Gedanken zwar arm blieb und oft von seinen Nachbarn unterdrückt wurde, daß aber über die Nachbarn und über alle Welt hin ein beständiger, leiser, befruchtender Strom von Wärme und Gedanklichkeit sich ergoß.

Eines aber war da, ein uralter und auffallender Umstand, wegen dessen das Volk nicht bloß von den Fremden verspottet wurde, sondern auch selber litt und Pein empfand—: die vielen verschiedenen Stämme dieses schönen Landes konnten sich von alters her nur schlecht miteinander vertragen. Beständig gab es Streit und Eifersucht. Und wenn auch je und je der Gedanke aufstand und

---

From „Das Reich," in *Betrachtungen,* 314-321. Berlin, S. Fischer Verlag, 1928. Reprinted with permission of Suhrkamp Verlag, Frankfurt a/M.

[1] Hesse (1877-1962) presented a kind of cultural pessimism and romantic affirmation of life in his many novels of youth, *Bildung,* and development. He was, as was Mann, both a *Bürger* and an artist. This essay was written at Christmas 1918.

von den besten Männern des Volkes ausgesprochen wurde, man sollte sich einigen und sich in freundlicher, gemeinsamer Arbeit zusammentun, so war doch schon der Gedanke, daß dann einer der vielen Stämme, oder dessen Fürst, sich über die andern erheben und die Führung haben würde, den meisten so zuwider, daß es nie zu einer Einigung kam.

Der Sieg über einen fremden Fürsten und Eroberer, welcher das Land schwer unterdrückt hatte, schien diese Einigung endlich doch bringen zu wollen. Aber man verzankte sich schnell wieder, die vielen kleinen Fürsten wehrten sich dagegen, und die Untertanen dieser Fürsten hatten von ihnen so viele Gnaden in Form von Ämtern, Titeln und farbigen Bändchen erhalten, daß man allgemein zufrieden und nicht zur Neuerung geneigt war.

Inzwischen ging in der ganzen Welt jene Umwälzung vor sich, jene seltsame Verwandlung der Menschen und Dinge, welche wie ein Gespenst oder eine Krankheit aus dem Rauch der ersten Dampfmaschinen sich erhob und das Leben überall veränderte. Die Welt wurde voll von Arbeit und Fleiß, sie wurde von Maschinen regiert und zu immer neuer Arbeit angetrieben. Große Reichtümer entstanden, und der Weltteil, der die Maschine erfunden hatte, nahm noch mehr als früher die Herrschaft über die Welt an sich, verteilte die übrigen Erdteile unter seine Mächtigen, und wer nicht mächtig war, ging leer aus.

Auch über das Land, von dem wir erzählen, ging die Welle hin, aber sein Anteil blieb bescheiden, wie es seiner Rolle zukam. Die Güter der Welt schienen wieder einmal verteilt, und das arme Land schien wieder einmal leer ausgegangen zu sein.

Da nahm plötzlich alles einen andern Lauf. Die alten Stimmen, die nach einer Einigung der Stämme verlangten, waren nie verstummt. Ein großer, kraftvoller Staatsmann trat auf, ein glücklicher, überaus glänzender Sieg über ein großes Nachbarvolk stärkte und einigte das Land, dessen Stämme sich nun alle zusammenschlossen und ein großes begründeten. Das arme Land der Träumer, Denker und Musikanten war aufgewacht, es war reich, es war groß, es war einig geworden und trat seine Laufbahn als ebenbürtige Macht neben den großen ältern Brüdern an. Draußen in der weiten Welt war nicht mehr viel zu rauben und zu erwerben, in den fernen Weltteilen fand die junge Macht die Lose schon verteilt. Aber der Geist der Maschine, der bisher in diesem Land nur langsam zur Macht gekommen war, blühte nun erstaunlich auf. Das ganze Land und Volk verwandelte sich rasch. Es wurde groß, es wurde reich, es wurde mächtig und gefürchtet. Es häufte Reichtum an, und es umgab sich mit einer dreifachen Schutzwehr von Soldaten, Kanonen und Festungen. Bald kamen bei den Nachbarn, die das junge Wesen beunruhigte, Mißtrauen und Furcht auf, und auch sie begannen Palisaden zu bauen und Kanonen und Kriegsschiffe bereit zu stellen.

Dies war jedoch nicht das Schlimmste. Man hatte Geld genug, diese ungeheuren Schutzwälle zu bezahlen, und an einen Krieg dachte niemand, man rüstete nur so für alle Fälle, weil reiche Leute gern Eisenwände um ihr Geld sehen.

Viel schlimmer war, was innerhalb des jungen Reiches vor sich ging. Dies Volk, das so lang in der Welt halb verspottet, halb verehrt worden war, das so viel Geist und so wenig Geld besessen hatte—dies Volk erkannte jetzt, was für eine hübsche Sache es sei um Geld und Macht. Es baute und sparte, trieb Handel und lieh Geld aus, keiner konnte schnell genug reich werden, und wer eine Mühle oder Schmiede hatte, mußte jetzt schnell eine Fabrik haben, und wer drei Gesellen gehabt hatte, mußte jetzt zehn oder zwanzig haben, und viele brachten es schnell zu Hunderten und Tausenden. Und je schneller die vielen Hände und Maschinen arbeiteten, desto schneller häufte das Geld sich auf—bei jenen einzelnen, die das Geschick zum Aufhäufen hatten. Die vielen, vielen Arbeiter aber waren nicht mehr Gesellen und Mitarbeiter eines Meisters, sondern sanken in Fron und Sklaverei.

Auch in andern Ländern ging es ähnlich, auch dort wurde aus der Werkstatt die Fabrik, aus dem Meister der Herrscher, aus dem Arbeiter der Sklave. Kein Land der Welt konnte sich diesem Geschick entziehen. Aber das junge Reich hatte das Schicksal, daß dieser neue Geist und Trieb in der Welt mit seiner Entstehung zusammenfiel. Es hatte keine alte Zeit hinter sich, keinen alten Reichtum, es lief in diese rasche neue Zeit hinein wie ein ungeduldiges Kind, hatte die Hände voll Arbeit und voll Gold.

Mahner und Warner zwar sagten dem Volk, daß es auf Abwegen sei. Sie erinnerten an die frühere Zeit, an den stillen heimlichen Ruhm des Landes, an die Sendung geistiger Art, die es einst verwaltet, an den steten edlen Geistesstrom von Gedanken, von Musik und Dichtung, mit dem es einst die Welt beschenkt hatte. Aber dazu lachte man im Glück des jungen Reichtums. Die Welt war rund und drehte sich, und wenn die Großväter Gedichte gemacht und Philosophien geschrieben hatten, so war das ja sehr hübsch, aber die Enkel wollten zeigen, daß man hierzulande auch anderes könne und vermöge. Und so hämmerten und kesselten sie in ihren tausend Fabriken neue Maschinen, neue Eisenbahnen, neue Waren, und für alle Fälle auch stets neue Gewehre und Kanonen. Die Reichen zogen sich vom Volk zurück, die armen Arbeiter sahen sich alleingelassen und dachten auch nicht mehr an ihr Volk, dessen Teil sie waren, sondern sorgten, dachten und strebten auch wieder für sich allein. Und die Reichen und Mächtigen, welche gegen äußere Feinde all die Kanonen und Flinten angeschafft hatten, freuten sich über ihre Vorsorge, denn es gab jetzt im Innern Feinde, die vielleicht gefährlicher waren.

Dies alles nahm sein Ende in dem großen Kriege, der jahrelang die Welt so furchtbar verwüstete und zwischen dessen Trümmern wir noch stehen, betäubt von seinem Lärm, erbittert von seinem Unsinn und krank von seinen Blutströmen, die durch all unsere Träume rinnen. Und der Krieg ging so zu Ende, daß jenes junge blühende Reich, dessen Söhne mit Begeisterung, ja mit Übermut in die Schlachten gegangen waren, zusammenbrach. Es wurde besiegt, furchtbar besiegt. Die Sieger aber verlangten, noch ehe von einem Frieden die Rede war, schweren Tribut von dem besiegten Volk. Und es geschah, daß Tage und Tage lang, während das geschlagene Heer zurückflutete, ihm entgegen aus der Heimat in langen Zügen die Sinnbilder der bisherigen Macht geführt wurden, um dem siegreichen Feind überliefert zu werden. Maschinen und Geld flossen in langem Strom aus dem besiegten Lande hinweg, dem Feinde in die Hand.

Währenddessen hatte aber das besiegte Volk im Augenblick der größten Not sich besonnen. Es hatte seine Führer und Fürsten fortgejagt und sich selbst für mündig erklärt. Es hatte Räte aus sich selbst gebildet und seinen Willen kundgegeben, aus eigener Kraft und aus eigenem Geist sich in sein Unglück zu finden.

Dieses Volk, das unter so schwerer Prüfung mündig geworden ist, weiß heute noch nicht, wohin sein Weg führt und wer sein Führer und Helfer sein wird.

IX

DIE WEIMARER REPUBLIK

Die junge Republik mußte als verantwortlich für die Niederlage des kaiserlichen Deutschland zeichnen. Am 11. November 1918 wurde der Waffenstillstand geschlossen, und am 28. Juni 1919, dem fünften Jahrestag der Mordtat von Sarajewo, erfolgte die Unterzeichnung des Friedensvertrages in Versailles. Der Versailler Vertrag veranlaßt noch heute politische Meinungsverschiedenheiten. Unzweifelhaft war er eine der Ursachen für das Wiedererwachen eines extremen Nationalismus in Deutschland und beschleunigte dadurch den Untergang der Weimarer Republik. Mit der Unterzeichnung des Vertrages, der die deutsche Wehrmacht dezimierte, den Flottenbau beschränkte, das Rheinland entmilitarisierte, Deutschland gewaltige Gebietsverluste zufügte, von dem besiegten Land riesige Reparationsverpflichtungen forderte und alle diese Belastungen mit der Behauptung von Deutschlands Alleinschuld am Krieg begründete, zog sich die Weimarer Regierung schon von Anfang an die Feindschaft nicht nur der anti-demokratischen Kreise zu.

Die am 11. August 1919 vom Reichspräsident Ebert unterzeichnete Weimarer Verfassung wäre eine brauchbare Grundlage für die Ordnung des Staatswesens im demokratischen Geist gewesen, wenn die offenen und

173

geheimen Gegner nicht gerade diese Ordnung um jeden Preis verhindern und dem deutschen Volk seine Verfassung von vorneherein verleiden wollten. Die Weimarer Republik hatte in ihrer Verfassung das Rechtswesen besonders stark betont. Die Republik war aber auf die alten kaiserlichen Beamten angewiesen. Viele von ihnen begnügten sich mit einem Lippenbekenntnis zum demokratischen System oder standen in offener Ablehnung zu dem neuen Staat. Als eine Ära organisierter politischer Morde anbrach, weigerten sich die überwiegend reaktionären Richter die Gesetze gegen Rechtsradikale anzuwenden.

Die Hetze gegen die Demokratie hatte ihren Ursprung nicht nur in den Kreisen der Rechtsradikalen. Schon 1919 hatte die Spartakusgruppe, die bolschewistische Faktion der sozialistischen Partei, versucht, die Gewalt an sich zu reißen und eine Diktatur des Proletariats nach russischem Vorbild zu errichten. Dieser Aufstand wurde niedergeschlagen. 1920 erfolgte der erste der großen Rechtsputsche gegen die Republik, der Kapp-Putsch. Er war im wesentlichen eine Militärrevolte, deren rein negativer Zweck die Beseitigung der demokratischen Republik war. Als nun die Demokratie zur Niederschlagung dieses Aufstandes, wie vorher der kommunistischen Revolte, des Militärs bedurfte, verlangte dieses als Gegenleistung eine Stellung innerhalb des Staates, die einer autonomen sehr nahe kam. Dieses Zwangsbündnis mit der Wehrmacht sollte noch zur schwersten Belastung der Republik werden.

Mit dem Versailler Vertrag war auch der Völkerbund ins Leben getreten. Obgleich seine Gründung ein edelmütiger Versuch war, den Krieg als ein Mittel der Politik endgültig auszuschalten, fehlten leider beim ersten Zusammentreten außer den Besiegten des Weltkrieges auch Amerika und Sowjetrußland. Wie Deutschland stand in der internationalen Weltpolitik auch Rußland allein, und wie Deutschland versuchte es Verbündete zu finden. Deshalb schlossen beide Staaten 1922 den Vertrag von Rapallo, durch den Deutschland die Sowjetregierung anerkannte und mit Rußland Wirtschaftsbeziehungen aufnahm. Deutschland schien seine Verbindung mit dem Westen vollends zu lösen. Doch am 12. August 1923 wurde Dr. Gustav Stresemann vom Reichspräsidenten zum Reichskanzler ernannt, und damit erreichte die Geschichte der Weimarer Republik einen Wendepunkt. Es gelang der Regierung Stresemann, die Inflation zu beenden, eine wirtschaftliche Neuordnung anzubauen und in der Außenpolitik neue und erfolgreiche Wege einzuschlagen. Durch den Locarno-Pakt (1925) wurden Frankreich seine neuen Grenzen zugesichert, und Deutschland verpflichtete sich, die entmilitarisierte Rheinlandzone zu achten. Ein Jahr später wurde Deutschland mit Zustimmung aller Nationen in den Völkerbund aufgenommen.

Dennoch war die gesicherte Welt der Vorkriegszeit nicht wiederherzustellen. Deutschlands Wirtschaftsleben war noch immer nicht gesund. Da die USA in der Wirtschaft führten, wirkte sich die 1929 dort entstandene Krise rasch auf andere Länder aus. Die Rückforderung kurzfristig gegebener Anleihen, Preissenkungen und scharfe Beschränkungen im Außenhandel verschärften die Lage. Deutschlands Wirtschaft, infolge der hohen Reparationsverpflichtungen in besonderem Maße auf die Ausfuhr angewiesen, litt sehr schwer unter diesen Erscheinungen. Von März 1929 bis März 1932 stieg die Zahl der Arbeitslosen von 2 Millionen auf weit über 5 Millionen. In ihrem Vertrauen auf Deutschlands Zahlungsfähigkeit wankend gemacht, forderten die ausländischen Gläubiger ihre kurzfristigen Anleihen zurück. Im Juli 1931 mußten alle deutsche Banken ihre Zahlungen einstellen.

Aber schon im März 1930 hatten die Nationalsozialisten bei den Reichstagswahlen ihren ersten bedeutenden Wahlsieg errungen. Aus der kleinen politischen Sekte war nun eine führende Partei geworden. Die Ursache ihrer erstaunlichen Erfolge war in erster Linie die Wirtschaftskrise. Die Inflation und Arbeitslosigkeit hatten sich vor allem gegen das Klein- und Mittelbürgertum gerichtet. Diese Schichte war in Deutschland ein wichtiges Faktor des sozialen Aufbaus der Bevölkerung gewesen. Der Kommunismus wurde von diesem Bürgertum abgelehnt, weil er bei dem Bürger schon immer auf instinktive Abneigung gestossen war und weil der Kommunismus drohte, den letzten Rest des noch vorhandenen Eigentums wegzunehmen. Der Kapitalismus war genau so verhaßt wie der Marxismus, denn man gab jenem die Schuld für die Wirtschaftskrise und betrachtete die riesigen Industriebetriebe als Feinde des Klein- und Mittelbetriebes. In diese Lücke zwischen Kommunismus und Kaptialismus stieß sich der Nationalsozialismus. Mit dem Ende der Weimarer Republik ging auch eine Kulturepoche zu Ende, während derer die Künste einen Durchbruch zu völlig neuen Ausdrucksmöglichkeiten erzielt hatten.

Friedensvertrag von Versailles[1]

ARTIKEL 119

Deutschland verzichtet zugunsten der alliierten und assoziierten Hauptmächte auf alle seine Rechte und Ansprüche bezüglich seiner überseeischen Besitzungen.

ARTIKEL 120

Alle Rechte an beweglichem und unbeweglichem Eigentum, die in diesen Gebieten dem Deutschen Reich oder irgendeinem deutschen Staate zustehen, gehen auf die Regierung über, unter deren behördliche Gewalt diese Gebiete treten.

ARTIKEL 160

Spätestens am 31. März 1920 darf das deutsche Heer nicht mehr als 7 Infanterie- und 3 Kavalleriedivisionen umfassen.

Von diesem Zeitpunkt ab darf die gesamte Iststärke[2] des Heeres der sämtlichen deutschen Einzelstaaten nicht mehr als 100 000 Mann, einschließlich der Offiziere und Depots, betragen. Das Heer ist nur für die Erhaltung der Ordnung innerhalb des deutschen Gebietes und zur Grenzpolizei bestimmt.

Die Gesamtstärke an Offizieren, einschließlich der Stäbe, ohne Rücksicht auf deren Zusammensetzung, darf die Zahl viertausend nicht übersteigen.

Der deutsche Große Generalstab und alle anderen ähnlichen Formationen werden aufgelöst und dürfen unter keiner Gestalt neu gebildet werden.

ARTIKEL 168

Die Anfertigung von Waffen, Munition und Kriegsgerät aller Art darf nur in Werkstätten und Fabriken stattfinden, deren Lage den

From ,,Friedensvertrag von Versailles," in *Dokumente der Deutschen Politik und Geschichte von 1848 bis zur Gegenwart,* edited by Johannes Hohlfeld, III, 45, 47-48, 50-51. Berlin, Dokumenten-Verlag Dr. Herbert Wendler & Co., 1951. Reprinted with permission of Dokumenten-Verlag Dr. Herbert Wendler & Co. K-G, Berlin.

[1] The German delegation signed the Treaty of Versailles on June 28, 1919. Ratification was made by Germany and the Allied countries during the following year.
[2] **die Iststärke der Armee** the size of the standing army

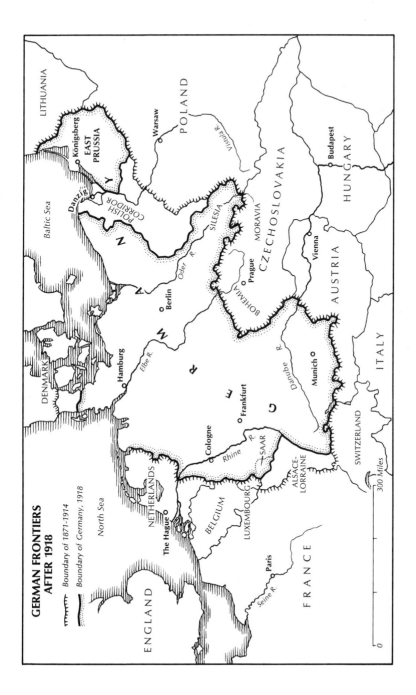

GERMAN FRONTIERS
AFTER 1918

⊢⊢⊢⊢ Boundary of 1871-1914
━━━ Boundary of Germany, 1918

Regierungen der alliierten und assoziierten Hauptmächte zur Kenntnisnahme und Genehmigung mitgeteilt worden ist. Diese Regierungen behalten sich vor, die Zahl der Werkstätten und Fabriken zu beschränken.

ARTIKEL 170

Die Einfuhr von Waffen, Munition und Kriegsgerät jeder Art nach Deutschland ist ausdrücklich verboten. Dasselbe gilt für die Anfertigung und Ausfuhr von Waffen, Munition und Kriegsgerät jeder Art für fremde Länder.

ARTIKEL 173

Die allgemeine Wehrpflicht wird in Deutschland abgeschafft.

Das deutsche Heer darf nur im Wege freiwilliger Verpflichtung aufgestellt[3] und ergänzt werden.

ARTIKEL 231

Die a.u.a. [alliierten und assoziierten] Regierungen erklären, und Deutschland erkennt an, daß Deutschland und seine Verbündeten als Urheber für alle Verluste und Schäden verantwortlich sind, die die a.u.a. Regierungen und ihre Staatsangehörigen infolge des Krieges, der ihnen durch den Angriff Deutschlands und seiner Verbündeten aufgezwungen wurde, erlitten haben.

ARTIKEL 232

Die a.u.a. Regierungen erkennen an, daß die Hilfsmittel Deutschlands unter Berücksichtigung ihrer dauernden, sich aus den übrigen Bestimmungen des gegenwärtigen Vertrages ergebenden Verminderung nicht ausreichen, um volle Wiedergutmachung aller dieser Verluste und Schäden zu gewährleisten.

ARTIKEL 233

Der Betrag der bezeichneten Schäden, deren Wiedergutmachung Deutschland schuldet, wird durch einen interalliierten Ausschuß festgesetzt, der den Namen Wiedergutmachungsausschuß trägt.

Die Beschlüsse dieses Ausschusses über den Betrag der Schäden werden spätestens am 1. Mai 1921 aufgesetzt und der deutschen Regierung als Gesamtbetrag ihrer Verpflichtungen bekanntgegeben.

---

[3] **aufgestellt** here: recruited

Weimarer Verfassung[1]

ARTIKEL 1

Das Deutsche Reich ist eine Republik.
Die Staatsgewalt geht vom Volke aus.

ARTIKEL 2

Das Reichsgebiet besteht aus den Gebieten der deutschen Länder. Andere Gebiete können durch Reichsgesetz in das Reich aufgenommen werden, wenn es ihre Bevölkerung kraft des Selbstbestimmungsrechts begehrt.

ARTIKEL 4

Die allgemein anerkannten Regeln des Völkerrechts gelten als bindende Bestandteile des deutschen Reichsrechts.

ARTIKEL 5

Die Staatsgewalt wird in Reichsangelegenheiten durch die Organe des Reichs auf Grund der Reichsverfassung, in Landesangelegenheiten durch die Organe der Länder auf Grund der Landesverfassungen ausgeübt.

ARTIKEL 20

Der Reichstag besteht aus den Abgeordneten des deutschen Volkes.

ARTIKEL 23

Der Reichstag wird auf vier Jahre gewählt. Spätestens am sechzigsten Tage nach ihrem Ablauf muß die Neuwahl stattfinden.

Der Reichstag tritt zum ersten Male spätestens am dreißigsten Tage nach der Wahl zusammen.

From „Die Verfassung des Deutschen Reiches vom 11. 8. 1919," in *Dokumente der Deutschen Politik und Geschichte von 1848 bis zur Gegenwart,* edited by Johannes Hohlfeld, III, 60, 64, 68, 69, 70, 79-85, 93. Berlin, Dokumenten-Verlag Dr. Herbert Wendler & Co., 1951. Reprinted with permission of Dokumenten-Verlag Dr. Herbert Wendler & Co. K-G, Berlin.

[1] The National Constituent Assembly convened at Weimar on February 6, 1919. The constitution was passed on July 31 and went into effect as the fundamental law of the Weimar Republic on August 11, 1919.

ARTIKEL 41

Der Reichspräsident wird vom ganzen deutschen Volke gewählt. Wählbar ist jeder Deutsche, der das fünfunddreißigste Lebensjahr vollendet hat.

ARTIKEL 43

Das Amt des Reichspräsidenten dauert sieben Jahre. Wiederwahl ist zulässig.

ARTIKEL 48

Wenn ein Land die ihm nach der Reichsverfassung oder den Reichsgesetzen obliegenden Pflichten nicht erfüllt, kann der Reichspräsident es dazu mit Hilfe der bewaffneten Macht anhalten.

Der Reichspräsident kann, wenn im Deutschen Reiche die öffentliche Sicherheit und Ordnung erheblich gestört oder gefährdet wird, die zur Wiederherstellung der öffentlichen Sicherheit und Ordnung nötigen Maßahmen treffen, erforderlichenfalls mit Hilfe der bewaffneten Macht einschreiten. Zu diesem Zwecke darf er vorübergehend die in den Artikeln 114, 115, 117, 118, 123, 124 und 153 festgesetzten Grundrechte ganz oder zum Teil außer Kraft setzen.

Von allen gemäß Abs. 1 oder Abs. 2 dieses Artikels getroffenen Maßnahmen hat der Reichspräsident unverzüglich dem Reichstag Kenntnis zu geben. Die Maßnahmen sind auf Verlangen des Reichstags außer Kraft zu setzen.

ARTIKEL 54

Der Reichskanzler und die Reichsminister bedürfen zu ihrer Amtsführung des Vertrauens des Reichstags. Jeder von ihnen muß zurücktreten, wenn ihm der Reichstag durch ausdrücklichen Beschluß sein Vertrauen entzieht.

ARTIKEL 109

Alle Deutschen sind vor dem Gesetze gleich.

Männer und Frauen haben grundsätzlich dieselben staatsbürgerlichen Rechte und Pflichten.

Öffentlich-rechtliche Vorrechte oder Nachteile der Geburt oder des Standes sind aufzuheben. Adelsbezeichnungen gelten nur als Teil des Namens und dürfen nicht mehr verliehen werden.

Titel dürfen nur verliehen werden, wenn sie ein Amt oder einen Beruf bezeichnen; akademische Grade sind hierdurch nicht betroffen.

Orden und Ehrenzeichen dürfen vom Staat nicht mehr verliehen werden.

Kein Deutscher darf von einer ausländischen Regierung Titel oder Orden annehmen.

ARTIKEL 111

Alle Deutschen genießen Freizügigkeit im ganzen Reiche. Jeder hat das Recht, sich an beliebigem Orte des Reichs aufzuhalten und niederzulassen, Grundstücke zu erwerben und jeden Nahrungszweig zu betreiben. Einschränkungen bedürfen eines Reichsgesetzes.

ARTIKEL 114

Die Freiheit der Person ist unverletzlich. Eine Beeinträchtigung oder Entziehung der persönlichen Freiheit durch die öffentliche Gewalt ist nur auf Grund von Gesetzen zulässig.

Personen, denen die Freiheit entzogen wird, sind spätestens am darauffolgenden Tage in Kenntnis zu setzen, von welcher Behörde und aus welchen Gründen die Entziehung der Freiheit angeordnet worden ist; unverzüglich soll ihnen Gelegenheit gegeben werden, Einwendungen gegen ihre Freiheitsentziehung vorzubringen.

ARTIKEL 118

Jeder Deutsche hat das Recht, innerhalb der Schranken der allgemeinen Gesetze seine Meinung durch Wort, Schrift, Druck, Bild oder in sonstiger Weise frei zu äußern. An diesem Rechte darf ihn kein Arbeits- oder Anstellungsverhältnis[2] hindern, und niemand darf ihn benachteiligen, wenn er von diesem Rechte Gebrauch macht.

Eine Zensur findet nicht statt,[3] doch können für Lichtspiele durch Gesetz abweichende Bestimmungen getroffen werden.

ARTIKEL 123

Alle Deutschen haben das Recht, sich ohne Anmeldung oder besondere Erlaubnis friedlich und unbewaffnet zu versammeln.

[2] **Arbeits- . . . Verhältnis** situation caused by his work or employment
[3] **findet nicht statt** here: is forbidden

Versammlungen unter freiem Himmel können durch Reichsgesetz anmeldepflichtig gemacht und bei unmittelbarer Gefahr für
die öffentliche Sicherheit verboten werden.

ARTIKEL 124

Alle Deutschen haben das Recht, zu Zwecken, die den Strafgesetzen
nicht zuwiderlaufen, Vereine oder Gesellschaften zu bilden. Dies
Recht kann nicht durch Vorbeugungsmaßregeln beschränkt werden.
Für religiöse Vereine und Gesellschaften gelten dieselben Bestimmungen.
Der Erwerb der Rechtsfähigkeit steht jedem Verein gemäß den
Vorschriften des bürgerlichen Rechts frei. Er darf einem Vereine
nicht aus dem Grunde versagt werden, daß er einen politischen,
sozialpolitischen oder religiösen Zweck verfolgt.

ARTIKEL 135

Alle Bewohner des Reichs genießen volle Glaubens- und Gewissensfreiheit. Die ungestörte Religionsübung wird durch die Verfassung
gewährleistet und steht unter staatlichem Schutz.

ARTIKEL 142

Die Kunst, die Wissenschaft und ihre Lehre sind frei. Der Staat
gewährt ihnen Schutz und nimmt an ihrer Pflege teil.

ARTIKEL 143

Für die Bildung der Jugend ist durch öffentliche Anstalten zu
sorgen. Bei ihrer Einrichtung wirken Reich, Länder und Gemeinden
zusammen.

ARTIKEL 181

Das deutsche Volk hat durch seine Nationalversammlung diese Verfassung beschlossen und verabschiedet. Sie tritt mit dem Tage ihrer
Verkündung in Kraft.

Walther Rathenau: *Revolution der Verantwortung*[1]

Wir haben Innerlichkeit, Fleiß, Pflichtgefühl, edle Erbteile der germanischen, der slawischen und der unbekannten Urseele. Haben wir Willen? Wir wissen es nicht. Wir hatten den Willen unserer Herren, glaubten ihm blind und führten ihn aus. Haben wir Willen, den gleichgerichteten, additiven, den unabhängigen, der nach innen als Volkscharakter, nach außen als Würde erscheint? Wir haben gehandelt als solche, die Mut und Zähigkeit, doch keinen Willen haben. Unsere Staatsverfassung war uns gleichgültig, wir beriefen uns auf Autoritäten, wir haben niemals revolutioniert, wir waren gute Untertanen und brave Soldaten. Die Urväter ließen sich von ihren Fürsten verkaufen, von ihren Herren prügeln und Canaille nennen, küßten Rockzipfel und Schleppensäume und knirschten nicht, sondern glaubten daran. Wir kannten uns nur als Untergebene und Vorgesetzte und wunderten uns nicht, daß unser geistiges Land das einzige war, wo Menschen grob behandelt wurden und grob behandelten.

Unter dem Zwang des strengsten Vorgesetztentums waren Pünktlichkeit, Ehrlichkeit, Gewissenhaftigkeit selbstverständliche Folgen, nicht freie Tugenden; das werden sie erst sein, wenn sie ohne Zwang wiederkehren. Was wir ohne Zwang sind, das wissen wir noch nicht, nach den Folgen der Kriegserschlaffung wollen wir nicht urteilen.

Wir haben den Krieg geführt, ohne zu fragen, warum. Dunkle Vorgänge in Serbien, eine russische Mobilisierung und das Gerücht von französischen Fliegern über Nürnberg genügten, um an vierfachen Überfall zu glauben. Das Untergebenenwesen lag uns so tief im Blut, daß Wille und Meinung der Vorgesetzten als Kriegs-

---

From „Revolution der Verantwortung," in *Schriften aus Kriegs- und Nachkriegszeit.* Berlin, S. Fischer Verlag. As cited in *Das Dritte Reich mit seiner Vorgeschichte 1918-1945,* edited by Christian Geißler, 15-17. Ebenhausen bei München, Langewiesche-Brandt Verlag, 1961. Reprinted with permission of Gotthold Müller Verlag, München.

[1] Rathenau (1867-1922) was Minister for Reconstruction in the Cabinet from May to November 1921, and then while Foreign Minister in 1922 he was shot to death by two right-wing radicals. He had acted as an advisor to the Weimar government in various capacities and wrote many books and articles on sociopolitical and philosophical problems.

grund hinreichten. Wehe dem, der sich erdreistete, auch nur weiter zu fragen! Ein offenes Geheimnis ist, daß die Mehrheitssozialdemokratie den Krieg billigen mußte, weil die Massen von ihr hinweg zu den Vorgesetzten strömten und weil sie um ihre Reichstagsmandate zitterte.

Weil es uns am männlichen Willen, am Willen zur Unabhängigkeit und Würde fehlte, lebten wir im landesväterlichen, im obrigkeitlichen, im Vorgesetztenstaat, unter dem advokatorischen Schutz von Vereinsmeiern,[2] Verbandssekretären und Parteigrößen. Weil wir in Unfreiheit lebten, hundert Jahre nach der Befreiung der Welt, waren wir, mit unsern östlichen Nachbarn, Ort des geringsten weltpolitischen Widerstandes. Deshalb entbrannte an unsern Grenzen die Weltrevolution. Deshalb hatten wir, die man draußen als Händler und Handlungsreisende, als Kellner und Barbiere, nicht als freie Bürger eines freien Staates kannte, die Welt gegen uns. Nicht, weil man uns beneidete; denn die jüngeren, beneideteren, erfolgreicheren Amerikaner sind Schiedsrichter der Erde.

Die deutsche Revolution, die noch nicht war und deren wir bedürfen, ist die Revolution der Verantwortung. Ihr Ziel ist: innere Solidarität des Volkes, Veredelung und Würdigung der Arbeit, Ausgleich des Lebensanspruchs, Aufhebung des proletarischen Verhältnisses, Verantwortung eines Jeden für die Gemeinschaft, Verantwortung der Gemeinschaft für einen Jeden, Wandlung der Herrschaft in Führung, der Unterworfenheit in Mitbestimmung und Führungsanrecht.

[2] A dedicated club joiner and leader.

Gustav Stresemann: *Deutschlands Eintritt in den Völkerbund*[1]

REDE IN DER VÖLKERBUNDVERSAMMLUNG IN GENF. 10. 9. 1926

Seit der Begründung des Völkerbundes ist ein Zeitraum von mehr als sechs Jahren verstrichen. Es hat somit einer längeren Entwicklung bedurft, bis die politische Gesamtlage so gestaltet war, daß die deutsche Mitgliedschaft im Völkerbund möglich wurde. Noch in diesem Jahre sind große Schwierigkeiten zu überwinden gewesen, ehe dem Entschluß Deutschlands der einmütige Beschluß des Völkerbundes folgte. Fern liegt es mir, über diese Dinge der Vergangenheit zu sprechen. Die Aufgabe der lebenden Generation ist es, den Blick auf die Gegenwart und auf die Zukunft zu richten. Nur eines lassen Sie mich sagen: Wenn ein Geschehnis wie der Eintritt Deutschlands in den Völkerbund erst in einer so langen Entwicklung herangereift ist, so trägt vielleicht dieses Geschehnis gerade deshalb eine besondere Gewähr in sich für seine innere Beständigkeit und seine fruchtbare Auswirkung.

Deutschland tritt mit dem heutigen Tage in die Mitte von Staaten, mit denen es zum Teil seit langen Jahrzehnten in ungetrübter Freundschaft verbunden ist, die zum anderen Teil im letzten Weltkrieg gegen Deutschland verbündet waren. Es ist von geschichtlicher Bedeutung, daß Deutschland und diese letzteren Staaten sich jetzt im Völkerbund zu dauernder, friedlicher Zusammenarbeit zusammenfinden. Diese Tatsache zeigt deutlicher, als Worte und Programme es können, daß der Völkerbund berufen sein kann, dem politischen Entwicklungsgang der Menschheit eine neue Richtung zu geben. Gerade in der gegenwärtigen Epoche würde die Kultur der Menschheit auf das schwerste bedroht sein, wenn es nicht gelänge, den einzelnen Völkern die Gewähr zu verschaffen, in ungestörtem friedlichen Wettbewerb die ihnen vom Schicksal zugewiesenen Aufgaben zu erfüllen.

From „Deutschlands Eintritt in den Völkerbund. Rede in der Völkerbundversammlung in Genf. 10. 9. 1926," in *Reden und Schriften,* II, 303-304, 306-307, 309. Dresden, Carl Reissner-Verlag, 1926. Reprinted with permission of Wolfgang Stresemann.

[1] Gustav Stresemann (1878-1929) is generally considered to be the outstanding statesman of the Weimar Republic. He was Germany's Chancellor in 1923, and Foreign Secretary from 1923 to 1929. He engineered the Locarno Pact and brought Germany into the League of Nations.

Gustav Stresemann

Deutschland hat sich schon vor seinem Eintritt in den Völkerbund bemüht, im Sinne friedlichen Zusammenwirkens zu arbeiten, davon zeugt die deutsche Initiative, die zu dem Pakt von Locarno führte. Davon zeugen die jetzt nahezu mit allen Nachbarstaaten abgeschlossenen deutschen Schiedsverträge. Die deutsche Regierung ist entschlossen, diese Politik mit aller Entschiedenheit weiter zu verfolgen. Sie kann mit Genugtuung feststellen, daß diese Gedanken— anfangs in Deutschland heftig umkämpft—sich allmählich immer mehr das deutsche Volksbewußtsein erobert haben, so daß die deutsche Regierung auch für die überwältigende Mehrheit des deutschen Volkes spricht, wenn sie erklärt, daß sie sich an den Aufgaben des Völkerbundes mit voller Hingebung beteiligen wird.

Von diesen Aufgaben hat der Völkerbund in sechsjähriger Tätigkeit bereits einen wesentlichen Teil in Angriff genommen und in ernster Arbeit gefördert. Die deutsche Delegation verfügt nicht über die Erfahrungen, die den übrigen hier versammelten Mitgliedern zur Seite stehen. Gleichwohl glaube sie die Ansicht zum Ausdruck bringen zu können, daß bei den weiteren Arbeiten zunächst jene Gebiete besondere Beachtung verdienen, bei denen die einzelnen Völker durch Einordnung in gemeinsame Einrichtungen die eigene Leistungsfähigkeit zu steigern vermögen. Neben mancher anderen Schöpfung des Völkerbundes kommt hier vor allem das Streben nach einer internationalen Rechtsordnung in Betracht, das in der Gründung des Weltgerichtshofes sichtbaren Ausdruck gewonnen hat.

Von besonderer Bedeutung für die Festigung einer Friedensordnung zwischen den Völkern sind ferner die Bestrebungen, die sich auf die Abrüstung beziehen. Die völlige Abrüstung Deutschlands ist durch den Vertrag von Versailles als Beginn der allgemeinen Abrüstung festgesetzt worden. Möge es gelingen, einer allgemeinen Abrüstung in praktischer Arbeit näherzukommen und damit den Beweis zu erbringen, daß eine starke positive Kraft den großen Idealen des Völkerbundes schon jetzt innewohnt.

Möge die Arbeit des Völkerbundes sich auf der Grundlage der großen Begriffe: Friede, Freiheit und Einigkeit vollziehen, dann werden wir dem von uns allen erstrebten Ziele näherkommen. Daran freudig mitzuarbeiten, ist Deutschlands fester Wille.

Wilhelm Hoegner: *Die verratene Republik*[1]

Die Erscheinungen der politischen Justiz in der Nachkriegszeit sind mannigfach. Am meisten traten sie in Strafverfahren zutage. Das nimmt nicht Wunder, denn abgesehen von Verwaltungsgerichtssachen oder der Tätigkeit der Staatsgerichtshöfe hängt kein anderer Zweig der Rechtspflege so eng mit dem Staate zusammen wie die Strafjustiz. Der Schutz der Rechtsgüter wie der Ehre, der körperlichen Unversehrtheit, der öffentlichen Ordnung und der Verfassung, der den Justizbehörden anvertraut ist, kann je nach politischer Einstellung sehr verschieden gehandhabt werden, und das ist auch ausgiebig geschehen.

Der preußische Innenminister Grzesinski[2] mußte sich über die Verleumdung, daß er der uneheliche Sohn eines Juden sei, von preußischen Gerichten mehr als ein dutzendmal als Zeuge vernehmen lassen. Vom Landgericht Berlin II wurde der nationalsozialistische Studienrat Löpelmann, der Grzesinski als „lächerlichen Bonzen" und „Judenbastard" beschimpft hatte, mit der Begründung freigesprochen, daß der Ausdruck nur als tatsächliche Feststellung der Abstammung gebraucht worden sei. Die Ferienstrafkammer des Landgerichtes Neuruppin erachtete den Ausdruck „Judenbastard" für nicht strafwürdig, weil in der Behauptung der jüdischen Abkunft nicht die Kundgebung einer Mißachtung erblickt werden könne.

Der Schriftleiter der volksdeutschen Zeitung „Vaterland" in Hamburg hatte den Münchner Kardinal Faulhaber, der wegen seiner Gegnerschaft zum Nationalsozialismus bei den Anhängern Hitlers besonders verhaßt war, als „verschlagenen Diplomaten," als „Intriganten größten Ausmaßes," als „Verräter an der vaterländischen

From *Die Verratene Republik*. As cited in Hans Lehmann, *Die Weimarer Republik*, 2. Auflage, 71-73. München, Günter Olzog Verlag, 1961. Reprinted with permission of Günter Olzog Verlag, München.

[1] Hoegner (b. 1887) was a member of the Bavarian State Parliament in the 1920's and 30's. After emigrating to Austria and Switzerland during World War II, he returned and became Prime Minister of Bavaria in 1945. He remained active in local and federal politics until 1958, and was appointed Honorary Professor of Constitutional Law at the University of Munich.

[2] Grzesinski, like the other persons involved in the cases mentioned, has no great importance as an individual; as a group, they show the political nature of justice in the Weimar Republic.

Sache" beschimpft. Ein Hamburger Einzelrichter sprach den Ange-
klagten mit der Begründung frei, das Gericht sehe in dem Kampf
der volksdeutschen Presse gegen außerdeutsche Einflüsse, also auch
gegen die ultramontane[3] Partei, die Wahrung der berechtigten
Interessen aller Deutschen, die nicht zur katholischen Kirche
gehören.

Auch Verbrechen und Vergehen gegen Leib und Leben wurden
von den Staatsanwaltschaften und Gerichten je nach der politischen
Zugehörigkeit des Täters oder des Verletzten vielfach verschie-
denartig behandelt. J. Gumbel zählt bis Ende 1922 an Mordtaten
von rechts 354 Fälle auf, die mit ganzen 90 Jahren und 2 Monaten
Einsperrung und einer lebenslänglichen Festungshaft abschlossen.
Das bedeutet, daß der weitaus größte Teil gar nicht zur Aburteilung
kam, namentlich die Ausschreitungen der Freikorps fanden fast
niemals gerichtliche Sühne. Dagegen wurden für 22 von links
begangene politische Morde 10 Todesurteile, 3 lebenslängliche
Zuchthausstrafen und 249 Jahre Einsperrung verhängt. Diese
Todesstrafen wurden vollstreckt, während der Mörder des bayeri-
schen Ministerpräsidenten Eisner, der Graf Arco, zwar zum Tode
verurteilt, aber zu lebenslänglicher Festungshaft begnadigt und dann
nach wenigen Jahren entlassen und als bayerischer Nationalheld
gefeiert wurde.

Die Bezeichnung „schwarz-rot-mostrich"[4] oder „schwarz-rot-
hühnereigelb" für die Farben der Republik wurde von den Gerichten
nicht als Beschimpfung betrachtet. Selbst das Reichsgericht erklärte,
es sei keine Beschimpfung, auch wenn dem Täter infolge einer
Abneigung gegen die Republik die richtige Bezeichnung nicht über
die Lippen wolle. Ebenso stellte das Reichsgericht fest, daß die
Benennung „Lappen" für die Reichsfahne keine Beleidigung sei,
weil mit dem Wort „Lappen" „Stock und Tuch rein materiell"
gemeint seien. Nach der Rechtssprechung des Reichsgerichts war die

---

[3] The ultramontanes held that absolute authority in all religious matters rested
with the Pope. The term was used primarily in France in the nineteenth century
when a group of French Catholics opposed the national hierarchy by appealing
"beyond the mountains" (to the Pope). Ultramontanism existed in Germany
largely as a reaction against efforts to establish state control over the Church.
[4] The article of the Weimar Constitution which caused the most heated debate in
1919 was the one relating to the national colors. In a compromise settlement the
Reich colors of black, red, and gold were decided on.

Beschimpfung der Farbe schwarz-gold-rot straffrei, wenn der Täter nach den Umständen des Falles die ungeschützten Farben des Reichsbanners gemeint haben konnte. Das Herunterreißen von schwarz-weiß-roten Fahnen wurde von den Gerichten vielfach als Landfriedensbruch und mit Gefängnis, das von Reichsflaggen nur als Sachbeschädigung mit Geld bestraft.

Die politische Justiz hat der Gegenrevolution als Schrittmacherin gedient. Sie hat dem Staat von Weimar häufig den Schutz der Strafgesetze gegen staatsfeindliche Erschütterungen versagt. Dadurch hat sie nicht nur der Polizei ihre Aufgabe, die Aufrechterhaltung der öffentlichen Ordnung, erschwert, sondern auch das Ansehen des Staates und der Staatsbehörden geschädigt und die Gegner der demokratischen Republik ermuntert, ihre Angriffe gegen den Staat fortzusetzen. Ein Staatswesen, das von seinen eigenen Justizorganen im Stiche gelassen wird, macht sich lächerlich, seine Vorschriften werden nicht mehr ernst genommen, seine Drohungen verfangen nicht mehr. Es bricht beim ersten kräftigen Anstoß zusammen. In Deutschland hat sich die politische Justiz gelegentlich sogar in den Dienst der Gegner des Staatssystems gestellt. Sie hat sich als Gegenkraft gegen die Verwaltung ausspielen lassen. Die Möglichkeit dazu gab ihr jene in der Verfassung niedergelegte richterliche Unabhängigkeit, durch die das Walten der Justizorgane der unmittelbaren Volkskontrolle entzogen ist. Allein die richterliche Unabhängigkeit ist nie Selbstzweck, sie hat ihren Sinn verloren, wenn sie als Hammer gegen die staatliche Vollzugsgewalt gebraucht werden kann und die Gefahr heraufbeschwört, daß dadurch das ganze Staatsgefüge auseinandergesprengt wird. Richterliche Unabhängigkeit will verdient, sie darf nicht Mittel zu politischen Zwecken sein.

Kurt Sontheimer: *Antidemokratisches Denken in der Weimarer Republik*[1]

Überblickt man die antidemokratischen Ideen der Weimarer Republik, so kann man, wie das auch zur Weimarer Zeit selbst getan wurde, zwei Hauptrichtungen unterscheiden, sofern wir die antidemokratische Aktivität der Linken aus dem Spiele lassen: und zwar einen alten und einen neuen Nationalismus. Der alte Nationalismus war politisch gruppiert um die Deutschnationalen, die ehemaligen Konservativen, die in der Weimarer Republik restaurativ, wenn nicht reaktionär ausgerichtet waren. Ihnen schwebte die wilhelminische Reichsherrlichkeit als eine den politischen Impuls belebende Erinnerung an die große alte Zeit des Bismarckreiches vor Augen. Der in viele Zirkel und Richtungen aufgesplitterte neue Nationalismus hingegen hielt wenig von einer Restauration der Monarchie, sondern empfand mit der Jugendbewegung durchaus das Brüchige und Abgestandene des Wilhelminismus, den er revolutionär zu überwinden trachtete. Obwohl die Weimarer Republik doch soziologisch wie politisch eine starke Umschichtung der Verhältnisse bewirkt hatte, empfanden die jungen Nationalisten sie in vielem als eine unberechtigte Fortsetzung des Alten und wirkten mit allen Kräften darauf hin, Deutschland geistig wie politisch zu revolutionieren. Hier hatte das antidemokratische Denken seine fruchtbarsten und wirkungsvollsten Ansätze, und es gab Hunderte von verschiedenen Gruppen, die in der einen oder der anderen Richtung—sei es national-revolutionär oder national-bolschewistisch, jungkonservativ oder jungnational—das Weimarer Staatsgebilde zu reformieren und zu überwinden trachteten. Der neue Nationalismus empfing einen starken Impuls durch das sogenannte „Kriegserlebnis," das auf der einen Seite das harte, militante Vokabular dieses Denkens erklärt, andererseits aber auch als Vorform der zu schaffenden Volks-

From *Antidemokratisches Denken in der Weimarer Republik.* As cited in *Der Weg in die Diktatur 1918 bis 1933,* 65-67. München, R. Piper & Co. Verlag, 1963. Reprinted with permission of R. Piper & Co. Verlag, München.

[1] Kurt Sontheimer (b. 1928) is professor of political science at the Free University of Berlin. In addition to his book on the Weimar Republic, Professor Sontheimer has written on Thomas Mann's view of the Germans, and on the role of the Catholic Church under the Hitler regime.

Typische Kundgebung der sozialistischen Gewerkschaften im Berliner Lustgarten (am 1. Mai 1930)

gemeinschaft und der heroischen Lebensauffassung der neuen Zeit begriffen wurde. Die junge antidemokratische Rechte wollte aus einem liberalen Volk von Krämern eine Volksgemeinschaft kriegerischer Menschen schmieden, aus den Bürgern sollten nach Ernst Jüngers[2] berühmtem Buch über den *Arbeiter* Soldaten und Arbeiter werden.

Kein Zweifel, daß gerade das Denken der jungnationalen Rechten das geistige Vorfeld für das Wachsen des Nationalsozialismus bereitet hat. Die Konservative Revolution, die sie in die Wege leiten wollten, kam der Massenbewegung des Nationalsozialismus zugute, zumal der neue Nationalismus über keine wirksame politische Vertretung verfügte—im Gegensatz zum alten Nationalismus, der in Hugenbergs[3] „Deutschnationaler Volkspartei" seine Heimat hatte.

[2] Ernst Jünger (b. 1895) emerged from World War I, about which he wrote a number of novels, with a set of values in which group interests are more important than individual fates. Through the interests of the highest group—the officer class —he comes to believe in the value of the *Volk.* These views were set forth particularly in *Der Arbeiter, Herrschaft und Gestalt* (1932).
[3] Alfred Hugenberg (1865-1951) was the leader of the ultra-conservative Nationalist Party. He joined with the Nazis in the so-called Harzburg Front in 1931, and played an important role in supporting Hitler's legal rise to power in 1933.

Die paradoxe Verbindung der Idee des Erhaltenden und des Umstürzenden im Begriff der Konservativen Revolution war durchdacht, sollte doch durch die revolutionäre Erneuerung des deutschen Volkes und seiner Staatlichkeit ein konservatives Wertsystem, das man als ewig ausgab, wieder in sein Recht eingesetzt werden. Konservative Revolution bedeutete also Revolution um der Erhaltung der gefährdeten konservativen Werte willen. Der neue Staat, auf den man hinarbeitete, sollte wieder in Verbindung sein mit dem volkhaften Lebensgrund, er sollte die seelische Form des Deutschtums bewahren und dieses nicht fremden Institutionen und gewissenlosen Parteidemagogen anheimfallen lassen. Die konservativen Revolutionäre hielten an der Weimarer Republik kaum etwas für bewahrenswert.

Die Revolution kam—in Gestalt des Nationalsozialismus. Nicht alle, die auf die Umwälzung gehofft und im Kampf gegen Weimar pathetische und aggressive Federn geführt hatten, waren mit der dann kommenden nationalsozialistischen Form des deutschen Volksstaates einverstanden, und wenigen verwirklichte sich der schöne Traum von einem vollkommenen Reich der Deutschen. Einige unter den konservativen Revolutionären wurden gar zu ausgesprochenen Gegnern des Regimes und bezahlten ihren Widerstand mit dem Tode. Doch der Nationalsozialismus als politische Massenbewegung hatte sich die durch die antidemokratische Geistesbewegung mitbewirkte feindliche Stimmung gegen die Republik zunutze machen können und hatte, auch wenn er selbst dies nicht zugab, eine starke Stütze an ihr.

Kurt Tucholsky: *Gesicht*[1]

FÜR GEORGE GROSZ,[2] DER UNS DIESE SEHEN LEHRTE

Ein ziemlich gedrungener Kopf, keine allzu hohe Stirn, kühle kleine Augen, eine Nase, die gern in Gläser sich senkt, ein Mund, der kalt befiehlt, und eine unangenehme Zahnbürste, die den Schnurrbart macht: so sieht dieses Gesicht aus. Ein gut fundierter schwarzer Rock, eine mäßig geschlungene Krawatte mit einer Art Perle darin, ein immer sauberer Kragen—das ist auch noch zu sehen. Das Haar ist an den Ohren kurzgeschnitten; der ganze Mann ist reinlich, putzt sich morgens die Fingernägel, rasiert sich oder läßt sich rasieren.

Schon als junger Mensch drängelte er sich, nicht allzu interessiert, durch die Türen der Kollegsäle; seine Mama sagte: „Hubert, wann kommst du heute nach Hause?"—und er gab nicht allzu freundlich Auskunft. Büffelte. Bestand Examina. Wurde aufgerufen: „Hubert Soundso. . ."[3] Und dann erhob er sich, ein bißchen unterwürfig, ein bißchen angstvoll, nicht sehr aufgeregt, kalt eigentlich. Trat in den Staatsdienst, rückte rasch auf.

Lange Vormittage mit schwierigen Aktenarbeiten, mit leeren Pausen, wo das Frühstück aus der Aktentasche genommen wurde—darin lag auch ein Brief, der ärgerlich war, und einer, der für den Abend eine kleine außerdienstliche Freude verhieß. Im übrigen: kalt bis ans Herz hinan. Ab und zu mal ein Buch gelesen, das nicht zur Sache gehört, einmal Spengler[4] versucht, dolles Zeugs[5]—, mit

---

From *Gesammelte Werke,* edited by Mary Gerold Tucholsky and Fritz J. Raddatz, I, 1182-1183. Hamburg, Rowohlt Verlag, 1960. Reprinted with permission of Rowohlt Verlag, Hamburg.

[1] Tucholsky (1890-1935) was a brilliant political journalist and satirist, a Social Democrat and fierce defender of the ideals of the Weimar Republic. Forced to flee to Sweden because of the Nazis in 1933, he committed suicide two years later. The piece printed here was written in 1924.

[2] George Grosz (1893-1959) drew biting caricatures of the Babbits and militarists of the 1920's in Germany.

[3] **Wurde . . . Soundso . . ."** was called up (to receive his degree): "Hubert Whateverhisname . . ."

[4] Oswald Spengler (1880-1936) was the philosopher of history whose principal work, *Untergang des Abendlandes* (1918-22), was something of a popular sensation, while historians found its broad cultural speculations somewhat unfounded.

[5] **dolles Zeugs** = **tolles Zeug** crazy stuff

der Briefschreiberin zu Hardts „Tantris"[6] gegangen. Sehr poetisch.
In der Pause: „Möglicherweise werde ich in diesen Tagen in die
andere Abteilung versetzt. Na, Gott sei Dank. . ."
     Im Kriege Kompanieführer. Unerbittlich, kalt. Kalt zu den
Kanzleidienern, die sich nicht wehren konnten, kalt zu den jungen
Assessoren—„Habe das auch mal durchmachen müssen!"—, kalt zur
Welt, kalt zu Gott. Verheiratet. Hat zwei Kinder. Liebt sie auf
seine Weise. Lacht gern mal, abends, über einen dicken[7] Witz, weiß
noch drei Wirtinnenverse,[8] die andern leider vergessen. Ist felsenfest
von der Richtigkeit des Staatsgefüges, der Rechtsprechung, der
Kirche und der allgemeinen sittlichen Grundlagen überzeugt. Hat
auch weiter nicht darüber nachgedacht. Sieht gar nicht schlecht aus,
wenn er am Schreibtisch sitzt und sich beim Ordnen der vielen
Aktenstücke einmal kurz räuspert. . . Ist doch wer. Fühlt sich in
völliger Harmonie mit Land, Majorität und Volksgemeinschaft.
Liebt den preußischen Adel nicht übermäßig—: ist ihm un-
angenehm. Ist aber tadellos korrekt und höflich, nach oben durchaus
kleiner Bürgerlicher. Nach unten: selber Adel.
     Repräsentiert. Macht Karriere. Wird wohl nächstens irgendein
großes Tier werden, Gesandter, Ministerialdirektor, Staatssekretär,
was weiß ich? Deutschland? Deutschland.

[6] Ernst Hardt (1876-1947) retold the Tristan legend with psychological overtones
in his drama *Tantris der Narr* (1908). The language of this play is very romantic
and metaphorical.
[7] **dick** here: broad
[8] **Wirtinnenverse** are risqué rhymes very popular with German high school students.

X

DAS DRITTE REICH

Ein ruhiges, objektives Überblicken der Geschichte des Dritten Reiches ist bis heute noch kaum möglich. Die Verbrechen und Grausamkeiten, die begangen wurden, sind nicht einmal innerhalb des Vorstellungsvermögens der meisten Menschen. Die Frage: Wie war es möglich? bleibt auch heute in all ihrer Schärfe gestellt.

Es muß hervorgehoben werden, daß Hitler durch keinen kühnen Putsch an die Spitze des Staates kam, sondern daß Männer aus den führenden Schichten ihm ohne zwingende Notwendigkeit die Tür zur Macht öffneten. Hitlers Ernennung zum deutschen Reichskanzler am 30. Januar 1933 geschah im Rahmen der geltenden Verfassung. Obwohl Hilters Partei, die NSDAP (Nationalsozialistische Deutsche Arbeiter Partei), bei den Reichstagwahlen im Jahre 1932 keine absolute Mehrheit erreichte, gelang es Hitler mit der Unterstützung einiger hoher Politiker, legal an die Macht zu kommen.

Gleich nach Hitlers Machtübernahme begann aber mit Hilfe des Artikels 48 der Weimarer Verfassung (siehe Seite 180) und auf Grund des „Ermächtigungsgesetzes" die Umwandlung des demokratischen Rechtsstaates in eine faschistische Diktatur. Alle Parteien außer der

NSDAP wurden aufgelöst oder lösten sich selbst auf. Der neue Reichstag, der nur noch aus Anhängern Hitlers bestand, erklärte, daß der Führer nicht „an bestehende Rechtsvorschriften gebunden" sei. Seinerseits formte und leitete der Führer den Willen des Volkes, da die Massen, nach der Ideologie des Faschismus, zu keinem klaren politischen Wollen fähig sind. Der Führer wurde also zum Bewußtsein des Volkes und machte es erst zur Nation. Doch dem Nationalsozialismus galt es nicht nur, das deutsche Volk geistig umzuformen, sondern auch seine „biologische Basis" neu zu gestalten, „ein Paradies der nordischen Rasse" erstehen zu lassen. Auf Grund dieses Rassenwahns wurde die Judenverfolgung, die Ausmerzung eines für das Dritte Reich ungeeigneten Elementes, zu einem zentralen Programmpunkt der Regierung. Die marxistische Gefahr, Versailles und der Jude als Volksfeind—mit diesen Parolen gelang es Hitler, die Massen Deutschlands aufzupeitschen und schließlich alle seine Gegner auszuschalten.

Schon am 15. Oktober 1933 erklärte Hitler Deutschlands Austritt aus dem Völkerbund. Im März 1935 proklamierte er die Wiedereinführung der allgemeinen Wehrpflicht, und ein Jahr später besetzten deutsche Truppen das entmilitarisierte Rheinland. Ohne Verhandlung hob Hitler den Versailler Vertrag auf. 1938 marschierten deutsche Truppen in Österreich ein und Österreich wurde ein Teil des Großdeutschen Reiches. Am 1. Oktober 1938 begann der Einmarsch deutscher Truppen in die deutschsprachigen Gebiete der Tschechoslowakei; sie wurden als Sudetenland dem Reich einverleibt. Nun hätte Hitler seine Erfolge konsolidieren und sich auf die innere Stärkung seines neuen Reiches beschränken können. Doch Hitlers gewonnenes Spiel verführte ihn nur dazu, höhere Einsätze zu wagen. Am 23. August 1939 schloß er einen Nichtangriffspakt mit Rußland, um Polen ungehindert angreifen zu können. Am 1. September 1939 begann er den Krieg mit Polen. Die Westmächte ließen Polen nicht im Stich: am 3. September erklärten England und Frankreich den Krieg. Der zweite Weltkrieg hatte begonnen.

In den beiden ersten Kriegsjahren gewannen die deutschen Armeen Herrschaft über das westliche Festland Europas. Der „Blitzkrieg" gegen Polen hatte nur 18 Tage gedauert. 1940 besetzten deutsche Truppen Dänemark, Norwegen, Belgien, Holland und Nord- und Mittelfrankreich. England stand allein da. Die Invasion Englands drohte. Doch gelang es den deutschen Flugzeugen nicht, die Herrschaft über den englischen

Ehre und der Mannespflicht umgewandelt in Demut und liebevolle Hingabe, so ist der Widerstandsantrieb gegen die diese Gläubigen organisierende und leitende Macht gebrochen. „Eine Herde und ein Hirt!" Das ist, wörtlich genommen, wie es gefordert wurde, die klarste Kampfansage an den germanischen Geist gewesen. Hätte dieser Gedanke restlos gesiegt, so wäre Europa heute nur ein viele hundert Millionen zählender charakterloser Menschenhaufen, regiert mit Hilfe hochgezüchteter Furcht vor Fegefeuer und ewiger Höllenqual, im Kampf um das Ehrgefühl durch die „Liebe" gelähmt, die besseren Reste in den Dienst einer „humanitären" Wohltätigkeit, der „Caritas," gestellt. Das ist der Zustand, welchem das römische System zustrebte, zustreben mußte, sofern es als solches und als geistige und politische Macht überhaupt bestehen wollte.

Ich habe hier keine Dogmengeschichte zu schreiben, sondern möchte nur ein folgerichtiges System schildern, mit dem (was sein Wesen betrifft) ein erwachender nordischer Mensch auf die Dauer in schwerste seelische Konflikte kommen muß. Entweder unterwirft er sich ihm vollkommen (wie zeitweise im Mittelalter), oder er lehnt es gefühlsmäßig und bewußt grundsätzlich ab. Im ersten Fall wird auf kurze Zeit eine äußerliche Einheitlichkeit erzielt werden, die jedoch an ihrer organischen Unmöglichkeit zerspringen muß; im zweiten Fall ist der Weg frei für echte organische Kultur und eine echte blut- und artgemäße Glaubensform.

Hierher gehört das *kirchlich-christliche Mitleid,* das auch in der freimaurerischen „Humanität" in neuer Form aufgetaucht ist und zu der größten Verheerung unseres gesamten Lebens geführt hat. Aus dem Zwangsglaubenssatz der schrankenlosen Liebe und der Gleichheit alles Menschlichen vor Gott einerseits, der Lehre vom demokratischen rasselosen und von keinem nationalverwurzelten Ehrgedanken getragenen „Menschenrecht" andererseits, hat sich die europäische Gesellschaft geradezu als Hüterin des Minderwertigen, Kranken, Verkrüppelten, Verbrecherischen und Verfaulten „entwickelt." Die „Liebe" plus „Humanität" ist zu einer alle Lebensgebote und Lebensformen eines Volkes und Staates zersetzenden Lehre geworden und hat sich dadurch gegen die sich heute rächende Natur empört. Eine Nation, deren Mittelpunkt Ehre und Pflicht darstellte, würde nicht Faule und Verbrecher erhalten, sondern ausschalten. Wir sehen auch an diesem Beispiel, daß sich das einheitslüsterne, rasselose Schema mit ungesundem Subjektivismus paart, während ein durch Ehre und Pflicht zusammengeschweißtes soziales und staatliches Gemeinwesen zwar aus Gerechtigkeit äußere Not beseitigen und das Wertbewußtsein des Einzelnen innerhalb dieses Zuchtwillens zu steigern bemüht sein muß, daß es aber ebenso notgedrungen diese rassisch und seelisch für nordische Lebensform Untauglichen aussondern würde. Das eine wie das andere ergibt sich, wenn als Höchstwert alles Handelns die Ehre und als Träger dieser Idee der Schutz der nordisch-abendländischen Rasse gesetzt wird.

Die Nürnberger Rassen- und Reichsbürgergesetze[1]

a) Gesetz „zum Schutze des deutschen Blutes und der deutschen Ehre" vom 15. September 1935

Durchdrungen von der Erkenntnis, daß die Reinheit des deutschen Blutes die Voraussetzung für den Fortbestand des deutschen Volkes ist, und beseelt von dem unbeugsamen Willen, die deutsche Nation für alle Zukunft zu sichern, hat der Reichstag einstimmig das folgende Gesetz beschlossen, das hiermit verkündet wird.

§ 1.

1. Eheschließungen zwischen Juden und Staatsangehörigen deutschen oder artverwandten Blutes sind verboten. Trotzdem geschlossene Ehen sind nichtig, auch wenn sie zur Umgehung dieses Gesetzes im Auslande geschlossen sind.

2. Die Nichtigkeitsklage kann nur der Staatsanwalt erheben.

From „Die Nürnberger Rassengesetze," (1935) in *Dokumente der Deutschen Politik und Geschichte von 1848 bis zur Gegenwart,* edited by Johannes Hohlfeld, V. IV, 255-256. Berlin, Dokumenten-Verlag Dr. Herbert Wendler & Co., 1951. Reprinted with permission of Dokumenten-Verlag Dr. Herbert Wendler & Co. K-G, Berlin.

[1] By 1935 Jews had been quite extensively barred from all social, political, and cultural life in Germany. In the fall of 1935 Hitler took additional measures to further restrict the activities of Germany's Jews through the Nuremberg Laws. Thus anti-semitism had for the first time been made a political and constitutional principle in a modern European state.

§ 2.

Außerehelicher Verkehr zwischen Juden und Staatsangehörigen deutschen oder artverwandten Blutes ist verboten.

§ 3.

Juden dürfen weibliche Staatsangehörige deutschen oder artverwandten Blutes unter 45 Jahren nicht in ihrem Haushalt beschäftigen.

§ 4.

1. Juden ist das Hissen der Reichs- und Nationalflagge und das Zeigen der Reichsfarben verboten.

2. Dagegen ist ihnen das Zeigen der jüdischen Farben gestattet. Die Ausübung dieser Befugnis steht unter staatlichem Schutz.

§ 5.

1. Wer dem Verbot des § 1 zuwiderhandelt, wird mit Zuchthaus bestraft.

2. Der Mann, der dem Verbot des § 2 zuwiderhandelt, wird mit Gefängnis oder mit Zuchthaus bestraft.

3. Wer den Bestimmungen der §§ 3 oder 4 zuwiderhandelt, wird mit Gefängnis bis zu einem Jahr und mit Geldstrafe oder mit einer dieser Strafen bestraft.

§ 6.

Der Reichsminister des Innern erläßt im Einvernehmen mit dem Stellvertreter des Führers und dem Reichsminister der Justiz die zur Durchführung und Ergänzung des Gesetzes erforderlichen Rechts- und Verwaltungsvorschriften.

§ 7.

Das Gesetz tritt am Tage nach der Verkündung, § 3 jedoch erst am 1. Januar 1936 in Kraft.

Nürnberg, 15. September 1935

b) Reichsbürgergesetz vom 15. September 1935

Der Reichstag hat einstimmig das folgende Gesetz beschlossen, das hiermit verkündet wird.

§ 1.

1. Staatsangehöriger ist, wer dem Schutzverband des Deutschen Reiches angehört und ihm dafür besonders verpflichtet ist.

2. Die Staatsangehörigkeit wird nach den Vorschriften des Reichs- und Staatsangehörigkeitsgesetzes erworben.

§ 2.

1. Reichsbürger ist nur der Staatsangehörige deutschen oder artverwandten Blutes, der durch sein Verhalten beweist, daß er gewillt und geeignet ist, in Treue dem deutschen Volk und Reich zu dienen.

2. Das Reichsbürgerrecht wird durch Verleihung des Reichsbürgerbriefes erworben.

3. Der Reichsbürger ist der alleinige Träger der vollen politischen Rechte nach Maßgabe der Gesetze.

§ 3.

Der Reichsminister des Innern erläßt im Einvernehmen mit dem Stellvertreter des Führers die zur Durchführung und Ergänzung des Gesetzes erforderlichen Rechts- und Verwaltungsvorschriften.

Nürnberg, 15. September 1935

Adolf Hitler: *Besprechung in der Reichskanzlei*

5. NOVEMBER 1937 VON 16,15 BIS 20,30 UHR[1]

Der Führer stellte einleitend fest, daß der Gegenstand der heutigen Besprechung von derartiger Bedeutung sei, daß dessen Erörterung in anderen Staaten wohl vor das Forum des Regierungskabinetts gehörte, er—der Führer—sähe aber gerade im Hinblick auf die Bedeutung der Materie davon ab, diese in dem großen Kreise des Reichskabinetts zum Gegenstand der Besprechung zu machen. Seine nachfolgenden Ausführungen seien das Ergebnis eingehender Überlegungen und der Erfahrungen seiner 4½ jährigen Regierungszeit; er wolle den anwesenden Herren seine grundlegenden Gedanken über die Entwicklungsmöglichkeiten und -notwendigkeiten unserer außenpolitischen Lage auseinandersetzen, wobei er im Interesse einer auf weite Sicht eingestellten deutschen Politik seine Ausführungen als seine testamentarische Hinterlassenschaft für den Fall seines Ablebens anzusehen bitte.

Der Führer führte sodann aus:

Das Ziel der deutschen Politik sei die Sicherung und die Erhaltung der Volksmasse und deren Vermehrung. Somit handele es sich um das Problem des Raumes.

Die deutsche Volksmasse verfüge über 85 Millionen Menschen, die nach der Anzahl der Menschen und der Geschlossenheit des Siedlungsraumes in Europa einen in sich so fest geschlossenen Rassekern darstelle, wie er in keinem anderen Land wiederanzutreffen sei, wie er andererseits das Anrecht auf größeren Lebensraum

From „Niederschrift über die Besprechung in der Reichskanzlei am 5.11.37. von 16,15—20,30 Uhr," in *Trial of the Major War Criminals before the International Military Tribunal, Documents in Evidence,* XXV, 403-408. Nürnberg, International Military Tribunal, 1947.

[1] This document is known to historians as the Hossbach Memorandum, after Colonel Hossbach, a member of the General Staff, who took these notes on Hitler's discussion with the top-ranking officers of the military services and the Foreign Minister. This memorandum figured prominently in the Nuremberg trials as evidence of "war guilt," and in recent years has been the subject of much debate among historians. Whether or not it is clear evidence of aggressive intentions on Hitler's part, it is a good illustration of the cast of his mind and his continual preoccupation with *völkisch* themes.

Ein Wahlplakat für die Partei

mehr als bei anderen Völkern in sich schlösse.[2] Wenn kein dem
deutschen Rassekern entsprechendes politisches Ergebnis auf dem
Gebiet des Raumes vorläge, so sei das eine Folge mehrhundert-
jähriger historischer Entwicklung und bei Fortdauer dieses politischen Zustandes die größte Gefahr für die Erhaltung des deutschen
Volkstums auf seiner jetzigen Höhe. Ein Aufhalten des Rückganges
des Deutschtums in Österreich und in der Tschechoslowakei sei
ebenso wenig möglich als die Erhaltung des augenblicklichen Standes
in Deutschland selbst. Statt Wachstum setze Sterilisation ein, in
deren Folge Spannungen sozialer Art nach einer Reihe von Jahren
einsetzen müßten, weil politische und weltanschauliche Ideen nur
solange von Bestand seien, als sie die Grundlage zur Verwirklichung
der realen Lebensansprüche eines Volkes abzugeben vermöchten.
Die deutsche Zukunft sei daher ausschließlich durch die Lösung der
Raumnot bedingt, eine solche Lösung könne naturgemäß nur für
eine absehbare, etwa 1—3 Generationen umfassende Zeit gesucht
werden.

Die deutsche Politik habe mit den beiden Haßgegnern England
und Frankreich zu rechnen, denen ein starker deutscher Koloß
inmitten Europas ein Dorn im Auge sei, wobei beide Staaten eine
weitere deutsche Erstarkung sowohl in Europa als auch in Übersee
ablehnten und sich in dieser Ablehnung auf die Zustimmung aller
Parteien stützen könnten. In der Errichtung deutscher militärischer
Stützpunkte in Übersee sähen beide Länder eine Bedrohung ihrer
Überseeverbindungen, eine Sicherung des deutschen Handels und
rückwirkend eine Stärkung der deutschen Position in Europa.

In summa sei festzustellen, daß trotz aller ideeller Festigkeit das
Empire machtpolitisch auf die Dauer nicht mit 45 Millionen Eng-
ländern zu halten sei. Das Verhältnis der Bevölkerungszahl des
Empire's zu der des Mutterlandes von 9:1 sei eine Warnung für uns,
bei Raumerweiterungen nicht die in der eigenen Volkszahl liegende
Plattform zu gering werden zu lassen.

Die Stellung Frankreichs sei günstiger als die Englands. Das
französische Reich sei territorial besser gelagert, die Einwohner
seines Kolonialbesitzes stellten einen militärischen Mitzuwachs dar.

[2] **wie er anderseits . . . schlösse** and on the other hand it gives (us) a greater
claim than other people to larger living space

Aber Frankreich gehe innenpolitischen Schwierigkeiten entgegen. Im Leben der Völker nehmen die parlamentarische Regierungsform etwa 10%, die autoritäre etwa 90% der Zeit ein. Immerhin seien heute in unsere politischen Berechnungen als Machtfaktoren einzusetzen: England, Frankreich, Rußland und die angegrenzenden kleineren Staaten.

Zur Lösung der deutschen Frage könne es nur den Weg der Gewalt geben, dieser wird niemals risikolos sein. Die Kämpfe Friedrichs d. Gr. um Schlesien und die Kriege Bismarcks gegen Österreich und Frankreich seien von unerhörtem Risiko gewesen und die Schnelligkeit des preußischen Handelns 1870 habe Österreich vom Eintritt in den Krieg ferngehalten. Stelle man an die Spitze der nachfolgenden Ausführungen den Entschluß zur Anwendung von Gewalt unter Risiko, dann bleibt noch die Beantwortung der Fragen „wann" und „wie."

Rudolf Höss: *Der Kommandant von Auschwitz erzählt*[1]

Ich, Rudolf Franz Ferdinand Höss,[2] sage nach vorhergehender rechtmäßiger Vereidigung[3] aus und erkläre wie folgt:

1. Ich bin sechsundvierzig Jahre alt und Mitglied der NSDAP seit 1922 Mitglied der SS[4] seit 1934; Mitglied der Waffen-SS seit 1939. Ich war Mitglied ab 1. Dezember 1934 des SS-Wachverbandes, des sogenannten Totenkopfverbandes.[5]

2. Seit 1934 hatte ich unausgesetzt in der Verwaltung von Konzentrationslagern zu tun und tat Dienst in Dachau[6] bis 1938;

From „Der Kommandant von Auschwitz erzählt," in *Das Dritte Reich und die Juden,* edited by Leon Poliakov and Josef Wulf, 127-120. Berlin Grunewald, Verlags-GmbH, 1955.

[1] Auschwitz was an extermination and slave-labor camp in Poland.
[2] Rudolf Franz Ferdinand Höss (1900-1947) was arrested by British military police in 1946, and after being interrogated by American authorities, was handed over to the Polish government. The Poles tried him in March 1947, condemned him to death, and executed him in April 1947.
[3] nach . . . Vereidigung having been duly sworn in
[4] The SS (*Schutzstaffel*) was Hitler's black-shirted élite guard. The **Waffen-SS** (the SS in arms) was a branch of the SS which constituted a separate army along with the regular German army.
[5] The **SS-Wachverband** handled special duties, such as guarding concentration camps. Their insignia was a skull (*Totenkopf*).
[6] Dachau was a concentration camp near Munich.

dann als Adjutant in Sachsenhausen[7] von 1938 bis zum 1. Mai 1940, zu welcher Zeit ich zum Kommandanten von Auschwitz ernannt wurde. Ich befehligte Auschwitz bis zum 1. Dezember 1943 und schätze, daß mindestens 2 500 000 Opfer dort durch Vergasung und Verbrennen hingerichtet und ausgerottet wurden; mindestens eine weitere halbe Million starben durch Hunger und Krankheit, was eine Gesamtzahl von ungefähr 3 000 000 Toten ausmacht. Diese Zahl stellt ungefähr 70 oder 80 Prozent aller Personen dar, die als Gefangene nach Auschwitz geschickt wurden; die übrigen wurden ausgesucht und für Sklavenarbeit in den Industrien des Konzentrationslagers verwendet. Unter den hingerichteten und verbrannten Personen befanden sich ungefähr 20 000 russische Kriegsgefangene (die früher von der Gestapo[8] aus den Gefängnissen der Kriegsgefangenen ausgesondert waren); diese wurden in Auschwitz den Wehrmacht[9]-Transporten, die von regulären Offizieren und Mannschaften der Wehrmacht befehligt wurden, ausgeliefert. Der Rest der Gesamtzahl der Opfer umfaßte ungefähr 100 000 deutsche Juden und eine große Anzahl von Einwohnern, meistens Juden, aus Holland, Frankreich, Belgien, Polen, Ungarn, Tschechoslowakei, Griechenland oder anderen Ländern. Ungefähr 400 000 ungarische Juden wurden allein in Auschwitz im Sommer 1944 von uns hingerichtet.

4. Massenhinrichtungen durch Vergasung begannen im Laufe des Sommers 1941 und dauerten bis zum Herbst 1944. Ich beaufsichtigte persönlich die Hinrichtungen in Auschwitz bis zum 1. Dezember 1943. . . Alle Massenhinrichtungen durch Vergasung fanden unter dem direkten Befehl unter der Aufsicht und Verantwortlichkeit der RSHA[10] statt. Ich erhielt unmittelbar von der RSHA alle Befehle zur Ausführung dieser Massenhinrichtungen.

6. Die „Endlösung" der jüdischen Frage bedeutete die vollständige Ausrottung aller Juden in Europa. Ich hatte den Befehl, Ausrottungserleichterungen in Auschwitz im Juni 1942 zu schaffen.

---

[7] Sachsenhausen was a concentration camp in Northern Germany.
[8] **Gestapo** is the abbreviation for *Geheime Staatspolizei,* the secret state police.
[9] The **Wehrmacht** were the German armed forces; this term replaced *Reichswehr* after Hitler came to power.
[10] The **RSHA** was the *Reichssicherheitshauptamt,* the *Reich* security office, headquarters of the SS police forces.

Zu jener Zeit bestanden schon drei weitere Vernichtungslager im
Generalgouvernement: Belzec, Treblinka und Wolzek.[11] Diese
Lager befanden sich unter dem Einsatzkommando der Sicherheits-
polizei und des SD.[12] Ich besuchte Treblinka, um festzustellen, wie
die Vernichtungen ausgeführt wurden. Der Lagerkommandant von
Treblinka sagte mir, daß er im Laufe eines halben Jahres 80 000
liquidiert hätte. Er hatte hauptsächlich mit der Liquidierung aller
Juden aus dem Warschauer Ghetto zu tun. Er wandte Monoxid-Gas
an, und nach seiner Ansicht waren seine Methoden nicht sehr
wirksam. Als ich das Vernichtungsgebäude in Auschwitz errichtete,
gebrauchte ich also Zyklon B, eine kristallisierte Blausäure, die wir
in die Todeskammer durch eine kleine Öffnung einwarfen. Es
dauerte 3 bis 15 Minuten, je nach den klimatischen Verhältnissen,
um die Menschen in der Todeskammer zu töten. Wir wußten, wenn
die Menschen tot waren, weil ihr Kreischen aufhörte. Wir warteten
gewöhnlich eine halbe Stunde, bevor wir die Türen öffneten und die
Leichen entfernten. Nachdem die Leichen fortgebracht waren,
nahmen unsere Sonderkommandos die Ringe ab und zogen das
Gold aus den Zähnen der Körper.

7. Eine andere Verbesserung gegenüber Treblinka war, daß wir
Gaskammern bauten, die 2000 Menschen auf einmal fassen konnte,
während die 10 Gaskammern in Treblinka nur je 200 Menschen
faßten. Die Art und Weise, wie wir unsere Opfer auswählten, war
folgendermaßen: zwei SS-Ärzte waren in Auschwitz tätig, um die
einlaufenden Gefangenentransporte zu untersuchen. Die Gefan-
genen mußten bei einem der Ärzte vorbeigehen, der bei ihrem
Vorbeimarsch durch Zeichen die Entscheidung fällte. Diejenigen,
die zur Arbeit taugten, wurden ins Lager geschickt. Andere wurden
sofort in die Vernichtungsanlagen geschickt. Kinder im zarten Alter
wurden unterschiedslos vernichtet, da auf Grund ihrer Jugend sie
unfähig waren, zu arbeiten. Noch eine andere Verbesserung, die wir
gegenüber Treblinka machten, war diejenige, daß in Treblinka die
Opfer fast immer wußten, daß sie vernichtet werden sollten,
während in Auschwitz wir uns bemühten, die Opfer zum Narren

---

[11] These were concentration camps in Poland. The *Generalgouvernement* was the
part of Poland under German occupation.
[12] The **SD** was the *Sicherheitsdienst*, security service, a special police force within
the SS.

zu halten, indem sie glaubten, daß sie ein Entlausungsverfahren durchzumachen hätten. Natürlich erkannten sie auch häufig unsere wahren Absichten und wir hatten deswegen manchmal Aufruhr und Schwierigkeiten. Sehr häufig wollten Frauen ihre Kinder unter den Kleidern verbergen, aber wenn wir sie fanden, wurden die Kinder natürlich zur Vernichtung hineingesandt. Wir sollten diese Vernichtungen im Geheimen ausführen, aber der faule und Übelkeit erregende Gestank, der von der ununterbrochenen Körperverbrennung ausging, durchdrang die ganze Gegend, und alle Leute, die in den umliegenden Gemeinden lebten, wußten, daß in Auschwitz Vernichtungen im Gange waren.

Die obrigen Angaben sind wahr; diese Erklärung gab ich freiwillig und ohne Zwang ab. Nach Durchlesen der Angaben habe ich dieselben unterzeichnet und vollzogen in Nürnberg, Deutschland, am fünften Tage des April 1946.

Rudolf Franz Ferdinand Höss

Paul Celan: *Todesfuge*[1]

Schwarze Milch der Frühe wir trinken sie abends
wir trinken sie mittags und morgens wir trinken sie nachts
wir trinken und trinken
wir schaufeln ein Grab in den Lüften da liegt man nicht eng
Ein Mann wohnt im Haus der spielt mit den Schlangen der schreibt
der schreibt wenn es dunkelt nach Deutschland dein goldenes Haar
Margarete[2]
er schreibt es und tritt vor das Haus und es blitzen die Sterne er
pfeift seine Rüden herbei
er pfeift seine Juden hervor läßt schaufeln ein Grab in der Erde
er befiehlt uns spielt auf nun zum Tanz

"Todesfuge," in *Mohn und Gedächtnis,* 37-39. Stuttgart, Deutsche Verlags-Anstalt, 1960. Reprinted with permission of Deutsche Verlags-Anstalt, Stuttgart.

[1] Paul Celan (b. 1920) is one of the finest contemporary German lyric poets. Born in Austria, Celan has spent most of his life in Paris. In *Todesfuge* he has tried to write a poem about the concentration camps and their gas ovens. To do this he had to invent new metaphors, yet their significance is quite clear.

[2] Margarete is the symbolic figure for Germany, as Marianne is for France or Uncle Sam for the United States.

Schwarze Milch der Frühe wir trinken dich nachts
wir trinken dich morgens und mittags wir trinken dich abends
wir trinken und trinken
Ein Mann wohnt im Haus und spielt mit den Schlangen der schreibt
der schreibt wenn es dunkelt nach Deutschland dein goldenes Haar
Margarete
Dein aschenes Haar Sulamith[3] wir schaufeln ein Grab in den Lüften
da liegt man nicht eng

Er ruft stecht tiefer ins Erdreich ihr einen ihr andern singet und
spielt
er greift nach dem Eisen[4] im Gurt er schwingts seine Augen sind
blau
stecht tiefer die Spaten ihr einen ihr andern spielt weiter zum Tanz
auf

Schwarze Milch der Frühe wir trinken dich nachts
wir trinken dich mittags und morgens wir trinken dich abends
wir trinken und trinken
ein Mann wohnt im Haus dein goldenes Haar Margarete
dein aschenes Haar Sulamith er spielt mit den Schlangen

Er ruft spielt süßer den Tod der Tod ist ein Meister aus Deutschland
er ruft streicht dunkler die Geigen dann steigt ihr als Rauch in die
Luft
dann habt ihr ein Grab in den Wolken da liegt man nicht eng

Schwarze Milch der Frühe wir trinken dich nachts
wir trinken dich mittags der Tod ist ein Meister aus Deutschland
wir trinken dich abends und morgens wir trinken und trinken
der Tod ist ein Meister aus Deutschland sein Auge ist blau
er trifft dich mit bleierner Kugel er trifft dich genau
ein Mann wohnt im Haus dein goldenes Haar Margarete
er hetzt seine Rüden auf uns er schenkt uns ein Grab in der Luft

[3] Sulamith is a Hebrew name, and thus the symbol for the Jews.
[4] **Eisen** here: sword

er spielt mit den Schlangen und träumet der Tod ist ein Meister aus
Deutschland
dein goldenes Haar Margarete
dein aschenes Haar Sulamith

Dietrich Bonhoeffer: *Widerstand und Ergebung*[1]

Die große Maskerade des Bösen hat alle ethischen Begriffe durch-
einander gewirbelt.[2] Daß das Böse in der Gestalt des Lichts, der
Wohltat, des geschichtlich Notwendigen, des sozial Gerechten
erscheint, ist für den aus unserer tradierten ethischen Begriffswelt
Kommenden schlechthin verwirrend; für den Christen, der aus der
Bibel lebt, ist es gerade die Bestätigung der abgründigen Bosheit des
Bösen.

Wer hält stand? Allein der, dem nicht seine Vernunft, sein
Prinzip, sein Gewissen, seine Freiheit, seine Tugend der letzte
Maßstab ist, sondern der dies alles zu opfern bereit ist, wenn er im
Glauben und in alleiniger Bindung an Gott zu gehorsamer und
verantwortlicher Tat gerufen ist, der Verantwortliche, dessen Leben
nichts sein will als eine Antwort auf Gottes Frage und Ruf. Wo
sind diese Verantwortlichen?

Was steckt eigentlich hinter der Klage über die mangelnde Civilcourage? Wir haben in diesen Jahren viel Tapferkeit und Aufopferung, aber fast nirgends Civilcourage gefunden, auch bei uns selbst
nicht. Es wäre eine zu naive Psychologie, diesen Mangel einfach auf
persönliche Feigheit zurückzuführen. Die Hintergründe sind ganz
andere. Wir Deutschen haben in einer langen Geschichte die Notwendigkeit und die Kraft des Gehorsams lernen müssen. In der
Unterordnung aller persönlichen Wünsche und Gedanken unter den
uns gewordenen Auftrag sahen wir Sinn und Größe unseres Lebens.
Unsere Blicke waren nach oben gerichtet, nicht in sklavischer Furcht,

From *Widerstand und Ergebung,* 10-11, 13-15. München, Chr. Kaiser Verlag,
1952. Reprinted with permission of Chr. Kaiser Verlag, München.

[1] Pastor Bonhoeffer (1906-45) was a Protestant theologian, director of a ministers'
seminary, and resistance fighter. He was executed by the SS in 1945, after being
imprisoned for most of the war.
[2] **durcheinander gewirbelt** here: wrought havoc with

Luftraum zu gewinnen, und es kam zu keiner Invasion. Im Frühling 1941
wandte sich Hitler dem Balkan zu. Deutsche und italienische Divisionen
besetzten Jugoslawien und Griechenland. Im Herbst 1941 standen die
Truppen der „Achse" (Deutschland-Italien) an der Grenze Ägyptens.
Am 22. Juni 1941 begann Hitler den Angriff auf die Sowjetunion.
Nach großen Anfangserfolgen kam der deutsche Vormarsch im harten
russischen Winter vor Moskau und Leningrad zum Stehen. Das bedeutete
eine Wendung des Krieges. Zur gleichen Zeit eröffnete Japan den Kampf
gegen Amerika mit dem Überfall auf Pearl Harbor am 7. Dezember 1941.
Vier Tage später erklärte Deutschland den Vereinigten Staaten den Krieg.
    Mit den Niederlagen des deutschen Afrikakorps und der verlorenen
Schlacht bei Stalingrad gingen die Alliierten zum Angriff über. 1943 war
ein Jahr ununterbrochener Rückzüge der deutschen Armeen an allen
Fronten. Der Ring um Deutschland wurde immer enger. Trotz des
Terrorsystems begann sich der Widerstand in Deutschland jetzt stärker
zu regen. Verschiedene Gruppen, zu denen Geistliche, Intellektuelle und
hohe Offiziere gehörten, arbeiteten gegen das Regime. Endlich schritt die
Offiziersgruppe zur Tat. Doch schlug das Attentat auf Hitler am 20. Juli
1944 fehl. Eine Befreiung konnte jetzt nur von außen kommen. Von
allen Seiten drangen die alliierten Truppen in Deutschland ein. Am 30.
April 1945 tötete sich Hitler im Bunker der Reichskanzlei. Am 8.
Mai wurde die bedingungslose Kapitulation der deutschen Streitkräfte
unterzeichnet.

Alfred Rosenberg: *Der Mythus des 20. Jahrhunderts*[1]

Die Kirche selbst, als Zuchtform, konnte und durfte keine Liebe
kennen, um sich als typenbildende Kraft zu erhalten und weiter
durchzusetzen. Aber sie konnte Machtpolitik *mit* Hilfe der Liebe
treiben. Sind das Persönlichkeitsbewußtsein, die Idee der wehrhaften

From *Der Mythus des 20. Jahrhunderts,* 159, 169-170. München, Hoheneichen-
Verlag, 1933.

[1] Rosenberg (1893-1946) became editor of the weekly *Völkische Beobachter* in
1921: it remained the leading voice of National Socialism until 1945. His chief
work, *Der Mythus des 20. Jahrhunderts,* is a collection of racial doctrines, anti-
religious and anti-semitic. He was named *Reich* minister for the Eastern Occupied
Area in 1941 and sentenced to death as originator of the Nàzi race doctrine at
Nuremberg in 1946.

Familien strömen aus dem Judenviertel in Warschau

sondern im freien Vertrauen, das im Auftrag einen Beruf und im
Beruf eine Berufung sah. Es ist ein Stück berechtigten Mißtrauens
gegen das eigene Herz, aus dem die Bereitwilligkeit entsteht, lieber
dem Befehl von „oben" als dem eigenen Gutdünken zu folgen. Wer
wollte dem Deutschen bestreiten, daß er im Gehorsam, im Auftrag,
im Beruf immer wieder das Äußerste an Tapferkeit und Lebenseinsatz vollbracht hat? Seine Freiheit aber wahrte der Deutsche
darin—und wo ist in der Welt leidenschaftlicher von der Freiheit
gesprochen worden als in Deutschland von Luther bis zur Philosophie des Idealismus?—daß er sich vom Eigenwillen zu befreien
suchte im Dienst am Ganzen. Beruf und Freiheit galten ihm als zwei
Seiten derselben Sache. Aber er hatte damit die Welt verkannt; er
hatte nicht damit gerechnet, daß seine Bereitschaft zur Unterordnung, zum Lebenseinsatz für den Auftrag mißbraucht werden könnte

zum Bösen. Geschah dies, wurde die Ausübung des Berufes selbst fragwürdig, dann mußten alle sittlichen Grundbegriffe des Deutschen ins Wanken geraten. Es mußte sich herausstellen, daß eine entscheidende Grunderkenntnis dem Deutschen noch fehlte: die von der Notwendigkeit der freien, verantwortlichen Tat auch gegen Beruf und Auftrag. An ihre Stelle trat einerseits verantwortungslose Skrupellosigkeit, andererseits selbstquälerische Skrupelhaftigkeit, die nie zur Tat führte. Civilcourage aber kann nur aus der freien Verantwortlichkeit des freien Mannes erwachsen. Die Deutschen fangen erst heute an zu entdecken, was freie Verantwortung heißt. Sie beruht auf einem Gott, der das freie Glaubenswagnis verantwortlicher Tat fordert und der dem, der darüber zum Sünder wird, Vergeben und Trost zuspricht.

Adolf Hitler: *Mein politisches Testament*[1]
29. April 1945

Nach einem sechsjährigen Kampf, der einst in die Geschichte trotz aller Rückschläge als ruhmvollste und tapferste Bekundung des Lebenswillens eines Volkes eingehen wird, kann ich mich nicht von der Stadt trennen, die die Hauptstadt dieses Reiches ist. Da die Kräfte zu gering sind, um dem feindlichen Ansturm gerade an dieser Stelle noch standzuhalten, der eigene Widerstand aber durch ebenso verblendete wie charakterlose Subjekte allmählich entwertet wird, möchte ich mein Schicksal mit jenem teilen, das Millionen andere auch auf sich genommen haben, indem ich in dieser Stadt bleibe. Außerdem will ich nicht Feinden in die Hände fallen, die zur Belustigung ihrer verhetzten Massen ein neues, von Juden inszeniertes Schauspiel benötigen.

Ich habe mich daher entschlossen, in Berlin zu bleiben und dort aus freien Stücken[2] in dem Augenblick den Tod zu wählen, in dem

„Mein politisches Testament," in *Hitler Reden und Proklamationen 1932-1945, Kommentiert von einem deutschen Zeitgenossen,* edited by Max Domarus, 2236-2237. Neustadt a.d. Aisch, Verlagsdruckerei Schmidt, 1962-63. Reprinted with permission of Dr. Max Domarus.

[1] This testament was made on the day before Hitler's suicide.
[2] **aus freien Stücken** of one's own free will

ich glaube, daß der Sitz des Führers und Kanzlers selbst nicht mehr gehalten werden kann. Ich sterbe mit freudigem Herzen angesichts der mir bewußten unermeßlichen Taten und Leistungen unserer Soldaten an der Front, unserer Frauen zu Hause, den Leistungen unserer Bauern und Arbeiter und dem in der Geschichte einmaligen Einsatz unserer Jugend, die meinen Namen trägt.

Michael Freund: *Geschichte ohne Distanz*[1]

Die Erkenntnis der von uns selbst erlebten Geschichte ist stets die schwerste. Den Vorteil des Dabeigewesenseins und des unmittelbaren Erlebnisses bezahlen wir mit jener Verdunkelung des erkennenden Geistes, die immerdar dem handelnden Menschen zu eigen ist. Geschichte muß Objekt geworden sein; der Historiker muß sagen können: das ist so und so *gewesen*. Doch ist Geschichte auf der anderen Seite nur das, was noch Gegenwart ist und sich entwickelt. Geschichte ist zugleich das, was geschehen ist, und das, was geschieht.

Das ist die fundamentale und unentrinnbare Schwierigkeit, vor der jede „Zeitgeschichte" steht. Aber in Deutschland tritt das Problem in einer geradezu unheimlichen und lähmenden Form auf. Die Deutschen litten an der jüngsten Vergangenheit, und sie wollen sich gerade deshalb ungern mit ihr beschäftigen. Werden sie vor die Geschichte dieser Jahre gestellt, schlagen immer wieder die Affekte durch. Es ging allen Menschen zu sehr an das Dasein, als daß man diese Zeiten von ferne betrachten könnte. Die Vergangenheit ist noch nicht Vergangenheit. Sie ist aber auch nicht mehr Gegenwart; die ist jäh und plötzlich zu Ende gegangen. Ein Abgrund liegt zwischen ihr und dem Heute. Der Deutsche ist noch nicht zur Klarheit darüber gekommen, ob diese Zeiten überhaupt noch seine

From „Geschichte ohne Distanz," in *Deutscher Geist zwischen Gestern und Morgen*, 315-316, 319-320, 322. Stuttgart, Deutsche Verlags-Anstalt, 1954. Reprinted with permission of Prof. Michael Freund.

[1] Michael Freund (b. 1902) was lecturer in history at the University of Freiburg in 1938 when he was dismissed for political reasons. He returned to Freiburg after the war, and has been a professor of history at the University of Kiel since 1953. Professor Freund has published many books on German and English history.

Geschichte sind, und ob er wollen soll und darf, daß dies seine
Geschichte wäre.

Es ist vor allem der Katastrophencharakter der deutschen Geschichte, ihre ewige Vergeblichkeit und ihre Diskontinuität, was die
Darstellung der jüngsten Jahrezehnte so schwierig macht. Zwischen
1914 und 1950 hatten sich fünf große Katastrophen ereignet: der
Ausbruch des Krieges von 1914, der Zusammenbruch von 1918, der
Zusammenbruch der Republik und die nationalsozialistische Revolution, der Krieg von 1939, der Zusammenbruch von 1945. Erlebnisschicht liegt also über Erlebnisschicht. Das eine Erlebnis „übermault"—nach dem Ausdruck Jacob Burckhardts[2]—das andere. Die
aufeinanderfolgenden Erlebnisse haben zuweilen einzelnes Erleben
völlig verschüttet.

Die Vergangenheit ist also noch nicht Vergangenheit, weil sie
noch viel zu nahe ist, und auf der anderen Seite ist sie seltsam fern
und steht scheinbar kaum noch in einem Zusammenhang mit
unserem gegenwärtigen Leben. Die Deutschen haben in einem
hohen Maße den historischen Boden unter den Füßen verloren; sie
sind, was immer es mit dem rein staatsrechtlichen Problem des
Unterganges des Reiches auf sich hat, 1945 irgendwie aus der
Geschichte herausgeworfen worden. Von einem Übermaß der Macht
sanken sie herab in die Ohnmacht und verhielten sich wie alle
Völker, die den Sturm des großen Geschehens über sich hinweg-
brausen lassen, indem sie sich zusammenkauern. Nach 1918 lag das
deutsche Volk in Zuckungen, von Geistern und Erscheinungen
heimgesucht, von Erregungen aufgewühlt und in Extremen zerrissen,
so daß der Nachkrieg fast folgerichtig in die große Epilepsie des
Dritten Reiches mündete. Nach 1945 erscheint es dem Beschauer
oft, als habe er es mit einem Volk zu tun, dessen Herz ausgebrannt
ist und das sozusagen Vergangenheiten hat, aber keine Vergangenheit. Das Dritte Reich selbst stand in mannigfacher Hinsicht jenseits
der Geschichte, jenseits der faßbaren historischen Überlieferung und
außerhalb des sichtbar ausgeprägten Strombettes des deutschen
Werdens. Schon die Tatsache, daß das Reich der Nationalsozialisten

---

[2] Jakob Burckhardt (1818-97) was a prominent Swiss historian with a passion for
art. He pioneered the writing of cultural history, approaching a civilization
through its artistic forms.

sich als ein tausendjähriges Reich gab (als jenes Millennium, das in
seiner ursprünglichen und wahren Bedeutung eine geschichtliche
Endzeit darstellt, ein Verfließen der geschichtlichen Zeit in die
Ewigkeit), erlaubt die Frage, ob das Reich Adolf Hitlers überhaupt
Ereignis einer geschichtlichen Zeit oder nicht vielmehr ein Sprung
aus der Geschichte in das historische Nichts gewesen sei.

Im Scheitern des 20. Juli 1944 liegt zugleich die Tragik der
deutschen Zeitgeschichte beschlossen. Der 20. Juli war der letzte
und einzige Versuch des deutschen Volkes im Dritten Reich, wieder
Herr über seine Geschichte zu werden und „in der Geschichte" zu
bleiben. „Deutschland" gibt es bis zur heutigen Stunde nicht mehr.
Noch hat das deutsche Volk nicht wahrhaft die zerrissene Kette
seines geschichtlichen Werdens wieder geknüpft. Gerade deshalb ist
für die Deutschen die Erkenntnis ihrer jüngsten Vergangenheit so
wichtig. Nur indem sie die Geschichte der Zeit begreifen, kann es
für sie noch einmal die Zeit der Geschichte geben.

XI

DEUTSCHLAND NACH DER KATASTROPHE

Am 8. Mai 1945 hatte das nationalsozialistische Deutschland bedingungslos kapituliert. Nun wurde nach den Beschlüssen der Konferenzen von Jalta und Potsdam Deutschland in vier Besatzungszonen aufgeteilt und von den vier Militärregierungen der alliierten Großmächte verwaltet. So entstanden im Mai 1945 die folgenden vier Besatzungszonen: im Norden und Westen Deutschlands die britische, im Süden die amerikanische, im Südwesten eine kleinere französische und im gesamten östlichen Teil die sowjetische. In Jalta und Potsdam hatten sich auch alle Alliierten verpflichtet, nach einer gewissen Zeit Deutschland die Einheit unter einer demokratisch gewählten Regierung wiederzugeben. Nach der Niederlage der gemeinsamen Feinde (Deutschland, Italien und Japan) entfremdeten sich jedoch die westlichen und die östlichen Verbündeten immer mehr, was sich unter anderem in ihrer so verschiedenartigen Deutschlandpolitik ausdrückte.

Die westlichen Alliierten ließen 1949 eine parlamentarische deutsche föderalistische Republik (Bundesrepublik) entstehen. Die Sowjetunion dagegen betrieb in engster Verbindung mit den aus sowjetischer Emigration zurückgekehrten deutschen Kommunisten eine zunächst langsame, aber stetige Sowjetisierung des von ihr besetzten Teiles von Deutschland. Das Tempo der Sowjetisierung steigerte sich aber bald. Stalin und seine Nachfolger handelten in ihrer Deutschlandpolitik getreu dem Leninwort: „Wer Deutschland hat, besitzt den Schlüssel zu Europa." Und da den Sowjets durch die Westmächte der Zugang zum westlichen Teil Deutschlands versperrt war, versuchten sie wenigstens ihren Teil zu bewahren und zu festigen. Noch im selben Jahr, in dem die Bundesrepublik entstand, hatten auch die Sowjets in ihrem Teil Deutschlands einen neuen Staat gegründet, die Deutsche Demokratische Republik, kurz DDR genannt.

Mit der Spaltung Deutschlands, die mit der Zeit immer permanenter wurde, hatte die Geschichte Deutschlands als Reich zunächst ein Ende gefunden. In der Bundesrepublik brachten die ersten Jahre eine Aufwärtsentwicklung der Wirtschaft, die sogar die optimistischsten Voraussagen übertraf. Schon im Jahre 1959 wurde Vollbeschäftigung erreicht. Die DDR blieb hinter dem Wiederaufstieg der Bundesrepublik zurück. Jedoch ist die Lebenshaltung in der DDR, trotz Demontagen und Wiedergutmachungsleistungen und ohne nennenswerte Hilfe von außen, gegenüber den ersten Nachkriegsjahren wesentlich angestiegen.

Von einer „Geschichte" Deutschlands seit 1945 kann nicht gesprochen werden. Wie einst im achtzehnten Jahrhundert ist die Geschichte Deutschlands in unserer Zeit die Geschichte seiner Teile. Die innenpolitischen Ereignisse der Bundesrepublik, besonders das Problem der „Bewältigung der Vergangenheit," werden in der ganzen Welt mit großem Interesse beobachtet. Im Vergleich dazu hat die westliche Welt nur wenig Ahnung von dem, was innerhalb der DDR vorgeht. Von einem gesamtdeutschen Schicksal läßt sich nicht sprechen, solange der Weltkonflikt zwischen Westen und Osten anhält.

Friedrich Meinecke: *Hat der Hitlerismus eine Zukunft?*[1]

Es erhebt sich nun für uns die furchtbar ernste Frage, ob der Hitlerismus, mag er auch jetzt zu Boden geschlagen sein, am Ende doch noch durch die demagogische Überlegenheit seiner Massenbeherrschungsmethode bestimmt sein dürfte, herrschende Lebensform im Abendlande zu werden. Wir haben ferner auch schon nach einem positiven Gehalte des Hitlerismus gesucht und einiges auch gefunden, nämlich die bewußte Absicht, die beiden großen Wellen des Zeitalters, die nationale und die sozialistische Bewegung, in Eins strömen zu lassen und für diesen Zweck die amorph gewordenen Schichten der Gesellschaft wieder fester in sich und für das Ganze zu formen. Aber unüberwindlich war unser Abscheu gegen die dafür gebrauchten Methoden. Hegelianisch gestimmte Gemüter könnten sich am Ende auch darüber hinwegsetzen mit dem geschichtsphilosophischen Troste, daß der Weltgeist nur durch irgendwelches Fegefeuer hindurch—wie etwa einst die Völkerwanderung—neue höhere Stufen zu erklimmen pflegt. Führt aber diese sogenannte höhere Stufe zu einer systematischen Unterdrückung des Gewissens, des Urquells für alles, was wir als das Göttliche in und über uns kennen, so führt sie damit auch in den Abgrund. Und solange sich selbst noch ein Gewissen in der Menschheit und den einzelnen Völkern regt, wird es sich gegen den Marsch in den Abgrund wehren. Vielleicht können wir für die Beantwortung unserer Hauptfrage, ob dem jetzt geschlagenen Hitlerismus doch noch eine universale Zukunft beschieden sein könnte, einen objektiveren Weg finden.

Es war ja eine ganz singuläre und in nicht geringem Grade zufällige Verkettung von Ursachen, die zur Machtergreifung Hitlers geführt hat. Keine pressende Notwendigkeit allgemeiner Art hat,

From *Die Deutsche Katastrophe,* 137-142. Wiesbaden, E. Brockhaus Verlag, 1946. Reprinted with permission of Verlag F. A. Brockhaus, Wiesbaden.

[1] Meinecke (1862-1954) was one of Germany's great historians. A staunch liberal and foe of nationalism, Meinecke was forced to give up his post as professor of history at the University of Berlin in 1933. After World War II he played an important role in the founding of the Free University in Berlin and became its first rector.

wie wir zu zeigen versuchten, Hindenburgs[2] Feder geführt, als er seinen Namen unter Hitlers Ernennung setzte. Abwehrkräfte gegen diesen wären genug da gewesen. Die Hitlerbewegung wäre, wenn Hindenburg diese Kräfte sich hätte auswirken lassen, vermutlich eine Episode geblieben. Ihre universale Zukunft wäre damit dann auch erledigt gewesen.

Wir verkennen nun aber nicht, daß diese Beweisführung noch nicht ganz genügt. Die ersten Zeugen einer neuen Idee—so könnte man einwenden—gehen oft zugrunde, und die Idee siegt dann doch durch die neuen Träger, die sie findet.

Aber ist denn, so wird man dagegen gleich wieder fragen, die von Hitler vertretene Idee gehaltreich genug gewesen, um immer neue Zeugen an Stelle der ersten gestürzten für sie zu begeistern? Da ist doch nun folgendes geltend zu machen. Das, was man an Hitlers Unternehmen als „Idee" bezeichnen kann, wird nach unserer Analyse weitaus in den Schatten gestellt durch das, was man „Geschäft," spekulatives Unternehmen einer Gruppe von waghalsigen Hochstaplern nennen muß. Es konnte gelingen durch die Gunst der Konjunktur. Es konnte dann blendende außenpolitische Erfolge einheimsen durch die ihnen bekannte und richtig taxierte Scheu der Westmächte vor einem neuen Kriege. Aber diese Erfolge gingen wieder verloren durch leichtsinnige Überschätzung dieser Chance und Unterschätzung der Gegner und ihrer Potentiale. Alles das sind typische Stadien in der Geschichte einer Schwindelfirma oder eines Hochspielers an der Spielbank. Und der kraß egoistische Charakter des ganzen Unternehmens offenbarte sich dann schließlich erschreckend deutlich bei dem Zusammenbruche. Weil man das Spiel als verloren ansehen mußte und sich selbst als verloren ansah, so sollte auch das deutsche Volk es tun und sinnlos seinen Führern in den Abgrund folgen. Wo blieb da die „Idee?" Für dieses Volk zu leben und zu sterben, ja, das wäre „Idee" gewesen. Aber dieses

---

[2] Paul von Hindenburg (1847-1934) had fought in the Austro-Prussian and Franco-Prussian wars before his retirement in 1911. He returned to active duty as a general in World War I and won some important battles on the Russian front in 1914. He was made field marshal and directed a good deal of Germany's strategy in 1917-18. He finally retired in 1919. Hindenburg was elected President of the Weimar Republic (1925-32) and re-elected (1932-34). In 1933 he appointed Hitler chancellor.

Volk selbst dabei gewissenlos mit zu opfern, war die Handlungsweise des betrügerischen Bankerotteurs.[3]

Es war eben zu viel Kriminelles am Tun und Treiben der Hitler-
leute, um ihm einen höheren geschichtlichen Rang zugestehen zu
können.

So erschütternd und beschämend nun aber auch die Tatsache ist,
daß es einem Verbrecherklub gelingen konnte, das deutsche Volk
zwölf Jahre hindurch zu seiner Gefolgschaft zu zwingen und einem
großen Teile dieses Volkes den Glauben beizubringen, einer großen
„Idee" zu folgen, so enthält doch gerade diese Tatsache auch noch
ein Element von Beruhigung und Trost. Das deutsche Volk war
nicht etwa von Grund aus an verbrecherischer Gesinnung erkrankt,
sondern litt nur an einer einmaligen schweren Infektion durch ein
ihm beigebrachtes Gift. Hätte sich dieses noch lange im Körper
auswirken können, so hätte allerdings der Fall hoffnungslos werden
können. Das war der trübste Gedanke, der mich in den zwölf
Jahren quälte, daß es der Partei gelingen könnte, sich dauernd am
Ruder zu halten und dem ganzen Nachwuchse des Volkes ihr eigenes
entartetes Wesen einzuprägen. Überwiegend indes[4] rechnete ich
wegen der Hybris[5] ihrer weltpolitischen Ziele auf ein Ende mit
Schrecken für sie, was dann freilich auch ein schreckliches Ende für
unser aller äußere Existenz und für alle nationalpolitischen Errungenschaften früherer Zeiten werden mußte. Nur unsere innere
Existenz, die Seele, das Gewissen konnte dann wieder aufatmen und
zu einem neuen Lebenstage kommen.

Indem mich also die Zuversicht tröstete, daß das deutsche Volk
nach der furchtbaren Lehre, die es empfangen, wieder zurückfinden
könne zu seinem besseren Selbst und die Parasiten des Hitlertums
aus seinem Blute wieder ausscheiden werde, vergaß ich doch dabei
niemals die Zusammenhänge dieses Hitlertums mit der vorange-
gangenen sozialen und geistigen Entwicklung, den Machtrausch
weiter Kreise des höheren Bürgertums seit der Bismarckzeit, ihre
Entgeistung und Materialisierung, dazu die noch älteren Verengun-
gen und Erstarrungen im Wesen des preußischdeutschen Militaris-

---

[3] des . . . Bankrotteurs of a fraudulent bankrupt
[4] Überwiegend indes outweighing this
[5] Hybris (Greek) arrogance, pride

mus, und alles das zusammenhängend mit der Umwandlung des homo sapiens in den homo faber[6] und ihrer entseelenden Wirkung. Wir haben früher genügend davon gesprochen und kommen doch immer wieder zu dem Ergebnis, daß alle diese üblen Fermente allein nicht ausgereicht haben würden, den Hitlergeist hervorzubringen. Es muß also noch eine besondere Zäsur die Hitlerbewegung von allen bisherigen, ihr irgendwie nahe kommenden Bewegungen unterscheiden. Sie ist eines der großen Beispiele für die singuläre und unberechenbare Macht der Persönlichkeit im geschichtlichen Leben, —hier nun der schlechthin dämonischen Persönlichkeit. Wer anders als eine solche hätte es vermocht, jenen Verbrecherklub zu organisieren, der das deutsche Volk zu umklammern und auszusaugen vermochte? Verbrecher hätten diese Herren auch ohne Hitler werden können. Aber als sie ihn und seine Zauberwirkung auf die Massen kennenlernten, müssen sie sich frohlockend gesagt haben: Mit dem an der Spitze schmeißen wir es, erobern wir uns Deutschland.

Singulär also war die Persönlichkeit, singulär die Konstellation, in der allein es ihr glücken konnte, zur Macht zu gelangen und das deutsche Volk für begrenzte Zeit auf einen Irrweg zu zwingen. Und dieser Irrweg führte auf Gebiete, in denen ein von Natur anständiger Mensch nicht lange verweilen möchte. Dem deutschen Volke aber erwächst daraus die beruhigende Möglichkeit und die Pflicht, sich selber nunmehr zu reinigen von erlebtem Graus. Sagen wir auch über das, was hierfür zu bedenken wäre, unsere Meinung. Nur Grundsätzliches wollen wir dabei ins Auge fassen, nicht etwa ein förmliches Arbeitsprogramm für ein wieder aufzubauendes Deutschland zu geben versuchen. Sind wir untereinander über das Grundsätzliche erst einig geworden, haben wir unsere Gesinnungen gegeneinander geklärt, so werden sich auch die konkreteren Mittel und Wege zu ihrer Betätigung finden.

---

[6] **Homo faber** (Latin) man the maker; here: technological man

Grundgesetz für die Bundesrepublik Deutschland vom 23. Mai 1949[1]

VORSPRUCH

Im Bewußtsein seiner Verantwortung vor Gott und den Menschen, von dem Willen beseelt, seine nationale und staatliche Einheit zu wahren und als gleichberechtigtes Glied in einem vereinten Europa dem Frieden der Welt zu dienen, hat das deutsche Volk
in den Ländern Baden, Bayern, Bremen, Hamburg, Hessen, Niedersachsen, Nordrhein-Westfalen, Rheinland-Pfalz, Schleswig-Holstein, Württemberg-Baden und Württemberg-Hohenzollern, um dem staatlichen Leben für eine Übergangszeit eine neue Ordnung zu geben,
kraft seiner verfassunggebenden Gewalt dieses Grundgesetz der Bundesrepublik Deutschland beschlossen.
Es hat auch für jene Deutschen gehandelt, denen mitzuwirken versagt war.
Das ganze deutsche Volk bleibt aufgefordert, in freier Selbstbestimmung die Einheit und Freiheit Deutschlands zu vollenden.

I. Die Grundrechte

ARTIKEL 1

(1) Die Würde des Menschen ist unantastbar. Sie zu achten und zu schützen ist Verpflichtung aller staatlichen Gewalt.

From *Grundgesetz für die Bundesrepublik Deutschland vom 23. Mai 1949,* from *Bundesgesetzblatt Nr. 1. 1950,* in *Dokumente der Deutschen Politik und Geschichte von 1848 bis zur Gegenwart,* edited by Johannes Hohlfeld, VI, 348-349, 351, 352, 353, 355, 371-372, 381. Berlin, Dokumenten-Verlag Dr. Herbert Wendler & Co., 1951. Reprinted with permission of Dokumenten-Verlag Dr. Herbert Wendler & Co. K-G, Berlin.

[1] On September 1, 1948, the Parliamentary Council, 65 delegates from the states (*Länder*) of the Allied zones nominated by their respective state parliaments, assembled in Bonn. On May 8, 1949, it approved the Basic Law. After acceptance by the Military Government and approval by the *Länder* Parliaments it went into force May 23, 1949. Certain areas, such as disarmament and reparations as well as foreign affairs, were still reserved to the occupying powers. But the Federal Republic of Germany was competent to perform legal acts. In 1955 the Occupation Statute was lifted and the Federal Republic received the full powers of a sovereign State.

(2) Das deutsche Volk bekennt sich darum zu unverletzlichen und unveräußerlichen Menschenrechten als Grundlage jeder menschlichen Gemeinschaft, des Friedens und der Gerechtigkeit in der Welt.

(3) Die nachfolgenden Grundrechte binden Gesetzgebung, Verwaltung und Rechtsprechung als unmittelbar geltendes Recht.

ARTIKEL 2

(1) Jeder hat das Recht auf die freie Entfaltung seiner Persönlichkeit, soweit er nicht die Rechte anderer verletzt und nicht gegen die verfassungsmäßige Ordnung oder das Sittengesetz verstößt.

(2) Jeder hat das Recht auf Leben und körperliche Unversehrtheit. Die Freiheit der Person ist unverletzlich. In diese Rechte darf nur auf Grund eines Gesetzes eingegriffen werden.

ARTIKEL 3

(1) Alle Menschen sind vor dem Gesetze gleich.

(2) Männer und Frauen sind gleichberechtigt.

(3) Niemand darf wegen seines Geschlechtes, seiner Abstammung, seiner Rasse, seiner Sprache, seiner Heimat und Herkunft, seines Glaubens, seiner religiösen oder politischen Anschauungen benachteiligt oder bevorzugt werden.

ARTIKEL 4

(1) Die Freiheit des Glaubens, des Gewissens und die Freiheit des religiösen und weltanschaulichen Bekenntnisses sind unverletzlich.

(2) Die ungestörte Religionsausübung wird gewährleistet.

(3) Niemand darf gegen sein Gewissen zum Kriegsdienst mit der Waffe gezwungen werden. Das Nähere regelt ein Bundesgesetz.

ARTIKEL 5

(1) Jeder hat das Recht, seine Meinung in Wort, Schrift und Bild frei zu äußern und zu verbreiten und sich aus allgemein zugänglichen Quellen ungehindert zu unterrichten. Die Pressefreiheit und die Freiheit der Berichterstattung durch Rundfunk und Film werden gewährleistet. Eine Zensur findet nicht statt.[2]

---

[2] **findet nicht statt** is forbidden

(2) Diese Rechte finden ihre Schranken[3] in den Vorschriften der allgemeinen Gesetze, den gesetzlichen Bestimmungen zum Schutze der Jugend und in dem Recht der persönlichen Ehre.

(3) Kunst und Wissenschaft, Forschung und Lehre sind frei. Die Freiheit der Lehre entbindet nicht von der Treue zur Verfassung.

ARTIKEL 12

(1) Alle Deutschen haben das Recht, Beruf, Arbeit, Arbeitsplatz und Ausbildungsstätte frei zu wählen. Die Berufsausübung kann durch Gesetz geregelt werden.

(2) Niemand darf zu einer bestimmten Arbeit gezwungen werden, außer im Rahmen einer herkömmlichen allgemeinen, für alle gleichen öffentlichen Dienstleistungspflicht.

(3) Zwangsarbeit ist nur bei einer gerichtlich angeordneten Freiheitsentziehung zulässig.

ARTIKEL 16

(1) Die deutsche Staatsangehörigkeit darf nicht entzogen werden. Der Verlust der Staatsangehörigkeit darf nur auf Grund eines Gesetzes und gegen den Willen des Betroffenen nur dann eintreten, wenn der Betroffene dadurch nicht staatenlos wird.

(2) Kein Deutscher darf an das Ausland ausgeliefert werden. Politisch Verfolgte genießen Asylrecht.

II. Der Bund und die Länder

ARTIKEL 20

(1) Die Bundesrepublik Deutschland ist ein demokratischer und sozialer Bundesstaat.

(2) Alle Staatsgewalt geht vom Volke aus. Sie wird vom Volke in Wahlen und Abstimmungen und durch besondere Organe der Gesetzgebung, der vollziehenden Gewalt und der Rechtsprechung ausgeübt.

(3) Die Gesetzgebung ist an die verfassungsmäßige Ordnung, die vollziehende Gewalt und die Rechtsprechung sind an Gesetz und Recht gebunden.

---

[3] **finden ihre Schranken** are limited

ARTIKEL 33

(1) Jeder Deutsche hat in jedem Lande die gleichen staatsbürgerlichen Rechte und Pflichten.

(2) Jeder Deutsche hat nach seiner Eignung, Befähigung und fachlichen Leistung gleichen Zugang zu jedem öffentlichen Amte.

X. *Die Rechtsprechung*

ARTIKEL 101

(1) Ausnahmegerichte sind unzulässig. Niemand darf seinem gesetzlichen Richter entzogen werden.

(2) Gerichte für besondere Sachgebiete können durch Gesetz errichtet werden.

ARTIKEL 102

Die Todesstrafe ist abgeschafft.

ARTIKEL 104

(1) Die Freiheit der Person kann nur auf Grund eines förmlichen Gesetzes und nur unter Beachtung der darin vorgeschriebenen Formen beschränkt werden. Festgehaltene Personen dürfen weder seelisch noch körperlich mißhandelt werden.

XI. *Übergangs- und Schlußbestimmungen*

ARTIKEL 146

Dieses Grundgesetz verliert seine Gültigkeit an dem Tage, an dem eine Verfassung in Kraft tritt, die von dem deutschen Volke in freier Entscheidung beschlossen worden ist.

Die Verfassung der Deutschen Demokratischen Republik vom 7. Oktober 1949[1]

A. Grundlagen der Staatsgewalt

ARTIKEL 1

(1) Deutschland ist eine unteilbare demokratische Republik; sie baut sich auf den deutschen Ländern auf.

(2) Die Republik entscheidet alle Angelegenheiten, die für den Bestand und die Entwicklung des deutschen Volkes in seiner Gesamtheit wesentlich sind; alle übrigen Angelegenheiten werden von den Ländern selbständig entschieden.

(3) Die Entscheidungen der Republik werden grundsätzlich von den Ländern ausgeführt.

(4) Es gibt nur eine deutsche Staatsangehörigkeit.

ARTIKEL 2

(2) Die Hauptstadt der Republik ist Berlin.

ARTIKEL 3

(1) Alle Staatsgewalt geht vom Volke aus.

(2) Jeder Bürger hat das Recht und die Pflicht zur Mitgestaltung in seiner Gemeinde, seinem Kreise, seinem Lande und in der Deutschen Demokratischen Republik.

From *Die Verfassung der Deutschen Demokratischen Republik vom 7. Oktober 1949*, from *Gesetzblatt der Deutschen Demokratischen Republik Nr. 1. 1949*, in *Dokumenten der Deutschen Politik und Geschichte von 1848 bis zur Gegenwart*, edited by Johannes Hohlfeld, VI, 409-411, 412-414, 419, 424, 427, 432, 434. Berlin, Dokumenten-Verlag Dr. Herbert Wendler & Co., 1951. Reprinted with permission of Dokumenten-Verlag Dr. Herbert Wendler & Co. K-G, Berlin.

[1] The constitution of the German Democratic Republic was put into effect on October 7, 1949. Thus the DDR was created as a counter-move to the establishment of the Federal Republic. The constitution of the DDR, like those of many in the Soviet bloc nations, provides for a type of assembly government, but it lacks real legitimacy, for it was not chosen by freely elected representatives of the people. It is constantly being violated, both in theory and practice.

B. *Inhalt und Grenzen der Staatsgewalt*

ARTIKEL 6

(2) Boykotthetze gegen demokratische Einrichtungen und Organisationen, Mordhetze gegen demokratische Politiker, Bekundung von Glaubens-, Rassen-, Völkerhaß, militaristische Propaganda sowie Kriegshetze und alle sonstigen Handlungen, sie sich gegen die Gleichberechtigung richten, sind Verbrechen im Sinne des Strafgesetzbuches. Ausübung demokratischer Rechte im Sinne der Verfassung ist keine Boykotthetze.

ARTIKEL 14

(1) Das Recht, Vereinigungen zur Förderung der Lohn- und Arbeitsbedingungen anzugehören, ist für jedermann gewährleistet. Alle Abreden und Maßnahmen, welche diese Freiheit einschränken oder zu behindern suchen, sind rechtswidrig und verboten.
(2) Das Streikrecht der Gewerkschaften ist gewährleistet.

ARTIKEL 17

(1) Die Regelung der Produktion sowie der Lohn- und Arbeitsbedingungen in den Betrieben erfolgt unter maßgeblicher Mitbestimmung der Arbeiter und Angestellten.
(2) Die Arbeiter und Angestellten nehmen diese Rechte durch Gewerkschaften und Betriebsräte wahr.

ARTIKEL 18

(2) Die Arbeitsbedingungen müssen so beschaffen sein, daß die Gesundheit, die kulturellen Ansprüche und das Familienleben der Werktätigen gesichert sind.

ARTIKEL 19

(1) Die Ordnung des Wirtschaftslebens muß den Grundsätzen sozialer Gerechtigkeit entsprechen; sie muß allen ein menschenwürdiges Dasein sichern.
(2) Die Wirtschaft hat dem Wohle des ganzen Volkes und der Deckung seines Bedarfes zu dienen; sie hat jedermann einen seiner Leistung entsprechenden Anteil an dem Ergebnis der Produktion zu sichern.

(3) Im Rahmen dieser Aufgaben und Ziele ist die wirtschaftliche Freiheit des einzelnen gewährleistet.

ARTIKEL 23

Beschränkungen des Eigentums und Enteignungen können nur zum Wohle der Allgemeinheit und auf gesetzlicher Grundlage vorgenommen werden. Sie erfolgen gegen angemessene Entschädigung, soweit das Gesetz nichts anderes bestimmt. Wegen der Höhe der Entschädigung ist im Streitfall der Rechtsweg bei den ordentlichen Gerichten offenzuhalten, soweit ein Gesetz nichts anderes bestimmt.

ARTIKEL 24

(1) Eigentum verpflichtet. Sein Gebrauch darf dem Gemeinwohl nicht zuwiderlaufen.

(2) Der Mißbrauch des Eigentums durch Begründung wirtschaftlicher Machtstellung[2] zum Schaden des Gemeinwohls hat die entschädigungslose Enteignung und Überführung in das Eigentum des Volkes zur Folge.

(3) Die Betriebe der Kriegsverbrecher und aktiven Nationalsozialisten sind enteignet und gehen in Volkseigentum über.[3] Das gleiche gilt für private Unternehmungen, die sich in den Dienst einer Kriegspolitik stellen.

(4) Alle privaten Monopolorganisationen, wie Kartelle, Syndikate, Konzerne, Truste und ähnliche auf Gewinnsteigerung durch Produktions-, Preis- und Absatzregelung gerichtete private Organisationen sind aufgehoben und verboten.

(5) Der private Großgrundbesitz, der mehr als 100 Hektar[4] umfaßt, ist aufgelöst und wird ohne Entschädigung aufgeteilt.

(6) Nach Durchführung dieser Bodenreform wird den Bauern das Privateigentum an ihrem Boden gewährleistet.

ARTIKEL 51

(1) Die Volkskammer besteht aus den Abgeordneten des deutschen Volkes.

[2] durch . . . Machtstellung by intending to obtain economic power
[3] gehen . . . über become the property of the people
[4] One Hektar is 2471 acres

(2) Die Abgeordneten werden in allgemeiner, gleicher, unmittelbarer und geheimer Wahl nach den Grundsätzen des Verhältniswahlrechtes auf die Dauer von vier Jahren gewählt.

(3) Die Abgeordneten sind Vertreter des ganzen Volkes. Sie sind nur ihrem Gewissen unterworfen und an Aufträge nicht gebunden.

C. *Aufbau der Staatsgewalt*

ARTIKEL 81

Die Gesetze werden von der Volkskammer oder unmittelbar vom Volke durch Volksentscheid beschlossen.

ARTIKEL 98

(1) Der Ministerpräsident bestimmt die Richtlinien der Regierungspolitik nach Maßgabe der von der Volkskammer aufgestellten Grundsätze. Er ist dafür der Volkskammer verantwortlich.

ARTIKEL 130

(1) An der Rechtsprechung sind Laienrichter im weitesten Umfange zu beteilen.

(2) Die Laienrichter werden auf Vorschlag der demokratischen Parteien und Organisationen durch die zuständigen Volksvertretungen gewählt.

ARTIKEL 137

Der Strafvollzug beruht auf dem Gedanken der Erziehung der Besserungsfähigen durch gemeinsame produktive Arbeit.

Rudolf Leonhardt: *Im Jahre 16 nach Hitler*[1]

IM JAHRE O (1945)

Hitlers Tod (am 30. April) und die bedingungslose Kapitulation der deutschen Wehrmacht (am 7. und 8. Mai) trennen die zwölf Jahre unserer „unbewältigten Vergangenheit" (1933-1945) von den sechzehn Jahren unserer jüngsten Geschichte (1945-1961).

Falls dort eine neue Zeitrechnung einsetzen soll, hätte sie folgerichtig die Jahre „nach Hitler" zu zählen.

Wie stark die Einschnitte der Jahre 1933 und 1945 wirklich waren, mögen Historiker aus der sicheren Distanz des 21. Jahrhunderts entscheiden. Die Auffassung, wonach 1933 etwas ganz Neues und 1945 wieder etwas ganz Neues angefangen habe, scheint mir eher bequem als richtig.

Die Patentlösung, um aus deutschen Nazis gute deutsche Demokraten zu machen, hieß „Entnazifizierung." Die Alliierten ließen also ein Gebot ausgehen, daß jedermann sich entnazifizieren lasse, und die schlimmen Fälle kamen vor alliierte Militärgerichte: in der amerikanischen Zone 169 282, in der Sowjetzone 18 328 (später machten die Russen ausgerechnet den Amerikanern den Vorwurf, sie hätten zu viele alte Nazis ungeschoren gelassen), in der französischen Zone 17 353, in der britischen Zone 2 296.

Jede Besatzungsmacht hatte ihre angenehmen und ihre weniger angenehmen Seiten: die Engländer machten sich unbeliebt durch die Demontagen (davon hielten die Amerikaner nicht so viel), die Franzosen durch Ausplünderung ihrer Zone (nirgends wurde wie dort gehungert), die Russen durch Vergewaltigung von Frauen und schlechte Behandlung von Kriegsgefangenen (am korrektesten waren in dieser Beziehung die Engländer), die Amerikaner eben durch die Entnazifizierung, die für die Betroffenen dadurch nicht lustiger wurde, daß alle Welt sich bald darüber lustig machte.

From *X-mal Deutschland,* expanded edition, 424-429, 430-434, 436-438. München, R. Piper & Co. Verlag, 1964. Reprinted with permission of R. Piper & Co. Verlag, München.

[1] Rudolf Walter Leonhardt (b. 1921) studied philosophy in Leipzig and Bonn after World War II, then spent seven years in England, first as lecturer at Oxford and later worked for the BBC and as correspondent for the German weekly *Die Zeit.* Today he is cultural editor of *Die Zeit.*

Nicht um Vorwürfe geht es hier—es ist der Krieg ein roh
gewaltsam Handwerk—, sondern um die Wahrheit. Manche immer
wieder einmal aufflackernde Ressentiments müßten sonst unverständlich bleiben.

Was eigentlich ein „Nazi" ist, bleibt undefinierbar. Wir Kinder
sogenannter gutbürgerlicher Familien hörten das Wort zum ersten
Male in den späten zwanziger Jahren: als Schimpfwort; wir haben
nicht den Eindruck, daß sich daran in den dreißiger und vierziger
Jahren (heimlich) oder in den fünfziger und sechziger Jahren
(öffentlich) sehr viel geändert hätte.

Entnazifizierung hieß also: Entundefinierung[2] des Undefinier-
baren. Dabei konnte nichts Vernünftiges herauskommen. „National-
Sozialismus" hätte auch ein Mann wie Kurt Schumacher[3] sein politisches Glaubensbekenntnis nennen können, und eine politische
Partei in der Nachkriegs-Tschechoslowakei hieß ja tatsächlich so.
Nationalismus und Sozialismus haben schließlich nichts Verbreche-
risches.

Man verfiel notgedrungen auf die einfachste Lösung, nicht un-
bedingt die klügste: „Waren Sie ein Mitglied der NSDAP oder
einer ihrer Organisationen?" Heute wissen alle, was wir damals
wußten: nicht jedes Mitglied der NSDAP (oder „einer ihrer
Organisationen"!) war ein gefährlicher Nazi. Was viele von uns
freilich nicht daran zu hindern scheint, jedes Mitglied der SED[4]
(oder „einer ihrer Organisationen"!) für einen gefährlichen Kommunisten zu halten. So sind die Menschen—oder nur in Deutschland?

Dem Chronisten, wenn ich einmal so gestelzt einherschreiben
darf, bleibt der Versuch nicht erspart, einige lapidare Glaubenssätze
der „Nazis," sagen wir aus dem Jahre 1941, zusammenzustellen:

[2] **Entundefinierung** Leonhardt here ironically suggests that to „denazify" means to
reject an accepted definition of that which was, in the first place, indefinable—i.e.
logically absurd.
[3] Kurt Schumacher (1895-1952) was the co-founder of the SPD (Sozialdemokratische Partei Deutschlands) after the war and served as its chairman until his death.
After being imprisoned by the Nazis during the war, Schumacher determined the
strong anti-Communist stand of the postwar SPD. Today the SPD with the CDU
(Christlich Demokratische Union) form Germany's coalition government.
[4] **SED** Sozialistische Einheitspartei Deutschlands, the Socialist Union Party and
only political party in East Germany.

1. Dieser Krieg muß gewonnen werden („Militarismus"?).
2. Deutschland ist ein Bollwerk gegen den Osten (Antikommunismus).
3. Die Juden sind unser Unglück (Antisemitismus).
4. Die deutschen Autobahnen sind die besten, und am deutschen Wesen soll die Welt genesen („Nationalismus"?).
5. Es ist besser, wenn einer bestimmt,[5] als wenn viele nur „quasseln" (antiparlamentarischer Totalitarismus).
6. Recht ist, was dem Staate nützt (kein Kommentar).
7. Eine deutsche Einheit ist schön, eine europäische Einheit wäre noch schöner.

Der letzte Glaubenssatz stößt bei jedem Ausländer, dem man davon erzählt, und bei vielen Deutschen auf Unglauben. Tatsächlich war die Europa-Begeisterung der jungen Deutschen 1936 nicht geringer als 1946. Gewiß hätte Hitlers „Europa" anderen Europäern wenig Vergnügen gemacht; aber es war nicht Hitlers Europa, von dem die Hitlerjugend träumte.

Zur Entnazifizierung und ihrer weniger militanten Parallele, der „reeducation" (das Wort ist glücklicherweise nie ins Deutsche übersetzt worden), gehörte also Befreiung von *allen* diesen Glaubenssätzen; nicht nur vom Nationalismus und Antisemitismus, sondern auch vom „Militarismus" (ein Wehrmachtsangehöriger im Offiziersrang und mit Tapferkeitsauszeichnungen wurde zunächst nicht zum Universitätsstudium zugelassen) und vom Antikommunismus. Paul Sethe[6] schrieb darüber: „Ein deutscher Journalist etwa, der sich damals weigerte, mit Kommunisten in einer Redaktion zusammenzuarbeiten, konnte in Frankfurt nicht damit rechnen, eine Stellung zu bekommen. Zwei Jahre später wäre er entlassen worden, wenn er mit Kommunisten zusammenarbeitete. So schnell ändern sich die Zeiten."

IM JAHRE 1 (1946)

Die Großstadtbevölkerung ohne Beziehungen zum Lande oder zum Schwarzen Markt lebte in allen Zonen von etwa zwei Scheiben Brot

---

[5] **bestimmt** here: makes decisions
[6] Paul Sethe (b. 1901) was an editor of one of Germany's leading daily newspapers, the *Frankfurter Allgemeine Zeitung,* from 1949-55, has also written for the daily *Die Welt,* and is author of many books on German and European history.

Köln: Blick auf das rechte Rheinufer, 1945

am Tag und lernte das Wort „Kalorien" kennen und hassen. In dieser Zeit fanden manche, vor allem Besatzungssoldaten, es gebe doch einige erstaunliche, wo nicht gar liebenswerte Leute unter den Deutschen; in dieser Zeit auch erwachte—trotz Morgenthau-Plan[7] und Entnazifizierung—die deutsche Liebe zu Amerika: Im Januar 1946 erlaubte der amerikanische Oberbefehlshaber, General Eisenhower,[8] dem Schwedischen Roten Kreuz, sich um deutsche Kinder zu kümmern. Es wuchs die Zahl der amerikanischen Soldaten, die entgegen strikten Befehlen von gewiß reichhaltigen Rationen (sie waren da besser dran als ihre englischen, französichen und russischen

[7] Henry Morgenthau (b. 1891) was U. S. Secretary of the Treasury from 1934-45. He proposed that Germany be "pastoralized" after the war, or that at least her industrial output should be drastically reduced. The Morgenthau Plan found little support among leading Allied diplomats and was never seriously considered.
[8] Dwight D. Eisenhower (b. 1890) was President of the United States from January 1953 to January 1961. During World War II he rose to become Supreme Commander of the Allied Forces in Europe and commanded the Allied invasion of France in 1944.

Alliierten) ganze deutsche Familien mit durchfütterten. Und je
älter das Jahr wurde, desto stärker schwoll die Flut der Care-Pakete,
die aus vielen Ländern, vor allem aber aus Amerika kamen und
Hunderttausende buchstäblich vor dem Verhungern retteten. Das
ist schon lange her; aber ein paar tausend werden es nie vergessen.
Am 6. September endlich hielt der US-Außenminister Byrnes[9] seine
berühmte Stuttgarter Rede, von der an wir eine neue amerikanische
Deutschlandpolitik datieren: „Das amerikanische Volk will dem
deutschen Volk helfen, seinen Weg zurückzufinden zu einem ehren-
vollen Platz unter den freien und friedliebenden Nationen der
Welt."

IM JAHRE 2 (1947)

Am 10. März trafen sich in Moskau die Außenminister der bis zum
Ende dieses Jahres noch alliierten Mächte, USA, Sowjetunion,
Großbritannien und Frankreich. Der Vorschlag des Sowjetaußen-
ministers Molotow, durch freie Wahlen eine gesamtdeutsche Regierung und einen deutschen Staat nach dem Weimarer Muster zu
schaffen, wurde verstanden als Wunsch der Sowjetunion, bis an den
Rhein, also vor allem auch über das Ruhrgebiet, Einfluß zu gewinnen
—und abgelehnt. Wobei der britische Außenminister Bevin erklärte,
ihm sei es ganz gleich, ob eine künftige deutsche Regierung
monarchistisch, demokratisch oder kommunistisch sein würde—eins
würde sie auf jeden Fall sein: gefährlich.

Im Dezember bestätigte dann die zweite große Konferenz dieses
Jahres, in London, worauf die erste schon hingewiesen hatte: Die
nicht so sehr heilige Allianz des Zweiten Weltkrieges war zerbrochen
—und mit ihr zerbrach Deutschland.

Fortan gibt es zwei Standpunkte für die Betrachtung der Weltgeschichte: einen östlichen und einen westlichen. Was wahr ist,
wird durch einen Meridian entschieden.

IM JAHRE 3 (1948)

Am 1. April wurden von den Sowjets die Zufahrtswege nach Berlin
blockiert—die Blockade dauerte bis zum 12. Mai 1949 und wurde

[9] James F. Byrnes (b. 1879) was a United States Senator, a Supreme Court
Associate Justice from 1941-42, and Secretary of State from 1945-47. From 1951
until his retirement from public life in 1955, he was Governor of South Carolina.

seit dem 30. Juni 1948 durch die „Luftbrücke" der Westmächte gebrochen.

So fingen die „Berlin-Krisen" an, die seither nicht mehr aufgehört haben. Sie konnten verschärft oder gemildert werden, je nachdem, wie es gerade ins politische Konzept paßte; es wurde zu einem Mittel der Sowjet-Außenpolitik, Berlin-Krisen zu provozieren und sie dann als Daumenschrauben bei Verhandlungen zu benützen. Die Westmächte hatten durch Provokationen in Berlin nichts zu gewinnen.

Dies alles kam dazu. Die latente Krisensituation aber ergab sich rein geographisch daraus, daß die Teilung der Welt in Ost und West nicht sorgfältig vorbereitet worden und daß Berlin daher plötzlich die Rolle eines Brückenkopfes des Westens im Einflußgebiet des Ostens zugefallen war.

IM JAHRE 4 (1949)

Am 8. Mai wurde das Grundgesetz für die Bundesrepublik Deutschland verabschiedet; am 23. Mai trat es in Kraft. Zum zweiten Male in ihrer Geschichte versuchten die Deutschen, an einer parlamentarischen Demokratie Gefallen zu finden; zum zweiten Male nach einem verlorenen Kriege und unter dem direkten Einfluß der Siegermächte, die sich Kontrollen vorbehielten.

Ganz entscheidend für die künftige Entwicklung wurden die Artikel 65 und 67, die dem Bundeskanzler eine Führerstellung einräumen. Sie entstanden aus der Absicht, allzu häufige Regierungswechsel, wie sie die Weimarer Republik geschwächt hatten, zu vermeiden; sie hatten zur Folge, daß die Regierung der Bundesrepublik seit ihrem Bestehen nicht geweschselt hat.

IM JAHRE 5 (1950)

An einer der Stellen, wo die Welten von Ost und West nicht säuberlich geschieden sind, brach am 25. Juni der Krieg aus: am 38. Breitegrad in Korea. Im gleichen Monat erst war das alliierte Gesetz zur Verhinderung einer deutschen Wiederaufrüstung in Kraft getreten. Ein paar Wochen später war der „deutsche Wehrbeitrag" beschlossene Sache. Ihm stellte sich nur eine von Anfang an machtlose und bald sogar lächerlich wirkende „Ohne-mich"-

Bewegung entgegen—und ein Regierungsmitglied: Dr. Gustav Heinemann trat am 9. Oktober aus Protest gegen die Wiederbewaffnungs-Politik der Regierung von seinem Kabinetts-Posten als Innenminister der Bundesrepublik Deutschland zurück. Ein Platz in der deutschen Nachkriegsgeschichte gebührt ihm schon als dem ersten Minister, der da je freiwillig zurückgetreten ist.

Die Entscheidung der deutschen Regierung war wohl taktisch richtig und wurde auf jeden Fall von Faktoren der Weltpolitik diktiert, auf die sie keinen Einfluß hatte. Der junge deutsche Offizier, der 1945 noch einmal davongekommen und dann als „Kriegsverbrecher" behandelt und „umerzogen" worden war, wurde ein Zyniker. Wieder einmal hatte sich gezeigt, daß für denjenigen, der mitten in einem Spannungsfeld sich überschneidender Interessen leben will, eine kräftige Portion Opportunismus unentbehrlich ist.

IM JAHRE 7 (1952)

Am 26. Mai wurde in Bonn der „Deutschlandvertrag" unterzeichnet: Die „volle Souveränität" der Bundesrepublik, die dann wegen der französischen Verzögerungstaktik erst am mnemotechnisch günstigen 5. 5. 1955 in Kraft trat, war jetzt beschlossene Sache—und von Anfang an umstritten. 1953 schrieb Professor Dr. Joachim Schoeps:[10] „Wir haben in Deutschland während vierzig Jahren erlebt: das wilhelminische Kaisertum, die Weimarer Republik, das Dritte Reich und nun das zweigeteilte Deutschland, dessen Kabinetten die Souveränität freier politischer Entscheidungen mangelt." Und noch am 29. 8. 1959 hieß es in einem Leitartikel der linksstehenden, unabhängigen englischen Wochenzeitung „New Statesman": „Realpolitisch gesehen ist Westdeutschland natürlich ein Satellit; es existiert gar nicht ohne die NATO."

Da kein Staat mehr absolut souverän ist und da es einen zuverlässigen Maßstab für Souveränitätsgrade nicht gibt, hat der Versuch, irgendeinen Staat als mehr oder minder „souverän" auszuweisen, wenig Sinn. Und während die offensichtliche Abhängigkeit vielen Deutschen ein Dorn im Auge war, ist ihnen die völlige Souveränität ziemlich gleichgültig.

[10] Hans-Joachim Schoeps (b. 1909) is professor of religion and intellectual history at the University of Erlangen.

IM JAHRE 8 (1953)

Am 17. Juni kam es zum Aufstand in Ost-Berlin. Und nicht Intellektuelle oder bürgerliche Restbestände waren es, die sich gegen das Regime der DDR empörten, sondern die gehätschelten Schoßkinder des „Arbeiter- und Bauernstaates": die Facharbeiter. Den Anfang machten Maurer und Zimmerleute auf der gleichen Stalinallee, die doch ein Prunkstück des Sowjet-Regimes in Mitteldeutschland sein sollte.

Der Aufstand bewies dreierlei:

1. daß man mit Deutschen nicht alles machen kann—die Zahl der Angehörigen dieses Volkes, die im Ersten Weltkrieg, im Hitlerstaat und im Nachkriegsdeutschland der DDR um einer ganz richtig verstandenen Freiheit willen Zuchthaus und Tod freiwillig auf sich genommen haben, ist größer, als Pauschal-Kritiker wahrhaben wollen;

2. daß die Regierenden der DDR sich nur mit russischer Hilfe gegen die von ihnen Regierten behaupten konnten;

3. daß der „Kalte Krieg" eine fragwürdige Art des Kampfes ist, solange die Kalten Kriege nur die Knochen anderer Leute dabei riskieren können.

Es ist sicher unwahr, daß der Berliner Aufstand vom 17. Juni und der Ungarn-Aufstand, drei Jahre später, von „kapitalistischen Kriegshetzern" entfacht wurden, wie es die amtliche kommunistische Lesart ist. Revolutionen werden nun einmal nicht in ein Land „hineingetragen." Aber es ist sicher wahr, daß es außerhalb der DDR, wie, drei Jahre später, außerhalb Ungarns Kräfte gab, die bewußt zu den Spannungszuständen beitrugen, deren revolutionäre Entladung dann ein paar tausend Ungarn und Deutsche stellvertretend büßen mußten.

Es entgeht mir, was daran so bewunderungswürdig „hart" oder so besonders klug ist, wenn jemand kläfft, der genau weiß, daß er nicht beißen will oder kann.

IM JAHRE 11 (1956)

Am 18. August wurde die Kommunistische Partei Deutschlands als verfassungswidrig verboten. Der nur sehr kurzfristig unterdrückte deutsche Antikommunismus wurde damit wieder Gesetz.

Am Beispiel der Weimarer Republik kann gezeigt werden, daß ein Staat sich selber gefährdet, wenn die Liberalität seiner Verfassung noch den Staatsfeind schützt. Dennoch stellte sich als Folge des Kommunisten-Verbots auch auf dem liberalen Flügel der Regierungspartei ein leichtes Unbehagen ein: Schließlich hatte es nie so ausgesehen, als ob die Kommunisten, wo sie nicht die Macht der Sowjetunion unmittelbar hinter sich haben, in Deutschland wirklich Einfluß gewinnen könnten—war es sinnvoll, sie jetzt „in den Untergrund" zu drängen? War es zu verantworten, der politischen Gerichtsbarkeit in Deutschland neuen Auftrieb zu geben? Mußte die deutsche Demokratie noch demokratischer sein als die englische, französische, italienische (die ja alle kommunistische Parteien dulden)? Und nicht wohler wurde einem, wenn man sah, daß die gleichen Leute, die in Hitlers Konzentrationslagern gesessen hatten, nun wieder in die Gefängnisse wanderten. Viele verstanden die Unterschiede nicht mehr, und manche witterten Morgenluft.[11]

IM JAHRE 12 (1957)

Die Bundesrepublik konsolidierte sich als ein starker Staat; es fing an, als nicht mehr ganz fein zu gelten, wenn einer darauf hinwies, daß sie nach der Verfassung doch als „Provisorium" zu verstehen war.

Die Glaubenssätze dieses Staates?

1. Um ein Minimum an Sicherheit gegenüber der sowjetischen Militärmacht zu haben, muß die deutsche Wehrkraft („Wehrmacht" sagte man nicht gerne) stark sein.

2. Deutschland ist ein Bollwerk gegen den Osten (noch drei Jahre später, am 22. Januar 1960, sagte es Bundeskanzler Dr. Adenauer so: „Ich glaube, daß Gott dem deutschen Volk eine besondere Aufgabe gegeben hat, Hüter zu sein für den Westen gegen jene mächtigen Einflüsse, die von Osten her auf uns einwirken").

3. Niemand darf wegen seines Geschlechtes, seiner Abstammung, seiner Rasse, seiner Sprache, seiner Heimat und Herkunft, seines Glaubens, seiner religiösen oder politischen Anschauung benachteiligt oder bevorzugt werden—so steht es im Grundgesetz.

---

[11] **wittern Morgenluft** sniffed an advantage (in this)

4. Die deutschen Autobahnen sind die besten, und das deutsche Wesen ist getrennt zu sehen als ein westdeutsches Wesen und ein ostdeutsches Unwesen (wenn der Ausspruch östlich des Harzes gebraucht werden soll, müssen „Wesen" und „Unwesen" vertauscht werden).

5. Es ist eigentlich und auf jeden Fall theoretisch noch immer besser, wenn „mehrere Leute etwas im Staat zu bestimmen haben," als wenn einem Mann die ganze Regierungsgewalt übertragen wird. Zu dieser Auffassung bekannten sich von zehn Deutschen, die das Allensbacher Institut für Demoskopie danach fragte, immerhin noch sechs.

6. Recht ist, was dem Staate nützt, jedenfalls dort, wo die Interessen des Staates stark berührt werden, in der politischen Justiz zum Beispiel. Es gibt allerdings und vor allem unter den Juristen noch Leute, die das nicht glauben, und ein Bundesverfassungsgericht, des eigene Vorstellungen vom Recht hat und durchsetzt.

7. Eine deutsche Einheit wäre schön, eine europäische Einheit wäre noch schöner.

In diesem Jahre wurde die CDU in freien und allgemeinen Wahlen als Regierungspartei glänzend bestätigt; sie zog wieder ins Parlament ein, mit größerer Mehrheit als je zuvor. Ihr Wahlspruch lautete: „Keine Experimente."

IM JAHRE 13 (1958)

Am 25. März stimmte der deutsche Bundestag der atomaren Bewaffnung zu. Zu klären blieben lediglich solche Einzelfragen wie: Wo stehen die Kanonen oder Abschußrampen? Wo liegt die Munition? Wer schließt die Atom-Sprengköpfe für diese Munition weg? Wer hat den Schlüssel? Für mich und viele meinesgleichen stellte sich zu all diesen Fragen noch eine Zusatzfrage: Sind wir schlechte Deutsche, wenn wir uns davor fürchten, daß jemals ein deutscher General diesen Schlüssel in die Hand kriegt, sitze er nun in Köln oder in Dresden?

IM JAHRE 16 (1961)

Nach der Rechtsprechung, die, wie seit langem in der DDR, nun auch in der Bundesrepublik mehr und mehr forciert werde, müßte die politische Wiedervereinigung damit beginnen, daß die Bevölkerung der Bundesrepublik in den Gefängnissen der DDR verschwindet, während bundesdeutsche Gerichte auf Jahre damit beschäftigt wären, Funktionäre der SED abzuurteilen. Zum erstenmal wurden „offizielle Ostkontakte" als strafbare Handlungen von einem ordentlichen Gericht der Bundesrepublik verfolgt. Was dabei „Osten" ist, was ein „Kontakt" und was „offiziell," muß von Fall zu Fall entschieden werden. Die deutsche Teilung darf als besiegelt gelten, seitdem derjenige Deutsche, der sie ignoriert, in beiden Teilen seines Landes damit rechnen muß, als politischer Verbrecher zur Verantwortung gezogen zu werden.

Paul Noack: *Deutschland von 1945 bis 1960*[1]

DIE WÄHRUNGSREFORM

Der Kontrollrat[2] scheiterte endgültig am 19. März 1948, als Marschall Sokolowski[3] forderte, von den Ergebnissen der Londoner Konferenz unterrichtet zu werden. (In Wirklichkeit war die Kontrollratstätigkeit schon seit $1\frac{1}{2}$ Jahren durch die sowjetischen, auch französischen, Vetos lahmgelegt.) General Clay[4] lehnte das Ansinnen ab, worauf Marschall Sokolowski und sein Stab den Saal des ehemaligen Kammergerichtes, in dem Roland Freisler[5] bis kurz vor Kriegsende seine Bluturteile gesprochen hatte, abrupt verließen.

From *Deutschland von 1945 bis 1960*, 35-38. München, Günter Olzog Verlag, 1960. Reprinted with permission of Günter Olzog Verlag, München.

[1] Noack (b. 1925) is a political journalist who has worked on the *Frankfurter Allgemeine* and is now the political reporter for the *Münchner Merkur;* his incisive commentaries are also heard on the radio.

[2] The **Kontrollrat**, (Allied) Control Council, was made up of the four Allied Commanders in Chief and exercised sovereign power in all matters affecting "Germany as a whole."

[3] Vasili Danilovich Sokolowski (b. 1897) was Deputy Commander of the Soviet Occupation Forces in Germany and the Soviet representative to the Allied Control Council.

[4] General Lucius Clay (b. 1897) was Deputy to General Eisenhower and Military Governor of the U.S. Zone from 1947-49. He retired from active service in 1949.

[5] Roland Freisler (1893-1945) was a member of the NSDAP after 1925 and became President of the People's Court in 1942. He was a fanatic upholder of Nazi criminal law and judicial terrorism, especially in persecuting resistance members. Freisler was killed during an air raid in January 1945.

Wenige Wochen später war „einer der brutalsten Versuche der
neueren Geschichte, eine Massenhungersnot als politisches Druck-
mittel zu benutzen" (Clay), auf dem Höhepunkt: Die Sowjets
verhängten die Blockade über Berlin. Vordergründiger Anlaß für
die Abschnürung Berlins bildete die Währungsreform in den westlichen Zonen, die auf Berlin erst dann ausgedehnt wurde, als die
Sowjets versuchten, ihre neue „Ostmark" als Zahlungsmittel auch
den westlichen Sektoren Berlins aufzuzwingen. Die Währungsreform, angekündigt am 18. Juni und am Sonntag, dem 20. Juni in
Kraft gesetzt, entpuppte sich, neben der Beendigung der Inflation
im Jahre 1923, als die tiefgreifendste und umfassendste Finanz-
operation in der deutschen Geschichte. Jeder Deutsche aus den
Westzonen erhielt vorerst DM 40.-, später nochmals DM 20.-.
Die Konten wurden auf 6, 5 Prozent ihres Wertes zurückgeschnitten.
Während früher schätzungsweise die Hälfte der verminderten
Produktion über den grauen oder schwarzen Markt ging, die
„Zigarettenwährung" die Markwährung abgelöst hatte, die Wert-
losigkeit der offiziellen Währung immer wieder die Neigung
stimuliert hatte, sein Vermögen in Sachwerten anzulegen und damit
die kärgliche Warendecke noch weiter zu kürzen, bekam auf einmal
die Arbeit wieder Sinn.

Innerhalb kurzer Zeit begann die Industrie wieder unter normalen
Bedingungen zu arbeiten. Der erste und entscheidende Schritt zum
wirtschaftlichen Wiederaufbau war getan. Eine „Gesundungskrise"
hob an. „Die Lethargie, die bis zu diesem Augenblick das ganze
deutsche Leben in Bann gehalten hatte, war gewichen. Die rasch
folgende Liberalisierung, die Umstellung der Weichen auf die
‚Soziale Marktwirtschaft'[6] vertiefte nur die ökonomischen Auswirkungen der Reform; indem sie den Damm der Zwangswirtschaft
durchstieß, lenkte sie auch den aufgestauten Strom der politischen
Energie in neue Kanäle."

DER BEGINN DES WIRTSCHAFTSWUNDERS

Wenn die Währungsreform die Initialzündung darstellte, so wurde
das Wagnis der „Sozialen Marktwirtschaft," einer Wortbildung, in

---

[6] A "social market economy" combines free enterprise, market competition, and
social legislation.

der vorderhand die Betonung auf „Marktwirtschaft," auf eine
liberale Wirtschaftspolitik also, zu legen war, zur fortwirkenden
Antriebskraft dessen, was man heute—neidisch oder auch überheblich als das „Deutsche Wirtschaftswunder" bezeichnet. Es ist
das unbestreitbare Verdienst eines Mannes, des heutigen Bundes-
wirtschaftsministers und Vizekanzlers Prof. Dr. Ludwig Erhard, daß
er an die schöpferische Kraft des frei wirtschaftenden Menschen
glaubte.

Den Wahrheitsbeweis gegenüber seinen planwirtschaftlichen
Kritikern kann Erhard—dieser Vorgriff in die Gegenwart sei
gestattet—mit wenigen Zahlen antreten. In der Zeit von 1949 bis
1958 hat sich der Außenhandelsumsatz der Bundesrepublik von
12 Milliarden Mark auf 68 Milliarden erhöht. Aus einem Einfuhrüberschuß von über 3,7 Milliarden Mark wurde ein Ausfuhrüberschuß von weit über 5 Milliarden Mark. In dieser Zeit hat sich
die Arbeitslosenzahl auf ein Minimum verringert, die Zahl der
offenen Stellen ist ebenso gewachsen wie das Volkseinkommen, das
im Jahre 1950 74,5 Milliarden Mark betrug, im Jahre 1959 178
Milliarden Mark. Die Industrieproduktion hat sich im Jahre 1959
auf 246 Prozent des Standes von 1936 vergrößert (1950=110%).
Auch im internationalen Maßstab hält die Bundesrepublik die Spitze
vor allen anderen Ländern.

Der 1897 geborene Professor Ludwig Erhard gehört seit den
Tagen, als ihn die Amerikaner zur Vorbereitung der Währungsreform in die Zweizonen-Verwaltung nach Frankfurt beriefen, zu
den beachteten Erscheinungen der deutschen Politik. Ein sanguini-
sches Temperament voller „realistischem Idealismus," den er auch
vom Staatsbürger fordert, hat es der erst spät zur Politik gestoßene
Wirtschaftswissenschaftler fertiggebracht, der Bundesrepublik mit
seiner gegen schwere Widerstände durchgesetzten „Sozialen Marktwirtschaft" einen ungeahnten wirtschaftlichen Wiederaufschwung
zu ermöglichen. Seine „Soziale Marktwirtschaft" wurde geradezu
zum Gütezeichen des neuen Staates. Er hatte den Mut, auf liberale
Wirtschaftsgesetze in einer Zeit zu bauen, als andere sonst frei-
wirtschaftlich denkende Geister in der Planwirtschaft den einzigen
Ausweg aus der grenzenlosen Not sahen.

Georg-Heinz Gärtner: *Das andere Deutschland*[1]

Um das Jahr 1950 hielten die Sowjets in dem von ihnen besetzten Teil Deutschlands (jetzt DDR) die Staatsmacht politisch für so weit gefestigt, daß sie auch zur wirtschaftlichen Umgestaltung schreiten zu können glaubten.

Da nach marxistischer Auffassung das Sein (= die wirtschaftlich-politische Umwelt) das Bewußtsein bestimmt, ist für eine größtmögliche Sowjetisierung eines Landes die Sozialisierung der Wirtschaft eines der kommunistischen Hauptziele (Sozialisierung bedeutet nach kommunistischem Sprachgebrauch „die Übernahme der Produktionsmittel in Volkseigentum").

So begannen die Kommunisten in der DDR schon Anfang der Fünfzigerjahre mit einer stetigen und zuerst sogar freiwilligen Sozialisierung der Produktionsmittel, das heißt einer Überführung der Produktionsstätten in „Gemeineigentum." 1952 wurden die ersten Handwerker-Produktionsgenossenschaften gegründet.

All diese politischen und wirtschaftlichen Umgestaltungspläne des kommunistischen Regimes, die die Bevölkerung der DDR auf einen äußerst niedrigen Lebensstandard gebracht hatten, ließen den Streik der Ostberliner Bauarbeiter am 16. Juni 1953 sich zum „Volksaufstand" am 17. Juni 1953[2] ausweiten. Mit diesem Aufstand bewies die Mehrheit der Bevölkerung der DDR ihren Haß gegen das von den Sowjets eingesetzte kommunistische Regime. Zwei Divisionen sowjetischer Truppen waren nötig, um den Aufstand allein in Berlin niederzuschlagen. Über Berlin und viele andere Städte der DDR wurde von den sowjetischen Behörden der „Ausnahmezustand" verhängt. Drei Jahre vor dem ebenso tragischen

---

Das andere Deutschland was written expressly for this book and is printed with the permission of Georg-Heinz Gärtner.

[1] Georg-Heinz Gärtner (b. 1929) studied English and German literature at Halle University in East Germany from 1948-52. In 1953 he escaped to West Berlin. He continued his studies at the Free University in Berlin. Since 1953 he has been teaching at secondary schools, and from 1959 onwards has been in Hamburg. He was a Fulbright exchange lecturer in German at Duke University in 1966-67.

[2] On June 17, 1953, a revolt among East German construction workers against the harsh economic measures of the regime spread to other groups and erupted into open revolt, especially in the streets of East Berlin. Soviet troops and tanks, stationed in East Germany, helped in bringing this uprising under control. There was relatively little bloodshed. See p. 238 above.

Aufstand des ungarischen Volkes hatte die Bevölkerung des sowjetisch besetzten Teiles Deutschlands dem kommunistischen Regime die Quittung für seine verfehlte Politik gegeben. Nach der Niederschlagung des Volksaufstandes verfolgten die Kommunisten der DDR ihre politischen Gegner unbarmherziger denn je zuvor: über 100 Todesurteile wurden gefällt, zirka 1200 Menschen zu mehr als 6000 Jahren Zuchthaus, Arbeitslager oder Gefängnis verurteilt. Doch eine welthistorische Bedeutung hatte dieser vergebliche Kampf der Deutschen östlich der Elbe: er hat die Auffassung widerlegt, daß Volkserhebungen in totalitären Staaten unmöglich sind und darüber hinaus der SED in der DDR bewiesen, daß sie nicht imstande war, das Volk ihres Herrschaftsbereiches zu gewinnen.

Von 1953 an wuchs die Zahl der täglich aus der DDR in die Bundesrepublik Flüchtenden stetig und erreichte im Frühjahr 1961 einen Höchststand von fast 2000 Menschen. Insgesamt flüchteten von 1950 bis 1963 etwa 3,6 Millionen Deutsche vom kommunistischen in den freien Teil Deutschlands.

Nach dem Volksaufstand 1953 wurden auch die wirtschaftlichen Maßnahmen der SED immer brutaler. Ende der Fünfzigerjahre wurde die Sozialisierung der Handwerksbetriebe und die Zusammenlegung der Bauernhöfe zu „Landwirtschaftlichen Produktionsgenossenschaften" (LPGs) unter immer stärker werdendem Druck betrieben. Selbst vor einem Aufbieten von Polizei schreckte das Regime nicht zurück, um widerstrebende Handwerker und Bauern in die neuen Staatsbetriebe zu zwingen.

So wuchs die Zahl der Flüchtlinge nach dem Westen Deutschlands so stark an, daß sich die kommunistische Regierung in Ostberlin gezwungen zu sehen glaubte, zu ihrer bisher barbarischsten Maßnahme zu greifen: eine Mauer durch das geteilte Berlin und Stacheldraht und Minenfelder an der Demarkationslinie zwischen Ost- und Westdeutschland zu errichten. Mehr als 100 Menschen sind bis 1966 an dieser heißesten und brutalsten Grenze Europas getötet worden, die ein Land und seine Bewohner teilt und zwei verschiedenen Welten zuordnet, der östlichen und der westlichen, der totalitären und der freien.

Ebenso rücksichtslos und offen wie auf dem politischen und dem wirtschaftlichen Gebiet wurde die Sowjetisierung des Geisteslebens

in der DDR betrieben. Die Schulen wurden vollkommen nach
sowjetischem Vorbild umgestaltet. Russisch wurde schon Ende der
Vierzigerjahre die erste Fremdsprache, und die Zulassung zu einem
Studium an einer Universität der DDR wurde immer stärker von
„gesellschaftlicher Betätigung" für das Regime abhängig gemacht.
In den Semesterferien müssen die Studenten „freiwillige" Erntehilfe
leisten. Tun sie das nicht, haben sie mit einem Streichen ihres
Stipendiums und anderen Strafen zu rechnen.

Ich selbst habe einen Teil meines Studiums (bis 1952) an einer
Universität der DDR verbracht. Ich erinnere mich noch an meinen
„Fall," als man mich fristlos von der Universität aus politischen
Gründen verbannte, das heißt mir sogar das Betreten des Univer-
sitätsgeländes verbot. Ich hatte u.a. in einem Literaturseminar
Thomas Mann zitiert, der über eine westdeutsche Rundfunkstation
gesprochen hatte. Diese Rundfunkstation war von mir als Quelle
meiner Information angegeben worden. Mir wurde gesagt, ich hätte
einen „Feindsender" gehört und dies auch noch „schamlos" öffentlich bekanntgegeben. Genau so war es in der nationalsozialistischen
Zeit gewesen: Wer sich damals wie heute über die Meinung der
anderen Seite informieren wollte bzw. will, ist ein „Verräter." Die
Kommunisten nannten mich „einen Feind der Arbeiter- und
Bauernmacht."

Auch auf dem Gebiete der Kunst wurden nationalsozialistische
Kunstprinzipien wiedereingeführt, das heißt der Mittelpunkt des
Kunstwerks, ob in der Literatur oder der Malerei, hatte der sogenannte „positive Held" zu sein, im Falle der DDR der sozialistische,
der zukunftsfroh und beispielhaft in den neuen sozialistischen Tag
blickt. Der sozialistische Held hat immer zu siegen; das muß das
Motto für jeden Dichter in der DDR sein, der etwas veröffentlichen
will. Diese „Kunst," wie sie leider bis zum heutigen Tag in der
DDR von der SED befohlen wird, nennt sich (nach sowjetischem
Vorbild) „Sozialistischer Realismus." Der neue Mensch, den nach
kommunistischem Glauben die neue kommunistische Umwelt her-
vorbringen wird, soll in der Kunst beispielhaft schon vorgeprägt
werden. Alles menschliche Denken und Fühlen, nach dem Prinzip
des Sozialistischen Realismus, muß von der neuen Umwelt bestimmt
werden können. Wie grotesk dieses Zerrbild von der Aufgabe der

Kunst ist, zeigt sich deutlich an den zeitgenössischen Schriftstellern der DDR. Die alten, die schon vor 1933 (Hitlers Machtübernahme) bekannt waren, leben von ihrem Ruhm aus dieser Zeit. Einigen wenigen nur gelang es, gute kritische Bücher über die Zeit des Nationalsozialismus und die Epoche nach dem Zweiten Weltkrieg zu veröffentlichen, wie etwa Anna Seghers mit ihrem Roman über den Ausbruch von sieben Männern aus einem Konzentrationslager des Dritten Reiches „Das siebte Kreuz" (1942 in Mexiko vollendet). Auch der neben Thomas Mann wohl bedeutendste deutsche Dichter und Schriftsteller der letzten drei Jahrzehnte, Bertolt Brecht, der als Kommunist 1948 aus den USA in die DDR übersiedelte, veröffentlichte kein bedeutendes dichterisches Werk mehr, seit er im Machtbereich der SED lebte. Er starb 1956.

Die Öde und die befohlene Problemlosigkeit der sogenannten „sozialistischen Kunst" hatten auch ihn, Bertolt Brecht, den ganz Großen, verstummen lassen. Alle seine bedeutenden Werke waren in Deutschland bis 1933 oder später in der Emigration geschrieben worden.

Lehrbuch für Geschichte[1]

DIE SICHERUNGSMASSNAHMEN DER DDR VOM 13. AUGUST 1961

Die konsequente Friedenspolitik, die die DDR unter Führung der SED verfolgte, beantwortete der imperialistische Gegner damit, daß er seine konterrevolutionären Anstrengungen gegen die Arbeiter-und-Bauern-Macht verstärkte und die Aggression gegen unsere Republik vorbereitete.

In den Mittelpunkt der Politik rückte jetzt die Verhinderung eines Krieges in Deutschland. Am 6. Juli 1961 unterbreitete die DDR im Deutschen Friedensplan noch einmal umfassende Vor-

---

From Stefan Doernberg, u.a., *Lehrbuch für Geschichte* (10. Klasse, Teil 2, Oberschule und erweiterte Oberschule), 153-156. Berlin, Volk und Wissen Volkseigener Verlag, 1965.

[1] To stop the flow of escapes into West Germany—close to 200,000 in 1960—the Communists built a partitioning wall in Berlin on August 13, 1961, cutting the city in half. This excerpt from an East German textbook for secondary schools attempts to justify, perhaps even glorify, the building of this wall.

schläge zur Sicherung des Friedens und zur Verbesserung der Beziehungen zwischen den beiden deutschen Staaten auf der Grundlage der Prinzipien der friedlichen Koexistenz. Eine deutsche Friedenskommission aus Vertretern der Parlamente und der Regierungen der beiden deutschen Staaten sollte Vorschläge für einen Friedensvertrag ausarbeiten. In ihnen müßten Maßnahmen zur Erweiterung der Handelsbeziehungen, der kulturellen und sportlichen Beziehungen und zur Förderung des Reiseverkehrs zwischen beiden deutschen Staaten enthalten sein. Die westdeutschen Militaristen lehnten jedoch Verhandlungen ab. Sie hatten alles auf die Karte aggressiver Abenteuer gegen die DDR gesetzt.

Die Ziele der Bonner Politik wurden in einer sogenannten Grundsatzerklärung des CDU-Bundesvorstandes vom 11. Juli 1961 deutlich, in der gefordert wurde, „ein wiedervereinigtes Deutschland zu schaffen, das in die europäische Gemeinschaft und damit auch in die NATO integriert ist." Auf Grund dieser aggressiven imperialistischen Politik ging die Adenauer-Regierung zur aktiven Diversionstätigkeit über und verstärkte die Abwerbung von Bürgern der DDR und die Störung der Wirtschaft der Republik mit allen Mitteln. Es drohte die Gefahr, daß es im Zusammenhang mit diesen Provokationen zu militärischen Angriffen kommen konnte.

Angesichts der von Bonn ausgehenden außerordentlichen Bedrohung des Friedens in Deutschland fand vom 3. bis 5. August 1961 in Moskau eine Beratung der Ersten Sekretäre der kommunistischen und Arbeiterparteien, deren Länder dem Warschauer Vertrag angehören, statt. Auf ihr wurden alle Probleme erörtert, die mit der Sicherung des Friedens in Deutschland verbunden sind. Die Verbündeten vereinbarten, daß die Deutsche Demokratische Republik an der Staatsgrenze zu Westberlin eine solche Ordnung einführt, wie sie an den Grenzen eines jeden souveränen Staates üblich ist, um der Wühltätigkeit gegen die Länder des sozialistischen Lagers ein Ende zu bereiten.

Im Morgengrauen des 13. August 1961 nahmen bewaffnete Organe der DDR gemeinsam mit den Kampfgruppen der Berliner Arbeiterklasse die Grenze gegenüber Westberlin zuverlässig unter Kontrolle. Damit war der abenteuerlichen imperialistischen Provokationspolitik der Weg verbaut. Jetzt gab es keine Möglichkeit mehr, von Westberlin aus gegen die DDR Provokationen zu starten. Noch ehe die geplante Aggression begonnen hatte, war sie zusammengebrochen. Durch diese entschlossene Aktion rettete die DDR den Frieden in Mitteleuropa und damit auch den in der Welt, denn aus den militärischen Handlungen der imperialistischen Kräfte hätte sehr leicht ein atomarer Weltkrieg entstehen können.

Mit dem 13. August 1961 zeigte sich der Bankrott der Deutschlandpolitik Adenauers ganz offen. War in der vorhergehenden Zeit bewiesen worden, daß die Versuche der „Aufweichung" der DDR kein Ergebnis zeitigten, so war nun der Beweis dafür erbracht, daß auch die militärische Aktion mit dem Ziel, die imperialistische Macht nach Osten auszudehnen, keinerlei reale Chance hatte. Den imperialistischen Kräften wurde zugleich die Möglichkeit genommen, die DDR ökonomisch zu schädigen und den Wirtschaftskrieg gegen den sozialistischen Aufbau fortzusetzen. Das reale Kräfteverhältnis in der Welt wurde auch in Deutschland eindeutig sichtbar. Die ganze Gefährlichkeit, aber auch die Sinnlosigkeit der Bonner Politik lag offen zutage. Damit bewies der 13. August die Richtigkeit der Politik der DDR in der nationalen Frage.

Golo Mann: *Echte und falsche Fragen*[1]

Es gibt Gleichungen, um deren Auflösung man sich mit Erfolg bemühen mag, und solche, die nie aufgehen; falsche und echte Aufgaben; Fragen, die einmal echte waren, aber es nicht mehr sind.

Die Frage, was Deutschland sei und was es mit sich anfangen sollte, war vor hundert Jahren eine unausweichliche. Aber die Zeit hat sehr schnell gearbeitet, schneller, immer schneller als je zuvor, seit es Menschen gibt. In Zukunft wird die Frage nicht mehr sein, was der Deutsche sei und was er mit sich anfangen solle. Sie wird

From *Deutsche Geschichte des neunzehnten und zwanzigsten Jahrhunderts,* 963-966. Frankfurt a.M., S. Fischer Verlag, 1960. Reprinted with permission of the original publisher, Büchergilde Gutenberg, Frankfurt am Main.

[1] Golo Mann (b. 1909), the son of Thomas Mann, was a professor of history at various American universities during World War II. Since 1960 he has been professor of history at the Institute of Technology in Stuttgart.

auch nicht, vor allem oder ausschließlich, sein, was der Europäer sei und was der Europäer mit sich anfangen solle. Die europäische Nation kann die deutsche nicht ersetzen, die europäische Staatenpolitik sich nicht im Weltweiten wiederholen. Was der Mensch sei und was der Mensch mit sich anfangen solle: das ist die Frage der Zukunft.

Sie wird verdeckt durch Mißverständnisse, verborgen und verbogen in allerlei Verkrampftheiten des Willens. Franzosen verteidigen eine Vergangenheit, die ihnen noch Gegenwart scheint, die aber starke, lebendige Gegenwart nie wieder werden kann. Deutsche spielen mit unwiederbringlich Verlorenem. Und was Deutsche, Italiener, Franzosen im Ernst schon aufgegeben haben oder aufzugeben im Begriff sind, wird ihnen von anderen, sogenannten jüngeren Völkern abgenommen. Mit dem Nationalstaat, der Souveränität, den „Pan-Bewegungen," der Wiederherstellung alter, nie gewesener Reichsherrlichkeit und anderen rostigen Schwertern aus Europas Waffenkammer hantieren Marokkaner, Ägypter, Indonesier. Hohle Imitationen, über die der Weltgeist so oder so zur Tagesordnung übergehen wird.

Falsch, die wahren Aufgaben überdeckend, ist letzthin auch der Weltkonflikt, der „Kalte Krieg." Auch dies Schachspiel, so wichtig es seit 1945 gespielt wurde mit immer denselben Tricks, denselben Hinundherzügen, wird ohne König gespielt. Freie Welt gegen unfreie, Kapitalismus gegen Kommunismus, das sind fiktive, eben darum unauflösbare Gegensätze, wirklich nur dadurch, daß man sie sich einbildet. Wir können die unfreie Welt nicht frei machen. Allenfalls können wir einander umbringen.

Daß den Mächtigen in einem oder in zwei großen Staaten der Erde die Welt in zwei Gesellschaftssysteme zerfällt, welche sie Religionen gleichsetzen und von denen das eine das andere austreiben müsse, dieser Aberglaube ist freilich ein lästiges Pech. Man mag es sich aus der tiefsten historischen Anlage des Menschen erklären. An den boshaften Wettbewerb der Mächte und Bekenntnisse als Motiv der Geschichte war er von jeher gewöhnt; die durch Jahrtausende zum Instinkt gewordene Gewohnheit wird er nicht los in einer Zeit, in der nur noch die gemeinsamen, nicht mehr die gegeneinander gerichteten Anstrengungen nützliche Ergebnisse versprechen. Sollte man es glauben, daß die Theorie, geistreich, grob und ungründlich, welche zwei anmaßende deutsche Jünglinge[2] sich im Jahre 1847 aus Gedanken und Beobachtungen ihrer Zeit zusammenkochten, HEUTE, 1958, die Welt in zwei feindliche Lager zu teilen vermag!

Ein gerütteltes Maß der Schuld daran tragen die „Kommunisten," um ihnen den Namen zu geben, den sie sich selber beilegen. Nicht die ganze Schuld. Auch uns ist der „Kalte Krieg" eine Bequemlichkeit; auch wir finden es billig, gegen den Feind mit selbstgerechter Anklage zu Felde zu ziehen, das Wettrüsten zu steigern und zum Zwecke seiner Beendigung demagogische, jeden ernsten Vorsatzes bare Vorschläge auszutauschen. Dieselbe Verkrampftheit des Willens beherrscht beide Seiten. Ja, manchmal erscheint sie noch offenbarer auf der unseren, und die Sensationslust, mit der man vom nächsten Krieg redet und was er kosten und wieviel Menschen er töten wird, ist eine Schauder erregende.

Europa und Amerika gehören zusammen, und so auch Amerika und Deutschland. Im Rahmen dieser Zugehörigkeit sind mancherlei Sonderformationen und schöpferische Unterschiede möglich und wünschbar. Mit Amerika befreundet, können Westeuropa und Deutschland doch auch Brücke zu Osteuropa und Asien sein. Die Amerikaner kennen die Welt schlecht. Diesem starken, gutwilligen Menschenschlag fehlt es an Beweglichkeit, an Phantasie und, wie leider noch mehr ihrem russischen Gegenspieler, an Humor; sie sind geneigt, immer dieselben Züge zu wiederholen. Sie bedürfen Europas Ratschläge, Europas erfinderischer Energie. Es ist Sache Europas, das Falsche, Schwindelhafte des Weltkonfliktes zu durchschauen, mit Geduld, mit Klugheit, da, wo er am Platz ist, selbst mit lachendem Spott zu seiner Überwindung beizutragen. Zu jedem Machtspiel gehören zwei, die einander provozieren und so sich die Meinung bestätigen, die einer vom anderen hat; wir wissen das zur Genüge aus der europäischen Geschichte. Schwingt einer sich über das Spiel, will er mit ganzem Ernst, daß es ende, dann endet es.

Die Hoffnung ist nicht ohne Grund, daß in dem ausgebrannten Vulkan der europäischen Machtpolitik heute eine geistige Bereitschaft wächst, wie andere, erst jetzt, spät und plötzlich zum Höhepunkt der Macht gelangte Erdregionen sie nicht kennen. Europa, das

---

[2] **zwei . . . Jünglinge** Marx and Engels

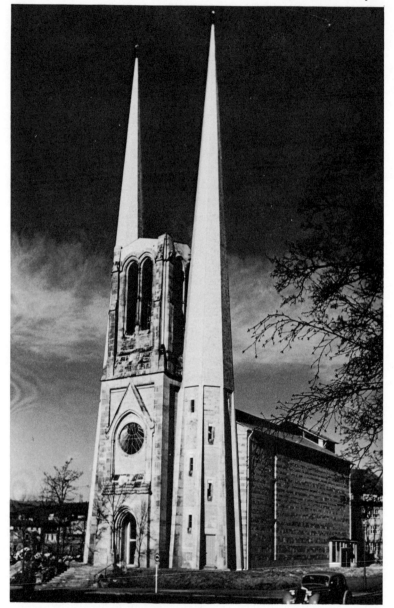

Auf den Ruinen des mittelalterlichen Gebäudes steigen die beiden Turmspitzen der St. Johanniskirche in Würzburg wieder empor

einst die Erde eroberte, kann noch immer auf andere Art ihr Mittelpunkt sein; kann nach allen Richtungen vermittelnde, klärende,
bauende Energien senden und zur Arbeit an den echten Aufgaben
rufen, die heute sich dem Menschen stellen. Hier findet auch
Deutschland Verwirklichungen seiner Fähigkeiten, viel nützlicher
als Hader um politische Grenzen, die sechste Teilung Polens, auch
die bloße „Wiedervereinigung" je noch sein könnten.

Die Pessimisten sagen uns, daß es dennoch schlecht ausgehen
wird, und das ist, im Lichte vergangener Erfahrungen, allerdings
wahrscheinlich. Es ist nicht sicher. Für unsere in so vielen Beziehungen unvergleichliche Gegenwart gibt die Vergangenheit keine
verläßlichen Lehren. Die Zukunft ist nicht bloß die notwendige
Folge aus grauer Vergangenheit, sie ist auch Gestalt aus freier
Gegenwart; nicht bloß ein Gerinnsel unveränderlicher Bedingungen,
sondern das, was wir aus dem Vorgegebenen machen, indem wir
unsere Sache gut machen oder schlecht.

Sicher ist nur, daß wir immer in Gefahr leben werden. Jeder
von uns, weil wir endliche Wesen sind. Wir zusammen, weil wir
großen Kollektiven angehören, denen der Stachel des Aggressiven,
Selbsttrunkenen, Bösartigen nie ganz genommen werden kann. Und
besonders die Deutschen. Das ewig Schandbare, was in unseren
Zeiten von Deutschen getan wurde, wird, wiewohl es jetzt der
Vergangenheit angehört, doch nicht aufhören zu wirken in unvor-
hersagbaren Erscheinungen und Folgen; wie man fetten Früchten
nicht traut, die auf dem Kirchhof wachsen, so werden wir der
Gegenwart trotz aller neuen Lebensbequemlichkeit nie fest vertrauen
können. So soll es auch sein. Die Geschichte des Menschen würde
zur sinnleeren Natur herabsinken, würde aufhören, *Geschichte* zu
sein, wenn es nicht so wäre.

SUGGESTIONS FOR FURTHER READING

Any student looking for a reliable guide to the vast literature on German history would do well to begin by referring to the *Guide to Historical Literature,* published by the American Historical Association. The most detailed bibliography is Dahlmann-Waitz, *Quellenkunde der deutschen Geschichte* (2 vols., 9th ed., Leipzig, 1931-32) which can be supplemented after 1931 by the yearly volumes of the *Jahresbericht für deutsche Geschichte.*

The best and most recent general work in English is Hajo Holborn's *History of Modern Germany* (New York, 1958-   ) of which the two volumes presently available cover the period from the Reformation to the mid-nineteenth century. For the period after 1800, Koppel S. Pinson's *Modern Germany* (2nd ed., New York, 1966) is a reliable and judicious summary with an excellent bibliography.

There are many histories of the Reformation both in English and German, most of them tendentious. A good general study with an excellent bibliography is Harold J. Grimm's *The Reformation Era 1500-1650* (New York, 1954). C. V. Wedgwood's *The Thirty Years War* (London, 1938) remains the best study of that subject in English.

The late seventeenth and early eighteenth centuries have not been adequately treated by scholars writing in English. C. T. Atkinson's *A History of Germany 1715-1815* (London, 1908) has a great wealth of factual detail, and Franz L. Carsten's *The Origins of Prussia* (Oxford, 1954) and *Princes and Parliaments in Germany; From the Fifteenth to the Eighteenth Century* (Oxford, 1959) are both very useful studies.

255

The revolutionary movements of the late eighteenth century are covered in G. P. Gooch, *Germany and the French Revolution* (London, 1920), and R. Aris, *History of Political Thought in Germany from 1789-1815* (London, 1936). E. N. Anderson's *Nationalism and the Cultural Crisis in Prussia 1806-1815* (New York, 1939) treats the profound impact of war and occupation on cultural life.

A very good recent study of the political development of Germany in the nineteenth century is Theodore S. Hamerow's *Restoration, Revolution, Reaction, Economics and Politics in Germany 1815-1871* (Princeton, N.J., 1958). An excellent discussion of the unification of Germany may be found in Otto Pflanze's *Bismarck and the Development of Germany 1815-1871* (Princeton, N.J., 1963). A second volume is planned, and meanwhile it may be supplemented by Erich Eyck's *Bismarck and the German Empire* (New York, 1950).

Much of the writing about Wilhelmine Germany concerns itself with the diplomatic background to World War I; two very good studies are Erich Brandenburg, *From Bismarck to the World War* (London, 1927), and E. M. Carroll, *Germany and the Great Powers 1866-1914* (New York, 1938). For the war and revolution see Arthur Rosenberg, *The Birth of the German Republic* (New York, 1931).

Erich Eyck's *A History of the Weimar Republic* (2 vols., Cambridge, Mass., 1962-64) and S. William Halperin's *Germany Tried Democracy* (New York, 1946) are both excellent summaries of the period. The best general study of Nazism in English is still Alan Bullock's *Hitler, A Study in Tyranny,* originally published in 1952, now available in a revised and updated version (New York, 1962).

A good introduction to post-war Germany is Peter H. Merkl, *The Origin of the West German Republic* (New York, 1963). W. H. Chamberlin, *The German Phoenix* (New York, 1963), Carl J. Friedrich, *The Soviet Zone of Germany* (New Haven, Conn., 1956), and Frederick H. Hartmann, *Germany Between East and West* (Englewood Cliffs, N.J., 1965), are also useful.

VOCABULARY

The vocabulary omits the two thousand most common words or stems listed in *Minimum Standard German Vocabulary* by W. Wadepuhl and B. Q. Morgan (F. S. Crofts: New York, 1934). Combinations of words from the basic two thousand which students might not easily decipher are, however, listed, as are basic words with special meanings in this text. The meanings given apply to the contexts in which the word is used in this book.

ab-bilden to portray, illustrate
ab-danken to resign, retire; discharge; abdicate
ab-ebben to ebb away; (fig.) quiet or die down, decline
das Abendland Occident
abendländisch occidental
die Abendstimmung (poet.) calm, melancholy
der Aberglaube superstition
der Abfall abandonment, defection
sich ab-finden mit to come to terms with, put up with
die Abgabe tax, duty, tribute
ab-geben to hand over; furnish
abgeglitten slipped
abgelegen distant, removed
abgeleitet drained; derived
der Abgeordnete deputy, political representative; member of parliament
die Abgeschlossenheit exclusiveness
abgeschmackt in bad taste
abgesehen auf intended for;
abgesehen von apart from
das Abgestandene stale, decayed
ab-gewöhnen: sich (etwas)
ab-gewöhnen to give up or break (a habit)
abgezehrt emaciated
abgezwungen forced from
abgöttisch idolatrous; immoderate
der Abgrund abyss, chasm
abgründig abysmal; radical
ab-halten to dissuade, restrain; hold (a meeting); deliver (a speech)
die Abhandlung treatise; lecture

ab-helfen to remedy, remove (a difficulty)
die Abkapselung sealing off
ab-klingen to fade away; die away
die Abkunft origin, birth
der Ablaß indulgence
der Ablaßbrief letter of dispensation
der Ablauf course, events; termination
das Ableben death, demise
ab-legen to take off; make (a promise)
ab-lösen to replace; remove, detach
die Abneigung aversion, reluctance
die Abrede agreement
die Abrüstung disarmament
der Absatz sale (of goods)
das Absatzgebiet market area
ab-schaffen to abolish, repeal
die Abschaffung abolition
ab-scheren to shear
der Abscheu aversion, loathing
ab-schließen to shut off; finish; wind up, balance
der Abschluß close
die Abschnürung cutting off, constriction
ab-schrecken to frighten off, scare away
die Abschußrampe launching pad
absehbar conceivable, visible
ab-sehen von to disregard
ab-setzen to remove, dismiss; sell, export
die Absetzung dethronement; removal, dismissal
ab-sondern to divide, differentiate, separate

ab-sprechen über to find fault with, cavil at
die Abstammung lineage
ab-steigen to come down, descend
die Abstimmung vote, show of hands
ab-treten to withdraw
ab-urteilen to sentence
die Aburteilung adjudication, sentencing
ab-wägen to weigh, consider
der Abweg wrong way
abweichend divergent; exceptional (provisions)
die Abwerbung hiring away from
ab-werfen to throw off
ab-zapfen to drain
ab-zehren to waste away
das Abzeichen insignia
ab-ziehen to pull off
die Achse axis
das Achselstück epaulette
der Ackergaul farmhorse, (fig.) workhorse
die Adelsbezeichnung title or designation of nobility
adelsnärrisch sycophant, devoted to aristocracy
der Aderlaß bleeding
der Affekt emotional state or stance; strong emotion or passion
die Akte order, document
albern foolish
allesamt altogether
die Allgemeingiltigkeit universal validity
die Allgemeinheit general public
die Allongeperücke full-bottomed wig
das Almosen charity; alms
alsdann = **dann**
alters olden days
die Amtsfähigkeit qualification for (public) office
die Amtsführung exercise of office
an-bahnen to pave or prepare a way, open
an-brechen to start, dawn
(zum) andern in the second place
die Aneignung acquisition, appropriation
an-erkennen to recognize
die Anfertigung manufacture

an-fressen to gnaw at, attack
an-fügen to join, attach
die Angabe statement
an-geben to declare; indicate; **den Ton angeben** to set the fashion, take the lead
an-gehen to concern; come close to, touch
angelegt inclined
angemaßt assumed (to oneself), usurped
angemessen suitable, reasonable
angesichts in view of, aware of
angespannt tense
angetan sein to be likely to
angewiesen sein auf to be dependent on, be at the mercy of
an-greifen to attack
der Angriff attack
an-haben to wear
an-halten to urge, enforce; continue, persist
anhaltend persistent, lasting
die Anhänglichkeit attachment, devotion
der Anhauch breath, touch, tinge
an-häufen to pile up, accumulate
anheim-fallen to fall to
der Anklang approval
an-kommen auf to matter, be the main thing, be the point
wohl oder schlecht an-kommen to be well or badly received
an-kündigen to announce, signal
die Anlage tendency, propensity, predisposition
der Anlaß cause, occasion
der Anlauf, onset, start
an-legen to put on; set up; invest; **die letzte Hand an-legen** to put the finishing touches to
die Anlehnung support
die Anleihe loan
an-mahnen to admonish
anmaßlich pretentious, presumptuous
die Anmaßung arrogance, indolence, presumption
anmeldepflichtig requiring notification
die Anmeldung notice
an-ordnen to order, direct
die Anordnung order; directive

an-raten to recommend, advise
das Anrecht claim, title
an-regen to incite
die Anregung stimulus
der Anruf appeal
der Ansatz beginning, onset
an-schaffen to procure, provide
an-schlagen to estimate, value
an-schließen to follow; join on, attach
   to
der Anschluß connection; annexation
an-schwellen to rise; increase
das Ansehen reputation, respect
das Ansinnen request, demand
an-speien to spit upon
an-spielen auf to allude to, hint at
die Anspielung allusion, hint,
   insinuation
an-spießen to pierce (with a spear),
   (fig.) to attack
die Ansprache address, speech
an-sprechen to appeal, please
der Anspruch claim, requirement
der Anstand ado; good manners
an-stellen to make, employ; appoint;
   cause, start
der Anstoß offense; attack
an-streben to aspire to, strive for
der Anstrich tinge, shade
an-tasten to dispute, impugn; attack
der Anteil share; interest
an-treffen to meet, catch
an-treiben to drive, push on
an-treten to start, enter upon
der Antrieb incentive
die Antriebskraft momentum
anvertrauen to entrust
an-wachsen to swell into; increase,
   rise
an-weisen to instruct, direct; assign
die Anweisung instruction, direction
der Anwurf (⸚e) (pl.) reproaches
die Anzahl number
an-zapfen to tap
das Anzeichen indication, sign
die Anzeige notice, intimation
das Anzeigen indication
der Anzug approach, advance
appellieren to appeal to
arglistig crafty, cunning

die Armenpflege care of the poor
artgemäß true to type, true to the
   race, native
der Artikel (theol.) creed; article;
   goods
artverwandt of kindred blood or race,
   racially related
der Assessor employee of a firm
   during probationary period
das Asylrecht right of asylum
(in) Atem halten to keep in suspense
die Atomistik atomism (polit.)
   particularism
der Atom-Sprengkopf atomic warhead
das Attentat attempted murder;
   assault
sich auf-bauen auf to base on
die Aufbesserung increase;
   improvement
das Aufbieten calling up (of police
   units)
die Aufbietung summoning; exertion
der Aufbruch departure
auf-dringen to press upon, urge upon
auf-erlegen to enjoin; impose
auf-fahren to jump up, rise
auf-fallen to be noticed
auffallend noticeable
die Auffassung view, conception
auf-flattern to float about, arise
die Aufforderung demand; invitation;
   challenge, summons
auf-gehen to dissolve; leave no
   remainder
aufgestaut collected
aufgewiegelt stirred up
auf-glimmen to flicker up
sich auf-halten stay, dwell
das Aufhalten stop, retardation
auf-heben to abolish, cancel
die Aufhebung abolition, dissolution
auf-klären to enlighten
die Aufklärung enlightenment
auf-kommen to grow, rise;
   auf-kommen gegen to be a match
      for
auf-leben to revive or be revived,
   recover
sich auf-lehnen gegen to rebel against
die Auflehnung rebellion
die Auflösung solution

auf-nehmen to take up; take in, receive, admit
auf-nötigen to force upon
die Aufopferung self-sacrifice
auf-peitschen to whip up, agitate
sich auf-pflanzen to set oneself up as
aufrecht-erhalten to maintain, preserve
die Aufrechterhaltung maintenance
auf-richten to erect
auf-rücken to move ahead
auf-rufen to summon, call out (with names)
der Aufruhr uproar; revolt
auf-rütteln to shake up, arouse
der Aufschwung rise, progress
auf-setzen to draw up
auf-spielen to strike up (music)
auf-splitten to split up
der Aufstand rebellion, revolt
auf-suchen to seek out, locate
der Auftrag mission, duty
auf-treten to appear; occur
das Auftreten appearance, demeanor; **im äußeren Auftreten** in the eyes of the outside world
der Auftrieb impetus
die Aufweichung softening up
der Aufweis pointing out, exhibiting
auf-weisen to show, exhibit
auf-wühlen to turn up; (fig.) excite, stir up
auf-zehren to use up; waste (fig.)
der Augustinerorden order of Canons Regular of St. Augustus
der Ausbau completion, extension; consolidation
aus-bauen to extend, enlarge
aus-beuten to exploit
die Ausbeutung exploitation; utilization
die Ausbildung development
die Ausbildungsstätte place of training
aus-bleiben to be long in coming, not take place
die Ausdauer perseverance
die Ausdrucksgestaltung form of expression

auseinander-setzen to explain, set forth
die Auseinandersetzung dispute, disagreement
aus-fallen to turn out
die Ausfertigung execution (of a document)
ausfindig machen to find out, discover
die Ausflickung repair, patching up
die Ausfuhr export
ausführbar practicable, feasible; exportable
der Ausfuhrüberschuß export surplus
aus-führen to explain; execute, carry out
die Ausführung statement, exposition
sich aus-geben für to pass oneself off as
aus-gehen to emanate; **leer aus-gehen** to come away empty-handed
ausgeprägt distinct, marked; pronounced
ausgerichtet aligned
ausgesprochen determined, decided
ausgiebig plentiful, abundant
der Augleich equalization, balancing, compromise
aus-lachen to laugh at
der Auslandsnarr worshipper of foreign ways
aus-legen to expound, interpret
aus-liefern to hand over; extradite
aus-löschen to extinguish, obliterate
aus-lösen to cause
aus-machen to amount to, constitute
das Ausmaß proportion, extent
die Ausmerzung elimination
das Ausnahmegericht extraordinary court (not provided for in the constitution)
das Ausnahmegesetz exceptional law
die Ausnahmestellung exceptional position or elevation
der Ausnahmezustand state of emergency
sich aus-nehmen to look
aus-nutzen to utilize, exploit
aus-reichen to suffice, do
aus-rotten to exterminate, destroy

aus-rufen to proclaim
aus-rüsten to equip, furnish
aus-säen to sow
aus-saugen to suck dry
aus-schalten to eliminate, exclude
aus-scheiden to eliminate, drive out
die Ausschreitung transgression
der Ausschuß committee, commission
der Außenhandel export trade,
    foreign trade
der Außenhandelsumsatz profit from
    exports, volume of export trade
der Außenminister foreign minister
die Außenpolitik foreign policy
die Außenseite outside
aus-setzen to expose
aus-sondern to eliminate, reject; take
    from
aus-spielen lassen to be played off
    against
der Ausspruch declaration
aus-tauschen to exchange
die Auswanderungsfreiheit freedom
    to emigrate
aus-weisen to prove
aus-wirken to take effect
die Auswirkung effect, consequence
aus-zehren to impoverish, exhaust

babylonisch Babylonian
der Bahnbrecher pioneer, trail-blazer
bahnen to prepare, pave the way for
der Bankrott bankruptcy
der Bann power, spell
bar devoid of
das Bauerntum peasantry
sich bäumen to rear
beanspruchen to claim, lay claim to
beaufsichtigen to supervise
das Beaufsichtigungsrecht right of
    supervision or surveillance
bedenken to consider, ponder;
    mit Prügel bedenken to bestow a
    thrashing
sich bedienen to make use of
bedingt dependent on, conditioned
bedrücken to oppress; distress
die Beeinträchtigung curtailment
die Befähigung qualifications
befehligen to command

beflissen intent upon
befruchten to stimulate, make fruitful
die Befugnis right
begnadigen to pardon
das Begnadigungsrecht right to grant
    pardon or reprieve
beharrlich persevering, tenacious
das Beharrungsvermögen power of
    persistence
die Behendigkeit skill, cunning;
    agility
die Behörde authority, authorities
behördlich official
bei-behalten to retain
die Beichte confession
der Beichtvater father confessor
bei-kommen to get at, be accessible
bei-legen to make up (a quarrel)
bei-treten to join
der Beitritt joining
bei-wohnen to attend, be present
beizeiten in good time, soon
bejubeln to rejoice over, cheer about
sich bekehren to convert
sich bekennen zu to embrace, align
    oneself with
der Bekenner (religious) follower
bekommen to agree with, "go down"
    (of food); es bekommt (w. dative)
    it stands one in stead; suits one
die Bekümmernis grief, pain
die Bekundung demonstration,
    manifestation
das Belauschen listening to
sich belieben to suit oneself, choose,
    if you please . . .
beliebig desired, any . . . whatever,
    at will
die Belustigung amusement
die Beordnung orders (to report)
die Berechnung calculation
bereden to persuade
das Bereich sphere, domain
der Bergbau mining
die Berichterstattung reporting
sich berufen auf to refer to, appeal to
die Berufstechnik professional
    technique or practice
die Besatzungszone zone of
    occupation

die **Beschaffenheit** condition, state
beschieden sein to be granted, given
beschimpfen to insult, abuse
die **Beschimpfung** insult, affront, libel
beschlagen to sheath
beschließen to adopt (a law)
beschränken to restrict, restrain;
   sich **beschränken auf** to restrict
   oneself to, be satisfied with
die **Beschränktheit** limitedness,
   narrowness
die **Beschränkung** limitation,
   restriction
beschreiten to take (a road or way);
   walk on
die **Beschwerde** complaint, grievance
beschwerlich troublesome, difficult
beseelen to animate, inspire
besetzen to occupy, man
besiedelt populated
besiegelt sealed
die **Besitzergreifung** seizure
die **Bestallung** investiture,
   appointment
der **Bestand** stability; existence
beständig steady, continual
die **Beständigkeit** permanence
der **Bestandteil** integral part
die **Bestechung** bribery; corruption
bestecken to plant with;
   mit Bucksbaum **bestecken** to
   thrash
bestehen to endure, last
die **Bestehung** existence, foundation
besteigen to ascend (a throne)
die **Besteuerung** taxation
die **Bestimmung** provision
bestürzen to perplex, disconcert
die **Bestürzung** alarm, dismay
die **Betätigung** activity, diligence;
   retaliation
betäubt stunned
der **Betreff** reference, regard;
   in Betreff **zu** with regard to
betreiben to carry on, pursue
der **Betrieb** industry; factory, trade;
   shop
die **Betriebsamkeit** industry, diligence
der **Betroffene** person concerned or
   affected

der **Betriebsrat** Workers' Council
   (East Germany)
bevormunden to act as a guardian;
   hold in tutelage
die **Bevormundung** guardianship,
   tutelage
bevorzugen to favor, prefer
die **Bewältigung** overcoming
die **Beweisführung** proving the case
bewirkt caused, brought about
die **Bewirtschaftung** management
bezeichnenderweise significantly
   (enough)
sich **beziehen auf** to refer to, appeal to
die **Beziehung** regard, respect;
   connection; relationship
bzw. = beziehungsweise respectively;
   or
sich **beziffern** to amount to
bezüglich referring to, respecting,
   relative to
der **Biedermann** honorable man;
   (iron.) philistine
die **Bildungsschicht** educated class
die **Billigkeit** equity, justice
blasiert blasé
die **Blasiertheit** blasé condition
die **Blausäure** hydrocyanic or prussic
   acid
das **Blendwerk** delusion, illusion
die **Blickweite** breadth of vision
der **Blickwinkel** focal point, "angle"
bloß-stellen to expose
der **Blütenstaub** pollen
blutsauer very hard, toilsome
der **Blutsturz** hemorrhage
der **Bogengang** colonnade, arcade
der **Bonze** bigwig
brandschatzen to fleece, levy a
   contribution from
der **Brauch** custom
der **Breitegrad** parallel
das **Briefgeheimnis** privacy of mail
die **Briefschreiberin** secretary
der **Brocken** crumb, morsel
das **Brüchige** fragile, brittle
brüten to hover
der **Buchsbaum** box tree;
   mit Buchsbaum **bestecken** to thrash
bücken to bow; stoop

büffeln to cram, grind
bühnengerecht suitable or adapted for
the stage
der Bundesstaat federal state;
centralized confederacy
der Bundestag (Federal) Diet or
Parliament
das Bundesverfassungsgericht
(Federal) Supreme Court
die Bundesversammlung national
assembly
der Bundesvorstand committee (of
national assembly)
die Bürgerwehr home guard or
national guard
allgemeine Bürgerwehr general
(equal) military obligations
die Burschenschaft students'
association
der Buxbaum = Buchsbaum

die Canaille rabble; scoundrel
die Charakterveranlagung personal
assets
die Chaussee main road, highway
der Chronist chronicler
die Concluse conclusion, decision
courfähig privileged to appear at
court

dahin-stellen (with bleiben) to
remain undecided
dämonisch demonic
(von) dannen from that place, thence
dar-bieten to offer
darein thereto, therein
darnieder down, on the ground
dar-reichen to present, offer
die Daumenschraube thumb-screw,
(fig.) a means of putting on
pressure
davon-kommen to escape, survive
dawider to the contrary
die Deckung fulfillment, satisfaction
dementsprechend according
die Demontage dismantling (as of
factories)
die Demoskopie public opinion
research

dermalig present
das Deutschtum "German-ness,"
German character
die Devise motto
das Dezenium decade
dgl. = dergleichen such, of that kind
dickwanstig paunchy
die Dienstbarkeit servitude, bondage
die Dienstleistungspflicht compulsory
service, service obligation
dieweil because, while
dirigieren to direct, manage
der Dispens dispensation
die Diversionstätigkeit diversionary
tactics
die Dogmengeschichte history of
dogmatic theology
doll = toll
die Domäne domain, demesne; fields
der Dorn (im Auge) thorn (in one's
side or flesh)
der Drache dragon
drängeln to press, shove
dran sein to be (well or badly) off
dran-wollen to want to set to work, set
about
drechseln to turn (on a lathe);
Wahrheiten drechseln to throw out
ideas
dringen auf to threaten with, force
upon
dringend pressing
der Duft smell, odor
die Duldung tolerance
der Dünger manure, dung
dupieren to trick, dupe
durchdrungen imbued, convinced of
durch-führen to carry out, execute
durch-machen to go through
durchmessen to traverse; take the
dimension of
durch-schlagen to come through,
become apparent

ebenbürtig equal
die Ebene (fig.) level
ebnen to make even; smooth;
den Weg ebnen to pave the way for
die Effekthascherei straining after
effect, theatricality

eh(e) und jeh then and always
die Ehescheidung divorce
die Eheschließung marriage
ehrbietig respectful, reverential
das Ehrenzeichen decoration
(zu) eigen sein to be native to,
　belong to
die Eigenbrötelei eccentricity,
　crankiness
das Eigenrecht "law unto oneself"
der Eigentümer property owner
eigentümlich peculiar; original,
　specific, characteristic
die Eignung aptitude
ein-bringen to pass (a bill)
ein-büßen to lose, forfeit
eindeutig clear, unequivocal
eindrucksvoll impressive
sich ein-finden to appear, turn up
ein-flößen to instil, inspire with
einförmig monotonous
das Einfühlungsvermögen empathy
die Einfuhr importation
der Einfuhrüberschuß import
　surplus
ein-gehen to go down (in history)
ein-gehen auf to acquiesce in, agree to
eingehend thorough, searching
eingeschränkt limited
eingestellt auf focused, adjusted
ein-greifen to encroach upon
das Eingreifen intervention
einheimisch native, indigenous
ein-heimsen to reap, rake in
einheitslüstern greedy for unity
die Einhelligkeit unanimity,
　uniformity, **mit Einhelligkeit**
　with one accord or consent
einigermaßen to some extent,
　somewhat
der Einklang accord, harmony, unison;
　in Einklang bringen to make agree
die Einkünfte (pl.) income, revenue
ein-leiten to introduce, usher in
einmütig unanimous
die Einöde desert, wilderness
die Einordnung incorporation (in)
ein-reißen to tear down, demolish
sich ein-richten to prepare for

die Einrichtung institution,
　establishment
der Einsatz stake; effort
das Einsatzkommando security squad
ein-schärfen to impress upon
ein-schätzen to value, rate, estimate
der Einschlag impact, explosion
ein-schlagen to drive or strike in;
　einen Weg ein-schlagen to take a
　road
ein-schmelzen to melt down
ein-schnappen to catch; click or snap
　in
der Einschnitt (fig.) decisive turning-
　point
ein-schränken to curtail, restrict, limit
sich ein-schreiben to enrol, enlist
ein-schreiten to intervene
einsmals suddenly
ein-sperren to lock up, imprison
ein-stellen to cease, discontinue;
　ein-stellen auf to adapt to;
　sich ein-stellen to make (itself)
　felt
die Einstellung attitude
ein-treten to take place; **ein-treten für**
　to stand up for, be in favor of
ein-verleiben to incorporate, annex
das Einvernehmen consent,
　agreement; **im Einvernehmen** in
　conjunction
der Einzelrichter judge sitting or
　presiding alone
den Einzug halten to make an
　appearance
empfindsam sentimental; sensitive
empor-kommen to rise (in the
　world), prosper
die Endlösung final solution
die Endzeit "realization" (of the
　millennium)
entartet degenerate
sich entbinden to absolve
entbrennen to break out
die Enteignung expropriation
entfachen to kindle, inspire
entfesseln to let loose, unchain
entfremden to estrange, alienate,
　become alienated

die Entgeistung "despiritualization,"
loss of or departure from spiritual
values
entgleiten to slip away
enthüllen to reveal, expose
entkleiden to divest
die Entladung explosion
entlassen to dismiss
das Entlausungsverfahren delousing
procedure
sich entledigen to get rid of
entleeren to deplete
entlegen remote, distant
entnazifizieren to "denazify"
die Entnazifizierung "denazification"
sich entpuppen to turn out to be,
reveal itself
die Entrüstung anger, indignation
die Entschädigung compensation
entschädigungslos without
compensation
entschlagen to free; dismiss
entseelend devastating
entsprießen to originate, derive,
emanate
entstammen to originate
entsteigen to spring from, emerge
entvölkern to depopulate
entwerten to weaken, depreciate
entzweien to disunite, set at variance
erachten to consider; be of the opinion
meines Erachtens in my opinion
erbringen to produce, furnish
erdenken to devise, contrive, invent
erdichten to pretend; invent
sich erdreisten to dare, presume
der Erdstoß shock (of an earthquake)
der Erdteil continent
der Eremit eremite; a hermit;
religious recluse
ererbt innate
erforschen to explore, penetrate,
examine
die Ergebung resignation
ergiebig lucrative; productive
ergießen to discharge
ergötzlich amusing
ergrimmen to become angry
der Erhaltungstrieb instinct for
preservation

erheben to initiate (a proceeding)
erheblich considerable
die Erhebung collection; levy;
elevation; revolt, rebellion
erklimmen to climb
erkoren chosen, select
erkunden to explore
erlassen to proclaim; issue
erliegen to be defeated, succumb to
das Ermächtigungsgesetz Enabling
Act
ermahnen to admonish, exhort
das Ermessen opinion, estimate;
standard
ermuntern to encourage, incite
erniedrigen to degrade, humble
die Erörterung discussion, debate
erpressen to extort
erquicken to revive, refresh
die Errungenschaft achievement;
acquisition
der Ersatz replacement, substitute
erschallen to resound, ring out, be
heard
die Erscheinungsform manifestation,
form; aspect
erschießen to shoot dead
erschlaffen to grow slack, languish
erschließen to disclose, make
accessible
die Erschließung opening up
die Erstarrung hardening
erstehen to arise
erstreben to strive for; obtain
ersuchen to ask for, request
ertönen to resound
der Ertrinkende drowning person
der Erzherzog archduke
erzwingen to compel
die Erzwingung forcible attainment
das Evangelium (pl. Evangelien)
gospel
der Exaltado enthusiast
der Exerzierplatz parade ground
die Exstirpation extirpation,
eradication
exstirpieren to extirpate

fabrizieren to manufacture
der Facharbeiter skilled worker
die Fachleute (sing. der Fachmann)
  experts
fachlich professional
fachmännisch expert; professional
fahren: aus der Haut to jump out of
  one's skin
faktisch real, actual
fällen to fell; eine Entscheidung
  fällen to make a decision
die Fasson fashion, style
das Faszinosum fascinating aspect
der Federfuchser "pencil-pusher"
die Federkraft elasticity
das Fegefeuer purgatory
der Fehlschlag failure
fehl-schlagen to fail
feist fat, plump
die Ferienstrafkammer Criminal
  Court in session when the regular
  court is on vacation
fertig-bringen to accomplish
das Festland mainland
fest-stellen to state; ascertain
die Festungshaft confinement in a
  fortress
der Fettwanst big paunch
das Feuerrad catherine-wheel
die Feuersbrunst fire, conflagration
die Finanzwirtschaft management of
  public money or funds
die Flinte gun, rifle, musket
die Folge: Folge leisten to comply
  with; zur Folge haben to result in
folgerichtig: folgerecht logical,
  consistent
die Folter torture
foppen to fool; chaff, tease
in die Schranken fordern to defy,
  challenge
die Formel article (of a faith)
forsch dashing
die Forschermiene scholarly mien
der Forstrat forest officer
fort-wirken to keep its force, continue
  effectively
fort-wuchern to continue growing
  rapidly, run rampant
der Frack dress-coat, tail-coat

die Franken Franks; French
fränkisch Frankish; French
französiert gallicized, "Frenchified"
frech bold, fresh
das Freikorps volunteer corps
freimaurerisch masonic
frei-sprechen to acquit
die Freizügigkeit freedom to live and
  travel
der Friedenhort protector of peace
die Friedensschwalbe (fig.) dove of
  peace
frohlockend joyful, rejoicing
frommen to be of use, benefit
die Fron compulsory or statute labor,
  (fig.) drudgery
fruchten to be of use, be of avail
die Fuge joint; aus den Fugen
  geraten to fall to pieces
das Führungsanrecht claim to
  leadership
fundiert well-made, cut (with clothes)
die Fußschelle ankle chain

der Galanteriedegen dress sword
im Gang sein to be in operation, take
  place
der Gängelwagen go-cart
die Garnisonstadt city with an army
  post
die Gärung unrest, agitation
das Gasel ghazel, Persian love poem
die Gattung species
geballt concentrated
sich geben als to give the appearance
  of, pretend to be
recht geben to agree
gebettet sein to lie
der Gebildete educated man,
  intellectual
die Gebühren (pl.) fees, charges
der Geck fop, dandy
die Gedämpftheit hushed or subdued
  tone or atmosphere
der Gedankenschatz active thinking
gedenken (+ infinitive) to intend,
  propose
die Gedenkfeier commemoration
gedrungen thick-set, compact
geeignet suitable, fit

der **Gefallen** pleasure; favor, kindness
gefühlsmäßig emotional
die **Gefühlsschwärmerei** emotional gushing, bathos
die **Gegenleistung** return
die **Gegenmaßnahme** countermeasure
de **Gegenspieler** rival, opponent
das **Gegenstück** counterpart, antithesis
gehätschelt pampered
gehen um to be a matter of; **vor sich gehen** to take place, proceed
gehörig proper, necessary
die **Geige** violin
gelagert circumstanced
geläutert clarified; rectified
die **Geldwirtschaft** monetary system
gelegen sein (+ **daran**) to be of consequence, to matter; be concerned
die **Gelehrsamkeit** learning, erudition
das **Gelübdnis** vow, promise
gemäßigt moderate
die **Gemeindeverfassung** municipal or town constitution
gemeiniglich generally
das **Gemeinwohl** public good, commonweal
das **Gemetzel** slaughter, massacre
das **Gemüt** disposition, nature, temperament; mind; **zu Gemüt führen** to impress (something) upon a person
gemütlich cosy, comfortable
der **Generalstab** General Staff
genesen to be restored
das **Geprassel** crackling, clatter
geraum long, considerable
das **Gerede** talk, rumor
die **Gerichtsbarkeit** jurisdiction
das **Gerinnsel** clot, rivulet
geruhig = **ruhig**
das **Gerüst** skeleton
gerüttelt (w. **Maß**) full (measure)
geschänd't violated
geschlungen tied
der **Geschworene** juryman, (pl.) jury
gesellschaftsfähig socially acceptable, popular as a nationality

der **Gesellschaftsvertrag** social contract
gesetzgebend (also: **Gesetzgeber, Gesetzgebung**) legislative
die **Gesetzwirkung** operation of laws
der **Gesichtspunkt** point of view
die **Gesittung** culture, breeding; morality
gestelzt stiff
das **Getier** animals
gewachsen sein to be a match for
gewährleisten to guarantee, grant security
der **Gewaltstreich** violent or illegal measure or act, stroke, coup de main
die **Gewerkschaft** trade union
die **Gewinnsteigerung** increase of profits
gewinnsüchtig profit-seeking
gewogen sein to be disposed toward
das **Gewürm** worms
geziemen to be suitable or proper
die **Gicht** gout
der **Giebel** gable
das **Glaubensbekenntnis** confession of faith
der **Glaubenssatz** article of faith
das **Glaubenswagnis** response of faith
der **Gläubiger** creditor
gleichgerichtet rectified
der **Gleichmut** equanimity
gleich-setzen to equate
die **Gleichung** equation
gliedern to put together, join
die **Gliedmaßen** (pl.) members; limbs
die **Goldborte** gold lace
gottbegnadet divinely favored
der **Götzendienst** idolatry
die **Granate** grenade (bomb), shell
der **Grashalm** blade of grass
gräßlich horrible
grauenvoll dreadful, horrible
der **Graus** rubble; horror
die **Grazie** gracefulness, elegance
der **Greuel** horror
der **Groschen** (coll.) penny
großmütig magnanimous; haughty
grübeln to brood, meditate
der **Grübler** brooder

das **Grundeigentum** landed property
die **Grundfeste** (fig.) basis,
  foundation
das **Grundgesetz** basic law
die **Grundlage** foundation, basis;
  fundamentals
grundlegend fundamental
der **Grundriß** ground-plan, sketch
grunzen to grunt
der **Gulden** florin, guilder
der **Gurt** belt
das **Gutachten** opinion, verdict,
  judgment
das **Gutdünken** opinion
das **Gütezeichen** evidence of virtue
das **Guthaben** balance, credit

der **Haarbeutel** hair bag (for a wig)
haben: an sich haben to be a person's
  manner; **auf sich haben** to signify,
  be of consequence
die **Hacke** hoe
der **Hader** dispute, strife
der **Hahn** cock (of a rifle)
halsstarrig stubborn, obstinate
die **Hand: vor der Hand** for the time
  being; **die letzte Hand anlegen** to
  put the finishing touches on; **von
  der Hand weisen** to reject out of
  hand
die **Handelsunion** commercial union
der **Handlungsreisende** traveling
  salesman
die **Handlungsweise** way of behavior
hantieren to play around with, operate
der **Hauptausschuß** chief committee,
  steering committee
der **Hausstand** household
das **Hausvieh** domestic animals
der **Heiduck** domestic in service of a
  noble; Hungarian mercenary
heillos terrible, awful
die **Heilslehre** doctrine of salvation
heim-suchen to haunt
herauf-beschwören to bring on, cause,
  conjure up
herauf-ziehen to approach
heraus-fordern to challenge
sich **heraus-stellen** to appear, turn out
herb sharp, acid

her-halten to pay, bear the brunt,
  suffer
herkömmlich traditional
die **Herkunft** origin
her-schreiben to originate
herrschsüchtig domineering
heruntergekommen run-down
herunter-purzeln to tumble down
hervor-gehen to come off; emerge,
  follow
sich **hervor-tun** to push oneself
  forward, to advance oneself
  (unduly)
die **Hetze** instigation, baiting;
  incitement
hetzen to set (dogs on someone)
die **Heuchlerei** hypocrisy
heulen to howl
das **Hilfsmittel** resource, means
im **Hinblick** in view of
hinein-schlittern to slide into
das **Hineinversetzen** transfer, shifting
die **Hingabe** devotion
hin-gehen to pass, elapse
hinken to limp, hobble
hinlänglich sufficient, adequate
das **Hinnehmen** acceptance,
  submission
hin-richten to execute, put to death
hin-schwinden to vanish, dwindle
hinterhältig insidious
die **Hinterlassenschaft** legacy, estate
hintertreiben to circumvent; frustrate,
  counteract
der **Hinundherzug** move and counter-
  move
sich **hinweg-setzen über** to disregard,
  overlook
das **Hissen** displaying, hoisting (of a
  flag)
hochfahrend haughty
hochgezüchtet highly cultivated
der **Hochspieler** person playing or
  gambling for high stakes
der **Hochstapler** swindler, confidence
  man, gambler
hochtrabend pompous, bombastic
der **Hofmeister** private tutor
der **Hofstaat** (royal) household
die **Hoheit** authority; high dignity

holdselig graceful; lovely
holfen = geholfen
der **Holzhacker** wood cutter
honett respectable, honorable
die **Huld** grace, blessing
die **Hure** whore
der **Husarenoberst** colonel in the hussars

die **Innenpolitik** domestic or national politics
die **Innerlichkeit** inwardness, subjectivity, warmth
inne-wohnen to be inherent in
der **Insulaner** islander
inszenieren to arrange, organize
die **Inszenierung** staging, production, setting
der **Intrigant** intriguer, plotter
die **Invalidenversicherung** disability insurance
irreführend misleading

der **Jägeroffizier** infantry officer
der **Jahrestag** anniversary
der **Jahrmarkt** (annual) fair
jauchzen to exult, rejoice
das **Jubiläum** anniversary
Julius = **Juli**
der **Jünger** disciple, follower
die **Justizbehörde** legal authority, court of law

der **Käfer** beetle; bug
die **Kaiserherrlichkeit** (days of) imperial glory
das **Kaisertum** empire
die **Kaiserwürde** emperorship
das **Kammergericht** supreme court (Prussian), court of appeal
die **Kampfansage** invitation to battle, declaration of war
der **Kanzleidiener** minor functionary, clerk
karg: kärglich poor, scanty
die **Kartaun(e)** muzzle-loader
alles auf die Karte setzen to stake everything on
das **Kasino** casino, officers' club or mess

der **Kasinoton** manners or tone of the officers' club
der **Kastengeist** exclusiveness, spirit of caste
das **Katheder** professorial chair, rostrum (of a lecture hall)
der **Katzenjammer** hangover
die **Kaution** safety provision
sich kehren an to pay attention to, heed, mind
in Kenntnis setzen to inform
die **Kenntnisnahme** information; **zur Kenntnisnahme** for note of
der **Kerngedanke** central idea
kernhaft solid, robust
kesseln to manufacture [petty consumer goods]
der **Ketzer** heretic
die **Ketzerei** heresy
kläffen to bark, yelp
klaffend gaping
das **Klappern** clattering
der **Klatschmohn** corn-poppy
klauben to pick; **Worte klauben** to split hairs
das **Kleinbürgertum** petty bourgeoisie
der **Kleinkram** petty details
kleinlich petty
die **Kleinstaaterei** particularism
klipp und klar obvious, quite clear
die **Klippe** cliff, reef
klirren to clash, clatter, clank
das **Klostervolk** religious class
klügeln to split hairs, quibble
der **Knalleffekt** unexpected turn in events, sensation
knallen to crack, fire (a gun)
kneten to knead, mould
der **Kniff** trick, wile, ruse
knirschen to grind (one's teeth)
die **Knute** (fig.) terrorism
der **Kollegsaal** lecture hall
die **Konduite** conduct, deportment
die **Konjunktur** favorable turn of circumstances
die **Konkurrenz** competition
konkurrieren to compete
das **Konto** (pl. **Konten**) account, credit
das **Konzilium** (church) council

die **Körperschaft** corporation, body
das **Krachen** bursting, roaring
die **Kraft: außer Kraft setzen** to
  suspend, abrogate; **in Kraft treten**
  to become effective
kraft by authority of, by virtue of
der **Kragen** collar
der **Krämer** shopkeeper
die **Krämerbude** small shop
kratzen to scratch
der **Krebs** cancer
das **Kreischen** screaming, shrieking
der **Kreisrat** county magistrate
der **Kreuzritter** crusader
der **Kreuzzug** crusade
die **Kriegsentschädigung** war
  indemnity or reparation
die **Kriegserschlaffung** the enervation
  ‚or slackening as a result of war
das **Kriegsgerät** implements of war,
  war material
die **Kriegszucht** military discipline
die **Kult** cult; worship
der **Kultus** worship, cult; religious
  rites
die **Kundgebung** demonstration,
  manifestation
der **Kürassiergeneral** general of the
  cuirassiers or dragoons
der **Kuriale** a member of the Curia
die **Kurie** Curia (Papal Court)
kurzfristig short-dated, for a limited
  time

labil unstable
lahm-legen to make useless, render
  ineffective
der **Laie** layman
die **Laienschaft** laity
das **Land** country; state in West
  Germany
der **Landbote** country messenger
das **Landesfürstentum** reigning
  princes
der **Landesherr** (territorial) prince;
  ruler
landesherrlich sovereign
landesväterlich patriarchal
das **Landgericht** county court
der **Landgraf** count

der **Landjunker** country squire
der **Landrat** district magistrate
der **Landsknecht** mercenary
der **Landstand** provincial or regional
  representative   body
der **Landstrich** tract of land, region
der **Landtag** provincial diet
die **Landwehr** Territorial Reserve
  (forces)
lapidar concise, pithy
der **Lappen** rag
aus dem Spiel lassen to leave out of
  the question
im Stich lassen to leave in the lurch
das **Laterankonzil** Lateran Council (a
  papal council)
die **Laubwand** hedge
die **Lawine** avalanche
der **Lebensanspruch** life goal
der **Lebenseinsatz** self-sacrifice
die **Lebenshaltung** standard of living
der **Lebenskünstler** one who takes life
  philosophically
an den Tag legen to bring to light
der **Lehensadel** feudal nobility
die **Lehenseinrichtung** feudal system
der **Lehensherr** feudal lord
der **Lehm** mud
der **Lehnsmann** (pl. **-en** or
  Lehnsleute) vassal
leibeigen in bondage, in thrall
leichtfertig frivolous
Folge leisten to comply with
in die Wege leiten to pave the way for
die **Lesart** version
die **Liane** liana, supple-jack (climbing
  plant)
die **Liebhaberei** fancy, hobby,
  amusement
in erster Linie first of all, above all
das **Lippenbekenntnis** lip service
das **Lokal** place, office
das **Lösegeld** ransom
die **Lossprechung** absolution
der **Lüstling** voluptuary; debauchee
das **Lustspiel** comedy

machtlüstern power-mad
der **Machtrausch** intoxication with
  power

die **Machtübernahme** seizure of
  power
das **Machwerk** machination
der **Magister** schoolmaster
der **Magyar** Hungarian, Magyar
mähen to mow, reap, cut
der **Manufakturwarenabsatz** export
  or sale of manufactured goods
die **Marine** navy
die **Marktwirtschaft** market economy
die **Maßgabe** measure; **nach Maßgabe**
  according to
die **Maßnahme** measure; **Maßnahmen**
  treffen to take measures
mästen to feed, fatten, batten
der **Maurer** mason, bricklayer
der **Mehrer** benefactor
meineidig perjured
melken to milk
sich mengen to meddle in, interfere
der **Menschenschlag** type or breed of
  man
das **Metrum** metre, prosody
militärfromm worshipping the
  military, militaristic
die **Miliz** militia
der **Minderwertigkeitskomplex**
  inferiority complex
mißlich precarious; unfortunate
der **Mißstand** abuse
die **Mitbestimmung** having a voice
  (in), co-determination
mitbewirkt assisted by
das **Mitgefühl** sympathy, compassion
der **Mitzuwachs** joint increase,
  co-increase
mnemotechnisch mnemonic
die **Modewaren** millinery; fancy goods
der **Mordbrenner** incendiary who
  endangers life, "bloody villain"
das **Morgengrauen** dawn
das **Mosaikbeet** mosaic tile or slab
mastrich mustard (color)
mühselig toilsome
münden to lead to, flow
mündig of age
die **Mündigkeit** maturity
die **Mündlichkeit** oral (proceedings)
mürb soft; (fig.) worn-down
die **Muse** muse
musisch artistic

das **Muster** pattern, design, example
mutmaßen to surmise, guess
mutmaßlich presumable
mutwillig mischievous

die **Nachgiebigkeit** softness,
  complaisance; tractability
nachhaltig lasting, enduring
der **Nachlaß** (theol.) dispensation
die **Nachsicht** forbearance, clemency,
  pity
der **Nachwuchs** rising or coming
  generation
das **Nähere** details
der **Nahrungszweig** means of
  livelihood
zum Narren halten to deceive, fool
nationalverwurzelt rooted in the
  national or ethnic
die **Nichtigkeitsklage** annulment
  proceedings
nichtsdestoweniger nevertheless
der **Niedergang** decline
nieder-legen to formulate
nisten to nest, build a nest
nivellieren to level, grade
nordisch nordic
das **Nordlicht** aurora borealis,
  northern lights
die **Normierung** standardization
notdürftig makeshift
der **Notfall** case of emergency
notgedrungen compulsory,
  necessarily

die **Oberaufsicht** main supervision,
  superintendence
der **Oberbefehlshaber** commander in
  chief
obliegend imposed upon
die **Obrigkeit** authority; government
obrigkeitlich authoritarian
ochsen to cram
offenkundig evident
oktroyiert imposed on from above,
  dictated
opfermutig self-sacrificing
ordinieren to ordain
das **Organ** unit (military)

das **Papsttum** papacy
der **Päpstliche** follower of the Pope
die **Parität** (religious) equality
die **Parole** watchword, password
der **Pauschal-Kritiker** generalizing
  critic
das **Pech** pitch; misfortune, bad luck
die **Pest** plague, pestilence
der **Pfau** peacock
pflastern to pave
der **Pflug** plow
der **Pflugstier** plow ox
die **Philisterhaftigkeit** philistinism,
  fogyism
der **Pilger** pilgrim
plebejisch plebeian
die **Plumpheit** clumsiness
der **Pöbelversuch** attempt by the
  rabble or mob
die **Posaune** trumpet, clarion
der **Prägestempel** die; coinstamp
prahlen to boast
die **Praxis** practice, custom, exercise
der **Presser** extortionist
das **Primäre** the primary thing
das **Primat** primacy
das **Protokoll** record, minutes
der **Protokollant** recorder, recording
  secretary
das **Provisorium** provisional
  arrangement or state
der **Prozeß** lawsuit operation,
  procedure
der **Prügel** stick; (pl.) thrashing;
  mit Prügel bedenken to give a
  thrashing
das **Prunkstück** showplace,
  showpiece
sich pudern to powder oneself
der **Putsch** revolutionary outbreak,
  armed uprising

quasseln to bicker, prattle
die **Quittung** receipt

raffen to gather; snatch up
die **Rakete** rocket; cracker
der **Raketenlärm** rocket explosion
die **Rangstufe** grade, order, rank
der **Rasen** grass, lawn

rasend maddened; raging
rasieren to shave
der **Rassekern** essence of racial
  characteristics
der **Ratschlag** suggestion; advice
ratschlagen to deliberate, consult
  together
räuspern to clear one's throat
die **Rebe** grape; vine
rechnen auf to count on; **rechnen mit**
  to take into account, reckon with
Rechnung tragen to allow for, take
  into account
der **Rechtsboden** legal basis
die **Rechtsfähigkeit** legal rights,
  legality
das **Rechtsgebilde** legal structure or
  organization
die **Rechtsgläubigkeit** orthodoxy
das **Rechtsgut** legal guarantee
rechtskräftig legal, valid
die **Rechtsordnung** laws, legal
  system, "law and order"
die **Rechtspflege** administration of
  justice
die **Rechtsprechung** legal decision,
  judgment; judiciary
der **Rechtsweg** legal recourse
die **Redensart** phrase
das **Regal** (pl. -ien) royal
  prerogative; (pl. only) regalia
die **Regie** management
der **Regierungsrat** administrative
  advisor
reichhaltig generous
der **Reichsbürgerbrief** Reich
  citizenship papers
die **Reichsstadt** (free) imperial city
der **Reichstag** imperial parliament
der **Reichsverband** national federation
reisig(es) Zeug cavalry
der **Reisige** mounted soldier
der **Reservefall** reserved or special
  case
der **Restbestand** remnant
die **Richtlinie** directive; direction,
  rule
die **Richtschnur** rule of conduct,
  guiding principle
der **Riß** schism; fissure

der **Rittmeister** cavalry captain
der **Rockzipfel** coattail
romanisch Romance or Romanic, Latin
der **Romanist** papist, romanist (chiefly disparaging term for Roman Catholic)
rostig rusty
der **Rückfall** relapse
die **Rückforderung** reclamation
der **Rückgang** retrogression; decline
der **Rückschlag** setback
der **Rücktritt** resignation
der **Rückweg** way back
die **Rückwirkung** reaction, retroaction
der **Rückzug** retreat
der **Rüde** large dog or hound
das **Ruder**: **ans Ruder kommen** to come into power; **sich am Ruder halten** to maintain oneself in power
der **Ruhestuhl** easy chair; (fig.) leisure
die **Ruhr** dysentery
die **Rundfunkstation** radio station
die **Runkelrübe** beetroot
rüstig vigorous, brisk
das **Rüstzeug** equipment for war

der **Säbel** sabre
das **Säbelrasseln** sabre rattling
das **Sachgebiet** special field
sachgemäß relevant, pertinent
die **Sachkunde** expert knowledge
der **Sachwert** real or property value, non-liquid assets
das **Sakrament** sacrament
die **Sakramentalien** (pl.) "sacramentalia"
salben to anoint
die **Sanierung** reorganization, restoration
das **Schachspiel** chess game
das **Schafott** scaffold; gallows
das **Schandbare** infamous, disgraceful
die **Schanz** moat, entrenchment
die **Schattierung** shade, tint
schätzungsweise approximately
der **Schauer** shudder, slight
schaufeln to shovel, dig, or scoop out

der **Schauplatz** scene
die **Schaustellung** exhibition, show
scheinheilig hypocritical, sanctimonious
die **Scheinleiche** apparent corpse
das **Scheit** log, stick; hair (w. splitting)
das **Schema** pattern, scheme
die **Scherbe** fragment (of glass, china)
sich schicken für to be proper for
der **Schiedsrichter** arbiter, referee
der **Schiedsvertrag** arbitration treaty
die **Schildwache** sentry
die **Schildwacht** sentry duty; **Schildwacht halten** to stand sentry or guard
schillern to scintillate
der **Schimmel** gray hair
schinden to oppress, exploit
der **Schinder** oppressor, exploiter
die **Schindmähre** (fig.) victim
der **Schlagbaum** barrier; (fig.) tariff
sich schlagen wie to fight like a
sich schlagen zu to side with, go over to, join
der **Schlagfluß** apoplectic fit, apoplexy
das **Schlaglicht** glare, strong light
das **Schlagwort** catchword, slogan
schlapp flabby, spineless, limp
schlechthin simply
der **Schleppensaum** hem of a train (of a dress)
Kompromisse schließen to make compromises
schlingen to wind, twist
die **Schmälerung** lessening, curtailment
das **Schmalz** fat, grease
schmeißen (**es, eine Sache**) to bring (a thing) off successfully
der **Schmetterling** butterfly
schmettern to dash, throw down, smash
schmollen to pout, sulk
die **Schnörkelhaftigkeit** extreme ornamentation or decoration, "gingerbread"
der **Schnaps** liqueur, brandy, gin
schnoddrig insolent

der **Schnurrbart** mustache
das **Schoßkind** pampered darling,
  "lap-child"
die **Schranke** barrier; limit,
  boundary; **in die Schranken fordern**
  to challenge, defy
schrauben to mock, quiz, or tease (a
  person)
zur Sache schreiten to get to the
  matter at hand
die **heilige Schrift** Holy Scriptures
der **Schriftleiter** editor
die **Schrittmacherin** harbinger, pace-
  maker
der **Schutzverband** protective union
der **Schutzwall** protective rampart,
  defensive line or positions
die **Schutzwehr** fence, bulwark
der **Schützgraben** (**Schützengraben**)
  trench
der **Schwefel** sulphur; brimstone
schwellen to swell, rise, increase
schwerfällig slow, ponderous
das **Schwergewicht** dominant factor,
  emphasis, chief importance
die **Schwiele** callous; welt
die **Schwüle** sultriness
schwülstig bombastic, high-flown,
  pompous
das **Schwurgericht** jury trial
das **Seelenheil** salvation
der **Seelenschatz** spirit's or soul's
  treasure
der **Seelsorger** pastor
sektierisch schismatic
das **Selbstbewußtsein** self-confidence
die **Selbsterhaltung** self-preservation
selbstquälerisch agonizing
die **Selbstverherrlichung** self-
  glorification
die **Sense** scythe
serbisch Serbian
setzen: alles auf die Karte setzen
  to stake everything on; **außer Kraft
  setzen** to suspend, abrogate; **in
  Kenntnis setzen** to inform
die **Sicherstellung** safeguarding
der **Siedlungsraum** space for
  settlement
das **Sinnbild** symbol

sinnfällig striking, spectacular
die **Skrupelhaftigkeit** scrupulosity
die **Skrupellosigkeit** unscrupulousness
slawisch Slavic
der **Sold** pay, wages
der **Söldner** mercenary
das **Sonderkommando** special squad
die **Spaltung** split, crack; rupture,
  schism
das **Spannungsfeld** magnetic field
der **Spaten** spade
auf dem Spiel stehen to be at stake
aus dem Spiel lassen to leave out of
  the question
die **Spielbank** gambling table
spießen to run through, impale
die **Spitze** head
der **Splitter** shell fragment, splinter
die **Sporteln** (pl.) fees
der **Spruch** judgment
spukhaft ghostly, ghostlike
die **Staatlichkeit** political life
der **Staatsanwalt** public prosecutor,
  District Attorney
die **Staatsanwaltschaft** office of the
  District Attorney
staatsbürgerlich civic
die **Staatsbürgerlichkeit** civic or
  political affairs
das **Staatsbürgertum** civic service
die **Staatseinrichtungen** (pl.)
  governmental institutions
das **Staatsgebilde** governmental
  structure or organization
das **Staatsgefüge** political system
der **Staatsgerichtshof** federal or
  supreme court
die **Staatsgewalt** political authority
der **Staatshaushalt** federal budget
die **Staatskunst** statesmanship,
  statecraft
die **Staatslehre** political science
die **Staatsraison** (**Staatsräson**) reason
  of state, national policy
das **Staatsrecht** constitutional law
der **Staatsstreich** *coup d'état*
der **Stachel** sting, stimulus
der **Stacheldraht** barbed wire
das **Stadium** stage
der **Stahldegen** sword

der **Stammesstaat** homeland, native country
der **Stammtisch** table in tavern reserved for regular patrons
der **Stand** stand; class; rank; (pl.) estates; position; **zu Stand** (**zustande**) **kommen** to occur, come off; **im Stande sein** to be capable of, be in a position to
die **Standarte** standard
die **Ständeversammlung** diet; assembly of the states
stand-halten gegenüber to hold one's own against, withstand
ständig constant
ständisch according to class or position
stechen to jab, dig
stellenweise occasionally, in places
der **Stellungskrieg** trench warfare, positional warfare
das **Stempelpapier** stationery bearing (government) stamp, for which tax was collected
die **Steuer** tax
der **Stich** stab, thrust; **im Stich lassen** to leave in the lurch
das **Stipendium** scholarship, 1, stipend
stöhnen to groan, moan
die **Stoppel** stubble
stoßen auf to meet with
stottern to stutter, stammer
straff tight
das **Strafgesetz** penal code, criminal law
die **Strafjustiz** administration of criminal law
die **Strafrede** reprimand, admonition, severe lecture
das **Strafverfahren** criminal procedure
der **Strafvollzug** execution of sentence
stramm snappy, rigid, strapping
die **Streitkräfte** armed forces
strenggegliedert tightly organized
die **Strittigkeit** = **Streitigkeit**
der **Strolch** vagabond, tramp
das **Strombett** (fig.) current
der **Studienrat** assistant master of a secondary school
der **Stützpunkt** (military) base

die **Sühne** expiation, atonement
der **Sündenbock** scapegoat

an den Tag legen to bring to light
tagen to meet, confer
die **Taube** pigeon; dove
taxiert calculated
der **Testamentvollstrecker** executor
teutsch = **deutsch**
der **Thronhimmel** canopy
tiefgehend profound, farreaching
der **Tollkopf** hot-head, madcap
den Ton angeben to set the fashion, take the lead
tonangebend leading, setting the fashion
töricht foolish, silly
der **Trabant** satellite
trachten to endeavor, strive
tradiert inherited, traditional
die **Traktation** treatment
traktieren to treat
Maßnahmen treffen to take measures
treten: in Kraft treten to become effective; **zutage treten** to come to light, become evident
das **Trichterfeld** shelled or bombarded area
der **Triebsand** shifting sand
der **Trug** deceit

übel nehmen to take offense, take amiss
die **Übelkeit** nausea
überantworten to surrender
überbieten to excel, surpass
die **Übereinkunft** agreement
überflügeln to surpass, outstrip
die **Überführung** transfer
der **Übergriff** transgression, encroachment
überheblich presumptuous
überkommen to receive; have handed down
überleben to survive
überlebt antiquated, old-fashioned
das **Übermaß** excess; **zum Übermaß** to fill up the measure of
übermault overtaken

überordnen to place or set above, superimpose
sich überschlagen to crack or break (of a voice)
überschneidend overlapping
überschütten to cover with
überschwänglich: überschwenglich excessive, boundless
übersiedeln to emigrate, move
überstehen to survive; endure
übersteigern to exaggerate, bolster up
U-Boot = Unterseeboot submarine
um-bringen to kill
um-erziehen to re-educate
im weitesten Umfang to the largest possible extent
um-gestalten to recast, refashion
die Umgestaltung reform, reorganization; transformation, adaptation
umgestürzt overturned, subverted
umhalsen to embrace
umkämpft disputed, hotly contested
umklammern to fasten upon
umkleidet invested
um-kommen to die, perish
der Umkreis radius, vicinity
umreißen to outline, sketch
die Umschichtung regrouping, shifting, reshuffle
umschränkt confined, limited; restricted
der Umschwung revolution; change-over, change
umsichtig prudent, cautious
umspannen to encompass
die Umstellung conversion, change of position
die Umwälzung revolution
die Umwelt environment
umwittern to surround, envelop
unablässig unceasing, continual
die Unabsetzbarkeit "unimpeachability," i.e. permanent tenure
unangesehen irrespective of (whether)
unantastbar inviolable, inassailable
unaufhaltsam irresistible, unavoidable
unausbleiblich inescapable
unausgesetzt uninterrupted

unausweichlich inevitable, inescapable
unbefugt unauthorized, incompetent
das Unbehagen uneasiness
die Unbeholfenheit clumsiness, awkwardness
unberechenbar incalculable
unbesonnen ill-advised; thoughtless
unbestechlich incorruptible
unbeugsam inflexible, unbending
unbewältigt unconquered
die Unbill (pl. **Unbilden**) wrong, injustice
unehelich illegitimate
unentrinnbar inescapable
unermeßlich immense, immeasurable
ungeschoren in peace, unmolested
ungestüm impetuous, violent
der/das Ungestüm violence, turbulence
ungetrübt untroubled, serene
unglücksschwanger ominous
unheilvoll evil, disastrous
unheimlich immense; uncanny; ominous
das Universitätsgelände university grounds
unmündig immature
unnachgiebig unyielding; uncompromising
die Unparteilichkeit impartiality
die Unpolitik apolitical stance or attitude
unsäglich unspeakable
das Untaugliche unfit
unterbreiten to submit
unter-bringen to accommodate, provide a place for
der Untergebene underling, subordinate
das Untergebenenwesen (habitual) behavior as an underling
untergraben to undermine
ohne Unterlaß without intermission, continually
unterordnen to subordinate, submit
untersagen to forbid, prohibit
der Unterseebootkrieg submarine warfare
der Unterstand dug-out, fox-hole

unterstehen to be under control of;
  sich unterstehen to dare, venture
sich unterwinden (zu + infinitive) to
  presume to, dare to
unterwühlen to undermine
unterwürfig obsequious, servile
unumschränkt absolute; unlimited
unveräußerlich inalienable
die Unverbrüchlichkeit inviolability
unversehens unexpected
unversehrt intact, safe
die Unversehrtheit soundness
unverzüglich without delay
unvorhersagbar unpredictable
die Unwägbarkeit imponderable
das Unwesen disorder; abuse
unwidertreiblich irrefutable
unzeitgemäß out of date, behind the
  times
unzulänglich inadequate
unzulässig inadmissible
urdeutsch German to the core
der Urheber originator
der Urquell original source
die Urseele original spirit or mind,
  primeval soul
der Urvater forefather, first father

das Vagantentum vagrancy,
  vagabondage
vagieren (herum) to stroll about
verabschieden to adopt (a law)
zur Verantwortung ziehen to call to
  account, make to answer for
die Verarmung impoverishment
verbaut blocked
verbiegen to distort
die Verbindung student club or
  association
die Verbissenheit obstinacy,
  doggedness
verblassen to fade
verblendet deluded
der Verblichene deceased
verblüfft flabbergasted
verbluten to drain; bleed to death
verbürgern to guarantee
verdecken to conceal
verdenken to blame
die Verdunkelung eclipse

die Veredlung ennobling, refinement
der Vereinbarerstandpunkt
  conciliatory standpoint
das Vereinszollsystem tariff system of
  the customs union
vererben to (be) handed down,
  bequeath
verfallen auf to hit upon
verfangen (+ negative) to be of (no)
  avail
verfassungsgebend constituent
verfassungsmäßig constitutional
verfassungswidrig unconstitutional
das Verfaulte rotted, decayed
der Verfechter defender, champion;
  advocate
verfehlt unsuitable, a mistake
verfließen to elapse, pass
verfolgen to prosecute (legal)
verführen to induce, entice
die Vergasung gassing
das Vergehen offense
die Vergewaltigung rape
vergilbt yellowed
vergröbern to make or become coarser
  or cruder
die Verhaftung arrest
das Verhalten behavior
sich verhalten zu to be in proportion
  to
das Verhältnis condition,
  circumstance; relationship
verhältnismäßig relative, comparative
das Verhältniswahlrecht proportional
  representation
verhandeln to deal with, negotiate
verhängen to pronounce (a
  judgment), impose (a penalty),
  inflict (a punishment)
verheeren to devastate, destroy
verheißen to promise
verhetzt hysterical
die Verirrung error, aberration;
  backsliding
die Verkehrsform manner or style of
  social relations
die Verkehrsmittel (pl.) traffic
  facilities
die Verkettung chain
verketzern to calumniate, disparage

verkleiden to disguise, make up
verkleideterweise disguised in this manner
verklingen to die or fade away (of sounds)
verkniffen choked down, stifled, denied
verkörpern to embody
verkrampft clenched, cramped
verkrüppelt crippled
verkümmern to spoil, grudge
der Verlauf development, progress, course
sich verlaufen to elapse, take its course
verlauten to be said or rumored
verleiden to spoil (something for someone)
verleihen to bestow, grant
verleiten to mislead, lead astray; entice, inveigle
verlesen to read out
die Verleumdung libel, slander, defamation
vermeint alleged
sich vermengen mit to be involved with
sich vermessen to claim, presume
die Vermessenheit presumptuousness
in bunter Vermischung heterogeneously
vermittels by means of
vernachlässigen to neglect
vernebeln to obfuscate
das Vernichtungsgebäude building for the purpose of mass executions
das Vernichtungslager death or extermination camp
die Verpflegung maintenance
verpuffen to fizzle out
verrucht vile, wicked
sich verschanzen to entrench oneself
sich (etwas) verscherzen to lose, forfeit
verschlagen sly, crafty
verschlingen to devour
verschreien to decry
verschulden to incur, be the cause of
verschütten to bury
versengen to singe
versetzen to transfer

die Versicherung insurance
verstatten to allow, concede, permit
versteifen to reinforce, stiffen; **sich versteifen auf** to make a point of, become set upon
sich versteigen in to go mad over, go too far
die Verstellung disguise, pretense
verstimmt upset, cross, in a bad mood
verstopft choked, blocked
verstoßen gegen to offend against
verstreichen to pass, elapse
vertiefen to add (sometimes false) profundity; deepen, emphasize
vertilgen to destroy, annihilate
verüben to commit, perpetrate
verwahren to keep from
verwahrlosen to neglect
die Verwaltungsgerichtssache case before a civil court
verwegen bold, audacious
die Verweltlichung secularization
die Verwendung intercession
verwischen to blot out, obliterate
verwoben "tied up," involved
verwunderlich astonishing
verwünschen to curse
verwüsten to devastate, lay waste
sich verzanken to quarrel
die Vielfältigkeit variety, diversity
die Vielgestaltigkeit complexity, multiformity
der Völkerbund League of Nations
die Völkerwanderung (Germanic) tribal migrations
volksdeutsch German nationalist or ethnic
die Volksentscheidung referendum
die Volkskammer People's Chamber; People's Court
volkstümlich popular
der Volksstamm race, tribe
die Vollbeschäftigung full employment
vollbringen to accomplish, achieve
vollstrecken to carry out
die Vollziehbarkeit carrying out (a decision or sentence)

die vollziehende Gewalt = die
  Vollzugsgewalt executive power
die Vorbedeutung portent, omen
der Vorbehalt reservation, proviso
sich vor-behalten to withhold, reserve
  (for oneself)
vor-beugen to take preventive
  measures
die Vorbeugungsmaßregel preventive
  measure
vorderhand for the present
der Vorfahr ancestor, forefather
das Vorfeld approaches
vor-finden to find, come upon
die Vorform planned shape, ideal
  form
der Vorgang event
vor-gaukeln to lead (a person) to
  believe (that) . . .
das Vorgegebene that which is
  allowed
vorgeprägt prefigured
vorgesehen sein to be arranged, be
  made, be provided
der Vorgesetzte superior, chief
das Vorgesetztentum cult of authority
die vorgesetzt(e) Behörde appointed
  authority
das Vorgreifen anticipating, (fig.)
  stretching out
der Vorgriff anticipation, forestalling
vorhergehend preceeding
die Vorherrschaft predominance,
  ascendancy
der Vorläufer forerunner, harbinger
vor-liegen to be put forward or
  submitted, be under consideration
vor-malen to describe
der Vormünder guardian
vornehm eminent, principal;
  aristocratic, elegant
sich (etwas) vor-nehmen to intend,
  propose (to do something)
die Vornehmtuerei pretense of social
  superiority, snobbery
der Vorrang pre-eminence, superiority
der Vorschub help, assistance,
  support; Vorschub leisten to give
  support
die Vorschützung pretense

den Vorsitz führen to preside
die Vorsorge foresight, precaution
der Vorspruch preamble
das Vorstellungsvermögen power of
  imagination
die Vorstellungswelt field or area of
  thought
die Vorstufe preliminary stage
vorwiegend prevalent, predominant
die Vorzeit antiquity
der Vulkan volcano

die Waage scales
der Waffenstillstand armistice
waghalsig reckless
wählbar eligible for election
der Wahlfürst princely elector
der Wahlspruch motto; election
  slogan
währen to last, continue
wahr-haben to admit, acknowledge
der Wahrheitsbeweis factual evidence
die Wahrung preservation,
  maintenance
die Währung currency (standard)
das Währungsverhältnis currency
  value
das Wahrzeichen symbol, sign
die Waise orphan
die Waldesgipfel (pl.) treetops
die Walstatt battlefield
das/der Wams belly, paunch
der Wandel change; mode of life,
  behavior
wandeln to change
der Wandelstern planet
die Warendecke financial backing or
  security
die Wasserkunst fountain, waterwork
wechselseitig reciprocal, mutual;
  alternate
in die Wege leiten to pave the way for
der Wehrbeitrag defense contribution
wehrhaft valiant
die Wehrmacht armed forces
die Wehrpflicht liability for military
  service; allgemeine Wehrpflicht
  compulsory military service
von der Hand weisen to reject out of
  hand

das Weltall universe
weltanschaulich ideological
weltbürgerlich cosmopolitan
der Weltenbummler globe-trotter
der Weltgeist philosophy of history
der Werktätige worker
das Wertpapier security, bond; scrip
die Wesensart nature, character
der Wettbewerb competition, contest
die Wette wager, bet
wetteifern to vie with, compete with
das Wettrüsten armaments race
wickeln to wind, twist
widerrufen to revoke, recant, disavow
sich widersetzen to oppose, resist
die Wiederaufrüstung re-armament
die Wiedereinbeziehung reclamation
die Wiedereinsetzung re-establishment
die Wiedergutmachung reparation
wiewohl although
um . . . willen for the sake of
der Wirkungskreis sphere (of
  activity), domain
der Wirtschaftshof estate of a noble
  who lives off his land
der Wirtschaftswissenschaftler
  economist
wofern nichts if not
die Woge wave, billow
die Wohlerwägung thorough
  consideration
die Wohlfahrt welfare, prosperity
wohlwollend benevolent
die Wortverdrehung quibbling,
  distortion of words
die Wucht force, power
das Wühlen burrowing, tearing,
  gnawing at
die Wühltätigkeit agitating,
  subversive actions
das Wunderwürdige miraculous
der Wust confused mass, chaos

die Zahlungsfähigkeit solvency
die Zahnbürste toothbrush
zanken to quarrel
der Zänker squabbler, bickerer
die Zäsur break
zaudern to hesitate, delay

zeichnen to sign, be (responsible)
zehren to waste; (fig.) gnaw at, prey
  upon
zeitgemäß timely, modern, up to date
zeitig temporal, worldly
zeitigen to produce
der Zeitraum period, interval
die Zeitrechnung chronology, era;
  style
zeitvertreibend amusing, entertaining
die Zensur censoring, censorship
zerbrechen to shatter; break down;
  zerbrechen an to fail owing to
zerdrücken to crush
zerfallen to be divided (into)
zerhaun massacred
zerknittern to crumple
der Zermürbungsprozeß wearing
  down procedure, grinding down
  operation
das Zerrbild caricature
die Zerrüttung disorder; ruin
zerschmettern to crush, smash
zersetzen to undermine, break up,
  disintegrate
zerspringen to burst, explode, crack
zertreten to trample under foot
das Zerwürfnis discord, difference
zerzanken to bicker, argue into the
  ground
der Zeuge proponent (of an idea)
zur Verantwortung ziehen to call to
  account, make to answer for
die Zielsetzung object in view, fixing
  of an aim
der Zimmermann (pl. **Zimmerleute**)
  carpenter
die Zipfelperücke clubbed wig
das Zitat citation, quote
der Zögling pupil
der Zollverein customs union
die Zucht propriety, decorum; rearing;
  breed
die Zuchtform institution for
  instilling discipline
das Zuchthaus penitentiary
züchtigen to punish, chastize
die Zuchtrute (fig.) scourge,
  punishment
der Zuchtwillen desire for discipline

zu-denken to destine, intend for
zudringlich obtrusive
der Zufahrtsweg approach
zu-fallen to allot or be allotted, assign
zu-fügen to inflict
die Zugehörigkeit membership
zügellos unbridled, unrestrained
zu-gesellen to join, associate with
das Zugreifen taking the opportunity, helping oneself
das Zugtier draught-animal
zugrunde-gehen to be ruined or crushed, perish
zugunsten in favor of, for the benefit of
zu-kommen to reach; befit
zukunftsreich promising
der Zünder fuse, lighter
zünftig belonging to a guild; competent, skilled
das Zunftwesen system of guilds
sich (etwas) zunutz machen to profit by, take advantage of
zu-ordnen to assign to, appoint to
zupfen to tug, pull; pluck
zu-richten to prepare
zusammen-brechen to collapse
zusammen-fallen to coincide
zusammen-fügen to join together, unite, combine

zusammen-kauern to cower or squat down
die Zusammenlegung consolidation, merger, fusion
das Zusammenschmelzen fusion
zusammen-stimmen to agree, harmonize; be congruous
zusammen-wirken to collaborate, co-operate
zusehends visibly
zu-spitzen to cut to a point, taper
zu-sprechen to award
zustande-bringen to bring about
zustande-kommen to come about
zuständig competent, proper
zutage liegen to be evident; **zutage treten** to come to light, become evident
zuteil werden to be allotted
zu-weisen to assign
die Zuwendung contribution, support
zu-ziehen to incur, invite
das Zwangsbündnis forced alliance
der Zwangsglaubenssatz required tenet of faith
die Zwangswirtschaft controlled or planned economy
der Zwilling twin
der Zwist quarrel, dispute